L'ART DE LA BIBLE

MANUSCRITS ENLUMINÉS DU MONDE MÉDIÉVAL

SCOT McKENDRICK

KATHLEEN DOYLE

CITADELLES & MAZENOD

À nos parents,
James et June McKendrick
Patrick et Shirley Doyle

NOTE AU LECTEUR

Les dimensions données dans la description de chaque manuscrit sont celles de la page originale (hauteur × largeur) et non de la reliure, et sont arrondies aux 5 millimètres les plus proches.

Une bibliographie sélective figure en fin de chaque monographie, à quoi s'ajoutent quelques suggestions de lectures en fin d'ouvrage (p. 331).

La graphie exacte des cotes des livres est celle que donne la British Library dans les notices des manuscrits numérisés consultables en ligne.
Les citations bibliques de la traduction française sont puisées dans la Bible de l'Association épiscopale liturgique pour les pays francophones, consultable sur Internet (www.aelf.org).

Abréviations utilisées :

BAV :	Vatican, Biblioteca apostolica vaticana
BnF :	Paris, Bibliothèque nationale de France
f°, f^{os} :	folio, folios
ÖNB :	Vienne, Österreichische Nationalbibliothek
PG :	*Patrologia graeca* (J.-P. Migne éd., *Patrologiae cursus completus, Series graeca*, 166 vol., 1857-1866)
PL :	*Patrologia latina* (J.-P. Migne [éd.], *Patrologiae cursus completus, Series latina*, 221 vol., 1844-1865)
r. :	règne
v :	verso

p. 2 : Dieu créant les animaux, dans la Bible historiale d'Édouard IV, n° 42 (volume associé), Royal MS 18 D IX, f° 5 (détail).

p. 5 : La Nativité, dans l'Évangéliaire Egerton, n° 17, f° 1v.

French

Prod No.:	95146
Date:	22/05/17
Title:	Art of the Bible
Supplier:	Artron Art Printing (HK) Ltd
t.p.s:	310 x 250 mms, portrait
extent:	336 pages text and illustrations printed 4/4 throughout; Machine varnish the illustrations on pages 2, 5, 9 and 11 to seal them to prevent ink transfer marking during main run binding
paper:	150gsm Arctic Volume White paper
printed casewrap:	Prints 5/0 (CMYK + Pantone Blue 280U) plus machine sealer varnish on White Magic Paper with natural finish (Allwring Coloration) reference YSY-105-W03. Front board foil blocked Jingyi Foiland imitation gold foil reference 4039. Please NB there is a 5c plate change between each language for the casewrap
binding:	All sheets to be folded and section sewn as 21 x 16pps. Book blocks endpapered with 140gsm Da Dong woodfree paper, grain parallel to spine, printed 1/1 in Pantone metallic gold reference 872U plus machine sealer varnish. Plain beige-vellum head and tail bands GF ref 206. Light gold ribbon marker, 6mm wide, GF reference ST52. Quarterbound with 3mm greyboards covered front and back with the printed case, as detailed above, and on spine with blue real cloth ref JHT-0145. There is to be 36mm of cloth visible on the front and back boards. First and second lined, rounded and backed. Blocked on spine using Jingyi Foiland imitation gold foil reference 4039

L'ART DE LA BIBLE

SOMMAIRE

LES BIBLES

MILLE ANS D'ART ET DE BEAUTÉ

Depuis deux millénaires, la Bible inspire la création artistique et lui fournit la substance de certains de ses plus beaux accomplissements. L'Église chrétienne n'a cessé d'encourager la réalisation de telles œuvres, insufflées aux artistes les plus talentueux de leur temps par cet écrit essentiel. Le mécénat et l'amour de l'art sont ainsi une tradition que perpétuent sans relâche la plupart des institutions et hiérarchies religieuses. Musées et galeries d'art du monde entier regorgent de peintures, sculptures, orfèvreries et créations textiles qui puisent leurs sujets dans la Bible chrétienne.

Au sein de ce remarquable héritage, les manuscrits enluminés, conservés pour l'essentiel dans de grandes bibliothèques d'étude, comptent parmi nos meilleures clés de compréhension de la peinture chrétienne et de l'interprétation artistique de la Bible depuis une période reculée. La valeur insigne dont on revêtait ces objets se comprend sans peine. Seul l'investissement de ressources considérables – longues heures de dur labeur, vastes dépenses matérielles – explique l'existence de tels joyaux. Chaque manuscrit est une réalisation manuelle, comme l'indique le terme même (du latin *manu scriptus*, « écrit à la main »), et chaque enluminure est le fruit de jours, voire de semaines du travail d'une ou de plusieurs personnes hautement qualifiées. Au vu du coût des matériaux et de la main-d'œuvre engagés dans leur production, il n'y a pas lieu de s'étonner que les manuscrits enluminés de la Bible aient été prisés en leur temps comme des trésors, des présents dignes des saints et des rois. Et c'est aussi pourquoi un si grand nombre d'entre eux sont parvenus jusqu'à nous, chèrement préservés par les générations successives.

Cet ouvrage explore une sélection de bibles parmi les plus belles du fonds de la British Library. Ses nombreuses illustrations entendent plonger le lecteur dans l'univers des manuscrits enluminés. Prenant pour point de départ le haut Moyen Âge, c'est un voyage à travers mille ans de création artistique qui s'achève dans une phase déjà avancée des Temps modernes. Géographiquement, la plupart des grands centres du monde chrétien seront abordés, depuis Constantinople à l'est, en passant par Lindisfarne au nord, puis Aix-la-Chapelle, Cantorbéry et la Tours carolingienne. Seront ensuite présentés des joyaux en provenance d'Angleterre, d'Espagne, de Jérusalem, de la vallée de la Meuse, du nord de l'Irak,

Fig. 1 | Salomon délivrant ses instructions au début des Proverbes, Bible historiale de Charles de France, n° 40, Add MS 18857, f° 1 (détail).

de Paris, Londres, Bologne, Naples, la Bulgarie, les Pays-Bas, Rome et la Perse, avec pour étape finale Gondar, capitale de l'Éthiopie impériale. Variété et continuité s'allient dans ce voyage à travers le temps et l'espace, jalonné par quarante-cinq livres d'exception. Chacun est un trésor en soi; ensemble, ils composent un extraordinaire panorama de l'art d'enluminer la Bible.

LA BIBLE CHRÉTIENNE

La Bible chrétienne est le fruit d'une longue et complexe élaboration. Le mot grec βιβλία (« livres »), dont elle tire son nom, dérive lui-même de βύβλος ou βίβλος, qui désignait à l'origine le papyrus, principale matière première des livres antiques. Ce pluriel dénote en soi que la Bible est un livre fait de plusieurs livres. Un ensemble considérable d'écrits juifs forme son premier volet, l'Ancien Testament (du latin *testamentum*, ici employé dans le sens d'« alliance », de « pacte »); le second, ou Nouveau Testament, regroupe un nombre plus réduit de textes chrétiens. Si la doctrine chrétienne reconnaît dans les deux Testaments l'inspiration divine, elle repose également sur l'idée que le Nouveau représente l'accomplissement de l'Ancien.

Les premiers chrétiens adoptèrent une traduction grecque des écrits hébraïques, établie à l'intention des juifs résidant en Égypte et dans d'autres contrées hellénophones, et qui avaient perdu la maîtrise de l'hébreu. Connue sous le nom de Septante (du latin *septuaginta*, « soixante-dix »), cette version était traditionnellement attribuée à soixante-dix érudits actifs à Alexandrie sous Ptolémée II Philadelphe (308-246 av. J.-C.). La Bible juive, soit l'Ancien Testament des chrétiens, s'articule en trois ensembles. Le premier, la Torah (« Loi »), que la tradition assigne à Moïse, comprend les cinq livres de la Genèse, de l'Exode, du Lévitique, des Nombres et du Deutéronome. Le deuxième, les Nebî'îm (« Prophètes »), regroupe les vingt et un livres des prophètes « antérieurs » et « postérieurs ». Le troisième, les Ketûbîm (« Écrits »), est formé de treize livres : les Psaumes, les Proverbes, le Livre de Job, le Cantique des Cantiques, le Livre de Ruth, les Lamentations, l'Ecclésiaste, les Livres d'Esther, de Daniel, d'Esdras (Ezra), de Néhémie, et les deux Livres des Chroniques. Durant près d'un millénaire, l'ordre et la teneur de ces trente-neuf livres évoluèrent sensiblement. La Septante contient également quelques textes exclus du canon des écrits juifs, notamment les Livres de Tobie, de Judith, de la Sagesse (de Salomon), de l'Ecclésiastique (Siracide), de Baruch, et les deux Livres des Maccabées. Ces textes furent admis par les premiers chrétiens, qui fixèrent leur canon sur la version grecque, et non hébraïque, des écrits juifs. Bien que distingués des écrits canoniques par saint Jérôme qui les qualifia d'« apocryphes » (du grec ἀπόκρυφος, « caché »), ces livres sont aujourd'hui encore intégrés à la Bible, qu'elle soit catholique ou orthodoxe. En revanche, les réformateurs protestants du XVIe siècle étant revenus au canon juif en hébreu comme base de leur traduction, ces textes sont exclus de la Bible protestante, ou y figurent séparément au titre d'apocryphes ou de deutérocanoniques (du « deuxième [δεύτερος] canon »).

Bien que constitué sur une période nettement plus courte que le canon juif, le Nouveau Testament chrétien comprend aussi plusieurs textes distincts. Son cœur est formé par les quatre Évangiles, récits de la vie de Jésus. Les auteurs de ces Évangiles (du latin *evangelium*, dérivé lui-même du grec εὐαγγέλιον, « bonne nouvelle ») sont les Évangélistes.

Fig. 2 | L'*incipit* orné de la lettre de saint Jérôme *Novum opus*, Évangiles de Lindisfarne, nº 2, fº 3.

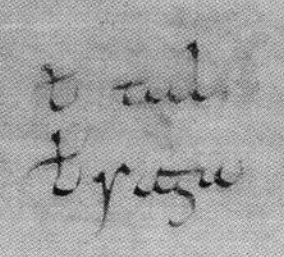

INCIPIT PROLOGUS X CANONUM

OPUS FA

CERE ME COGIS EX

UETERI UT POST

EXEMPLARIA SCRIP

TURARUM TOTO ORBE DISPERSA QUASI QUIDAM ARBITER

De nombreux Évangiles circulèrent dans un premier temps ; celui de Nicodème (voir la Grande Bible, nº 39) resta populaire jusque tard dans le Moyen Âge. Bientôt pourtant, on s'accorda à reconnaître l'autorité exclusive des quatre Évangiles des saints Matthieu, Marc, Luc et Jean. Ce sont autant de témoignages personnels sur la vie, les enseignements, la mort et la résurrection de Jésus de Nazareth, ainsi que son statut de Christ, ou Messie (« celui qui a été oint »), annoncé par l'Ancien Testament. Parmi les vingt-trois autres livres du Nouveau Testament figurent les Actes des Apôtres, récit par saint Luc des premiers temps de l'Église après l'Ascension de Jésus, les Épîtres catholiques et pauliniennes (de Paul), lettres adressées aux premières communautés chrétiennes par l'apôtre Paul et d'autres messagers de la foi nouvelle[1], et l'Apocalypse ou Livre de la Révélation, œuvre d'un « Jean » traditionnellement identifié à l'Évangéliste. Si les quatre Évangiles et les treize Épîtres de Paul fixèrent l'essentiel du Nouveau Testament dès le milieu du IIe siècle, le canon complet des vingt-sept livres ne s'établit définitivement qu'au IVe. C'est alors qu'on résolut formellement d'y intégrer des livres jusque-là considérés comme douteux, telles l'Épître aux Hébreux et l'Apocalypse, tandis que d'autres, un temps admis par certains chrétiens, comme l'Épître de Barnabé et le Pasteur d'Hermas, en furent exclus. Destinés à évangéliser des gentils (« païens ») dont la culture, à la suite des conquêtes d'Alexandre le Grand dans l'est du bassin méditerranéen, était largement lettrée et hellénisée, tous les livres du Nouveau Testament furent écrits en grec.

Aux IVe et Ve siècles, la Bible s'ouvrit à d'autres langues. À la faveur de la dissémination de la foi chrétienne, les Écritures furent traduites, d'abord dans les langues des premières communautés converties – copte, syriaque, arménien, géorgien et éthiopien. Ces précieux témoins des formes primitives du texte biblique sont appelés « versions ». Portées par des missionnaires zélés, les traductions syriaques gagnèrent la Perse, l'Arabie, l'Inde et l'Asie centrale, où elles servirent de base aux premières versions écrites dans les autres langues de la région, tel l'arménien. Évangéliaire syriaque du début du XIIIe siècle (nº 25), Évangiles arméniens du début du XVIIe (nº 44), Octateuque et Évangiles éthiopiens de la fin du XVIIe (nº 45) démontrent la persistance de ces versions au cours des siècles. Certaines incluent divers textes additionnels comme la Troisième Épître aux Corinthiens, citée par le patriarche saint Grégoire l'Illuminateur (v. 240-v. 326), et dès lors intégrée à de nombreuses copies du Nouveau Testament arménien.

L'Occident connut à la même période des évolutions tout aussi décisives. Depuis la fin du IIe siècle, des traductions latines circulaient tant en Gaule qu'en Afrique du Nord : la tradition postérieure les regroupa sous le vocable de *Vetus Latina* (« vieille [version] latine »). Le Père de l'Église saint Jérôme (v. 347-420) entreprit alors, à la demande du pape Damase Ier (mort en 384), une traduction complète de la Bible en latin. Alliant recours à la *Vetus Latina* et travail direct depuis les sources hébraïques et grecques, Jérôme consacra à cette œuvre une bonne moitié de sa vie, d'abord à Rome puis à Bethléem. De l'Ancien Testament, il omit certains livres, qu'il tenait pour apocryphes ; du Nouveau, il ne parvint vraisemblablement à traduire que les Évangiles. L'*incipit* de sa lettre à Damase, *Novum opus*, figure au début des Évangiles de Lindisfarne (nº 2, et voir fig. 2). La *Vetus Latina* resta en usage durant plusieurs siècles : on la retrouve, à la fin du XIe, dans l'Apocalypse de Silos

NOTES

1 Les sept Épîtres catholiques sont Jacques, I et II Pierre, I-III Jean, et Jude. Les quatorze Épîtres de Paul sont Romains, I et II Corinthiens, Galates, Éphésiens, Philippiens, Colossiens, I et II Thessaloniciens, I et II Timothée, Tite, Philémon, et Hébreux.

(nº 15). D'autres manuscrits la fondent avec la traduction de Jérôme. Certains des écrits rejetés par celui-ci comme apocryphes furent par ailleurs réintégrés ; on recourut alors à leur version en *Vetus Latina*. Enfin, diverses corrections de son texte durent être opérées, notamment par Alcuin de York pour le compte de Charlemagne (voir la Bible de Moutier-Grandval, nº 6). Mais sa Vulgate (version « commune ») ne s'en imposa pas moins durablement comme le texte de référence de l'Église chrétienne en Europe occidentale.

Durant plus de mille ans, la Vulgate fut en effet la source de toutes les traductions de la Bible dans les langues vernaculaires d'Occident. Aucune ne prétendait du reste rivaliser d'autorité avec son modèle latin. Les notes en vieil anglais insérées entre les lignes des Évangiles de Lindisfarne (nº 2) ou des Psautiers Vespasien et Tibère (nºs 3 et 13) ne sont que des gloses sur la Vulgate. De même, les versions plus complètes élaborées par la suite dans d'autres langues non latines n'entendaient pas s'identifier aux Saintes Écritures mais uniquement faciliter leur compréhension : c'est le cas, dans le présent ouvrage, de l'Hexateuque en vieil anglais (nº 11), de la Bible historiée de Padoue en italien (nº 37), du Psautier de Winchester, de l'Apocalypse de Welles, de la Bible en images de Holkham et des trois copies royales de la Bible historiale en français (nºs 20, 31, 32, 36, 40 et 42), ou encore d'une Bible d'Utrecht en néerlandais (nº 41). Il fallut attendre la Réforme pour voir s'imposer de nouvelles traductions intégrales de la Bible revenant aux textes hébreux et grecs. Leurs sources étaient du reste moins fiables que celles employées par saint Jérôme, consciencieux au point de livrer trois versions différentes des Psaumes[2]. Ce n'est qu'assez récemment que des traductions ont été entreprises depuis des manuscrits plus anciens.

LES MANUSCRITS DE LA BIBLE

Des copies manuscrites de ce que nous appelons aujourd'hui Nouveau Testament semblent avoir circulé parmi les fidèles dès la fin du Ier siècle. Elles renfermaient surtout les lettres de l'apôtre Paul aux différentes communautés de la première heure, ainsi que les récits de la vie et de l'enseignement de Jésus, transmis oralement avant d'être consignés par les Évangélistes. Leur forme plutôt modeste les apparentait à nos livres de poche modernes : lorsqu'elles ne se cantonnaient pas à un seul des écrits bibliques, elles les compilaient par petits groupes, les quatre Évangiles par exemple. Faites de papyrus comme les livres gréco-romains, elles s'en distinguaient cependant par leur présentation en *codex* (assemblage de feuillets cousus à la manière de nos livres modernes) plutôt qu'en *volumen* ou *rotulus* (rouleau). Elles représentent ainsi un élément clé dans la transition du rouleau, commun aux cultures méditerranéennes depuis des millénaires, au livre tel que nous le concevons de nos jours. Cette forme nouvelle devait perdurer jusqu'à l'avènement du texte électronique, dans lequel il est permis aujourd'hui de voir un retour au rouleau au détriment de la page.

Ce triomphe du *codex* est patent au IVe siècle dans le Codex sinaiticus (fig. 3), ouvrage massif qui devait à l'origine renfermer l'intégralité des deux Testaments, dans l'optique d'asseoir définitivement la teneur du canon des Écritures. Les textes inclus étaient ceux qu'admettait l'Église, investie d'une autorité nouvelle par l'empereur Constantin Ier le Grand dans la première moitié du siècle. Après tant d'années de persécution par les autorités romaines et de menaces de schisme interne,

NOTES

2 *Psalterium romanum*, *Psalterium gallicanum* et *Psalterium hebraicum* : voir le Psautier Vespasien, nº 3, le Psautier de Lothaire, nº 7, et la Bible d'Arnstein, nº 23.

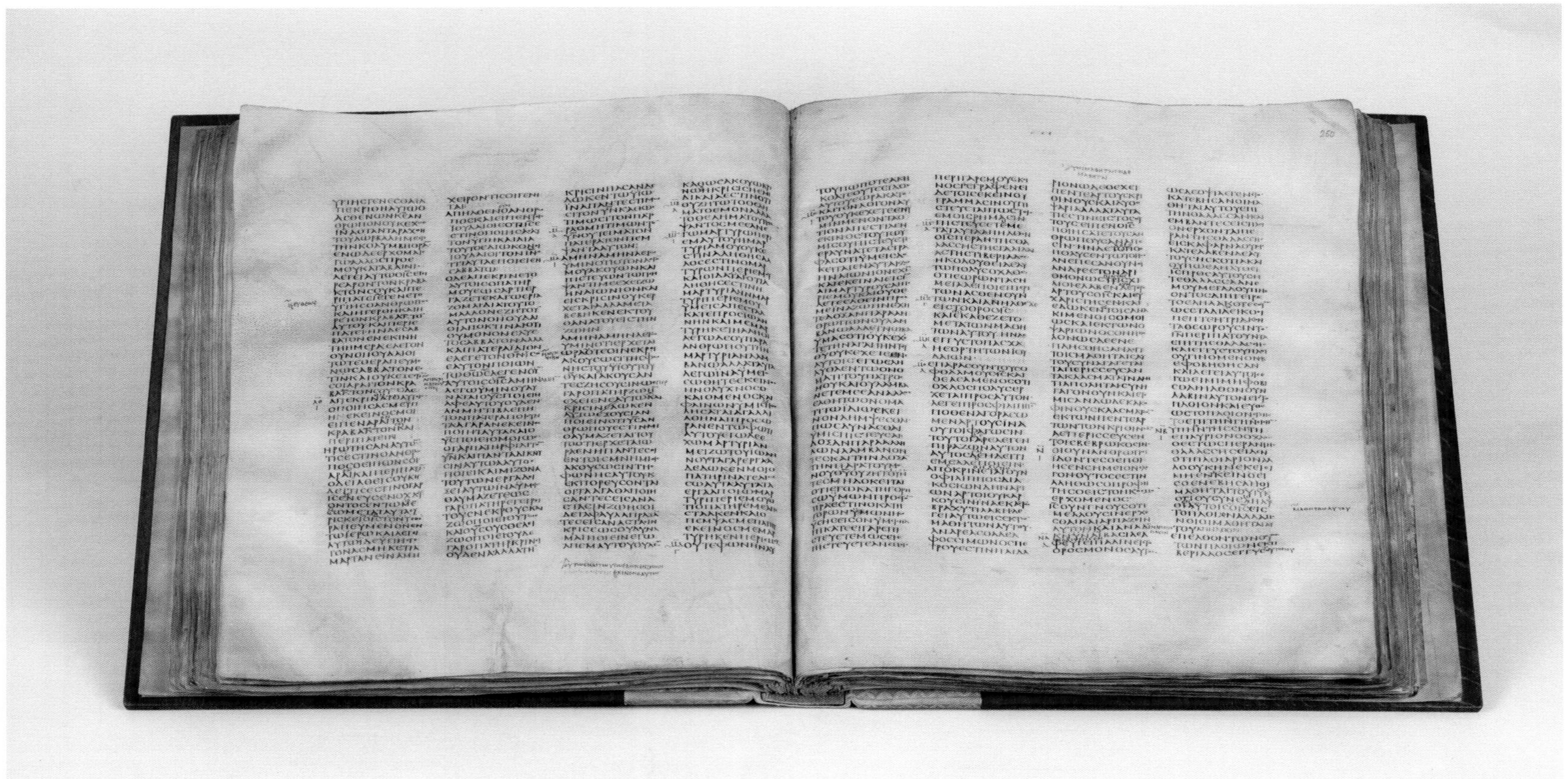

Fig. 3 | Le texte grec de Jean 5-6 en quatre colonnes par page, dans la première copie connue du Nouveau Testament, Codex sinaiticus, Égypte ou Palestine ?, IVe siècle, Add MS 43725, fos 249v-250.

les chrétiens tenaient enfin, dans les faits comme sur le principe, le livre unique de leurs Écritures. Ce tournant majeur dans l'histoire de la Bible impliquait également une évolution technique, avec le remplacement du papyrus par le parchemin, plus robuste, et la mise au point de reliures plus élaborées et résistantes. Ainsi conçus, les livres purent contenir tout le canon des Écritures, tel qu'il s'affina au fil des siècles.

L'adoption du parchemin – et du vélin plus fin – eut des répercussions décisives sur l'art de la copie manuscrite de la Bible. Cette peau animale offrait une surface plus lisse que le papyrus pour l'écriture et l'application de pigments. Elle permettait ainsi une présentation plus formelle des écrits bibliques, avec un soin nouveau apporté à la mise en pages, à la finesse de la calligraphie et à l'articulation des textes. Des repères ponctuels indiquaient où tirer les lignes (la réglure) à la pointe sèche, à la mine de graphite ou de plomb, ou à l'encre. Puis on rédigeait le texte à la plume (d'oie ou de cygne), appointie au couteau. Toute erreur pouvait être effacée en grattant le parchemin avec une lame. L'encre était faite de suie, de sels de fer, ou d'acide tannique tiré des galles du chêne (ces excroissances nées de la ponte d'insectes volants, les cynips), mêlés de gomme et d'eau. Ces aspects du labeur du scribe copiste sont illustrés par certains des portraits d'Évangélistes reproduits dans cet ouvrage, tels le saint Matthieu des Évangiles de Lindisfarne (ill. 2.1) ou les saints Marc et Jean des Évangiles du cardinal Francesco Gonzaga (ill. 43.1, 43.2).

La bible de grandes dimensions, en un ou plusieurs volumes, comme le Codex sinaiticus ou d'autres œuvres étudiées dans ce livre, n'est pourtant pas le format le plus typique de l'ère des manuscrits. Tout au long de ces 1 500 ans, la Bible fut moins souvent copiée dans son intégralité que par portions. Le fait pourrait surprendre le détenteur d'une de nos bibles modernes ; mais la fabrication des livres était alors dictée par la fréquence et les modalités de leur usage. En ces temps qui ignoraient encore l'imprimerie, chaque mot, laborieusement copié à la main, impliquait un travail et un coût considérables. Les dépenses consenties par le roi Édouard IV pour les manuscrits bibliques qu'il commanda vers 1479 (voir n° 42) étaient assurément à la portée de la seule noblesse du temps. Des calculs récents ont montré que la transcription, l'enluminure et la reliure de ces volumes coûtèrent l'équivalent de près de deux années du salaire d'un artisan qualifié. Pratique traditionnelle de l'hyperbole et tendance naturelle à plaider sa cause mises à part, les témoignages de nombreux scribes suffisent à se faire une idée de l'implication personnelle nécessaire à la fabrication d'un manuscrit. On lit ainsi dans l'Apocalypse de Silos, à la fin du XIe siècle (n° 15) :

> Le labeur du scribe est le réconfort du lecteur : au premier la ruine du corps, au second le profit de l'esprit. Toi donc qui tireras profit de cette œuvre, ne néglige pas de te remémorer l'ouvrier. [...] Qui ne sait pas écrire n'y voit nul labeur. Or si tu veux savoir le détail, je te dirai quel fardeau l'on porte à écrire : l'on s'y aveugle les yeux, s'y courbe le dos, s'y brise les côtes et le ventre, s'y endolorit les reins et s'y fâche le corps. [...] Douce comme au marin le port où il accoste, ainsi est au scribe la dernière de ses lignes. Fin. À Dieu grâces éternelles.

Ainsi pensée pour l'usage, la production de bibles manuscrites faisait logiquement la part belle aux textes les plus lus, à commencer par les Évangiles. Outre les manuscrits renfermant l'intégralité de ces quatre récits (plus de mille copies des Évangiles en grec nous sont parvenues), d'autres en présentaient des passages réorganisés selon le calendrier liturgique : les évangéliaires. D'autres encore mêlaient ces passages à ceux d'autres portions de la Bible : les lectionnaires. Quant aux « harmonies des Évangiles », elles combinaient les quatre Évangiles en un récit unique. Bien que rejetées comme hérétiques au IIe siècle, elles continuèrent de circuler durant tout le Moyen Âge, comme en témoigne la Bible historiale d'Édouard IV (n° 42). Non moins répandus, les psautiers conféraient au livre des Psaumes une structure qui reflétait leur usage quotidien dans la liturgie. Le présent ouvrage en examine neuf, du Psautier Vespasien (VIIIe siècle, n° 3) à celui de Saint-Omer (XIVe siècle, n° 33). L'Apocalypse faisait l'objet de volumes séparés ou se voyait compilée avec d'autres textes bibliques et non bibliques. Son texte grec nous est connu par quelque trois cents copies, dont plus de quarante l'associent à des écrits étrangers à la Bible. Au XIe siècle, l'Apocalypse de Silos (n° 15) couplait le Livre de la Révélation à celui de Daniel ; au XIVe, celle de Welles (n° 31) lui faisait suivre un traité religieux. Comme dans ces deux exemples et un troisième du XIIIe siècle (n° 27), la copie occidentale de l'Apocalypse comprenait souvent un commentaire qui l'éclairait, lorsqu'elle n'était pas intégrée au reste de la Vulgate. Cette présence décisive de commentaires, ou du moins de notes y faisant référence, valait également dans la chrétienté d'Orient. Mais l'Occident surtout se plaisait à en inclure dans la majorité des livres bibliques (Psaumes, Évangiles ou encore Épîtres de Paul), qu'ils fussent isolés ou compilés dans un même volume. Les commentaires les plus en faveur étaient la Glose ordinaire *(Glossa ordinaria)* et la Grande Glose (*Magna Glossatura*, fig. 4), mais les copies de tels textes ne sont presque

tie achaie. et in minis-
terium sanctorum ordinave-
runt seipsos. ut et vos su-
bditi sitis eiusmodi. et omni
cooperanti et laboranti.
Gaudeo autem in presentia Ste-
phane et fortunati
et achaici. quoniam id quod
vobis deerat ipsi sup-
pleverunt. Refecerunt
enim et meum spiritum et
vestrum. Cognoscite ergo
qui eiusmodi sunt. Salutant
vos ecclesie asie. Salutant
vos in domino multum aqui-
la et prisca cum domesti-
ca sua ecclesia. apud quos
et hospitor. Salutant
vos omnes fratres. Saluta-
te vos invicem in osculo
sancto. Salutatio mea
manu pauli. Si quis
non amat dominum nostrum
ihesum christum: sit anat-
hema. Gratia domini nostri
ihesu christi vobiscum. Carita(s)
mea cum omnibus vobis in christo
ihesu amen.

Paulus apostolus
ihesu christi per
voluntate(m)
dei. et ti-
motheus
frater ecclesie dei
que est corin-
thi cum sanctis
omnibus qui sunt in
universa
achaia. Gratia
vobis
pax a deo
patre nostro et
domino ihesu
christo.

Fig. 4 | Saint Paul tenant un phylactère avec le titre de son Épître *Ad Corinthos*, au début de II Corinthiens, Grande Glose de Pierre Lombard sur les Épîtres pauliniennes, Paris ?, v. 1200, Royal MS 4 E IX, f° 84v.

jamais aussi richement enluminées que les livres figurant dans le présent ouvrage.

D'autres manuscrits compilaient de petits groupes de textes comme les cinq, six ou huit premiers livres de l'Ancien Testament, soit respectivement le Pentateuque, l'Hexateuque et l'Octateuque (du nombre correspondant en grec, suivi du mot τεῦχος désignant un rouleau). Cet ouvrage examine ainsi l'Hexateuque en vieil anglais du XIe siècle (n° 11) et un Octateuque éthiopien de la fin du XVIIe (n° 45). La tradition byzantine nous a légué quelque quatre cents manuscrits ne contenant que les Actes et les Épîtres catholiques. L'*apostolos*, ou *praxapostolos*, reprenait en outre les Épîtres pauliniennes; le *prophetologion* renfermait quant à lui les Prophètes et d'autres lectures de l'Ancien Testament. En Occident, l'épistolaire (ou épistolier) était un choix de lectures tirées des Épîtres et parfois d'autres livres du Nouveau Testament. Les commentaires savants ne concernaient souvent qu'un ensemble de passages choisis dans le corpus biblique, à l'instar de l'*Historia scholastica* de Pierre le Mangeur (Petrus Comestor, mort en 1179 ?), qui inspira les premières versions de la Bible historiale (voir n° 36). Et lorsque de telles bibles couvraient les deux Testaments, ce n'était souvent qu'à travers une sélection de passages, comme au XVe siècle dans le cas de la Bible d'Utrecht (n° 41). Dans cette famille de bibles, l'enluminure en vint à prendre le pas sur le texte qu'elle paraphrasait : ainsi, la Bible moralisée (n° 26) et la *Biblia pauperum* (n° 38) ne sont qu'interprétations édifiantes et typologiques. Dans la Bible en images de Holkham (n° 32) et la Bible historiée de Padoue (*Bibbia istoriata*, n° 37), les images ne s'accompagnent plus que de brèves légendes.

C'est à vrai dire lorsqu'on a affaire à un manuscrit contenant la Bible entière qu'il convient de s'interroger sur les raisons particulières de sa production. Les énormes bibles en un volume, ou pandectes, produites en Northumbrie sous l'abbé Ceolfrid et à Tours sous l'empereur Charlemagne et ses successeurs, virent le jour autant pour promouvoir des ambitions politiques que pour préserver le texte biblique (voir la Bible de Moutier-Grandval, n° 6). Face à de tels monuments d'art et de culture, comment en effet ne pas admirer la prouesse et le raffinement de leurs créateurs et commanditaires ? De même, les imposantes bibles romanes témoignent de l'opulence des institutions monastiques qui présidèrent à leur production, autant que du rôle central des Écritures dans la vie des moines (voir n°s 16, 21-23). La Grande Bible de la bibliothèque royale anglaise (n° 39), tout aussi massive avec ses pages hautes de soixante centimètres, est une rareté tardive où résonne l'écho du faste des Lancastre.

Les petits livres appellent une autre explication. Les « bibles de poche » du XIIIe siècle semblent avoir été conçues pour la prédication des frères en mission évangélique. Dans un tel cadre, une copie complète et portative de la Bible prenait tout son sens. Comme dans le cas des bibles modernes, cette facilité de transport reposait sur la taille minuscule du texte et le matériau fin et léger des pages. Les illustrations de ces bibles sont nombreuses, mais de petites dimensions, et trahissent plutôt une production de masse. Aucune ne figure donc dans cet ouvrage. Leur influence est néanmoins patente dans des bibles plus volumineuses produites à Bologne et Naples aux XIIIe et XIVe siècles (voir n°s 28 et 34). Il est à noter que ces différentes lignées de bibles complètes furent l'apanage de l'Occident. Le monde byzantin ne nous a légué que sept bibles intégrales en grec. Bien que la tradition arménienne ait été plus féconde en ce domaine, la production totale de bibles complètes dans la chrétienté d'Orient reste négligeable en regard de celle de l'Occident latin.

Si le découpage systématique du texte biblique en chapitres et versets nous paraît aujourd'hui une évidence, il n'était pas encore de mise à l'époque des manuscrits. La numérotation des passages des Évangiles apparut assez tôt et fut perfectionnée par l'évêque Eusèbe de Césarée (mort en 340), dont les dix tables canoniques exploitaient le système attribué à Ammonios d'Alexandrie (« sections ammoniennes ») pour mettre en évidence les correspondances entre les quatre récits : c'est ce qu'on voit dans les Évangiles dorés Harley (n° 4, fig. 6), les Tables canoniques dorées (n° 1), les Évangiles de Lindisfarne (ill. 2.4, 2.5), la Bible royale de Cantorbéry (ill. 5.2) et les Évangiles arméniens (ill. 44.1). Les Psaumes furent eux aussi tôt numérotés et, grâce à un système attribué à Euthale (Euthalios), des numéros furent alloués aux chapitres des manuscrits grecs des Actes et des Épîtres (voir le Nouveau Testament Guest-Coutts, n° 9). D'autres modes de segmentation du texte biblique au moyen de numéros ou de titres apparurent dans certaines copies ou sous la plume de commentateurs donnés, mais sans trouver le même écho. Ce n'est qu'au début du XIIIe siècle que les professeurs et étudiants de l'université de Paris adoptèrent la numérotation des chapitres qui est aujourd'hui la norme (voir la Bible de Bologne, n° 28). Souvent attribué à Stephen Langton (mort en 1228), archevêque de Cantorbéry, ce système resta le plus utilisé jusqu'à l'introduction des numéros de versets par Robert Estienne dans son édition de la Bible en français, imprimée à Genève en 1553.

Comme nos bibles imprimées, les manuscrits médiévaux servaient à bien des usages. Durant la messe, les passages adéquats des Évangiles et des Épîtres étaient lus par l'officiant dans un évangéliaire, un lectionnaire, un épistolaire ou, en Occident, dans les pages correspondantes d'un missel. Pour la récitation de tous les Psaumes lors de l'office divin hebdomadaire d'Occident, il était nécessaire de posséder un psautier ou un bréviaire, cet autre livre qui les contenait en intégralité. Dans les réfectoires monastiques d'Europe, les lectures accompagnant les repas tiraient des Écritures la bienfaisante nourriture spirituelle de la communauté. Les livres de grandes dimensions, comme ceux qu'on voit sur nos lutrins modernes, étaient aisément lus à voix haute pour l'auditoire des offices, des réunions de chapitre, des repas et du catéchisme. À l'inverse, les petits manuscrits tenant dans la paume s'offraient à l'étude et à la dévotion privées en tous lieux, autant qu'au prêche itinérant. Ces objets portatifs instauraient un rapport direct entre le fidèle et la copie du texte sacré. Cette relation intime en vint à investir certains manuscrits d'un pouvoir propre aux talismans, comme il en fut de l'Évangile selon Jean de saint Cuthbert, du début du VIIIe siècle (fig. 5). Ce livre, le plus ancien d'Europe occidentale à avoir gardé sa reliure d'origine, doit son remarquable état de conservation à son association traditionnelle avec le grand saint de Northumbrie – on l'aurait découvert à l'ouverture du sarcophage de Cuthbert à Durham en 1104.

ENLUMINER LA BIBLE

Durant plus de mille ans, dans la chrétienté tout entière, scribes et artistes embellirent et illustrèrent les manuscrits de la Bible

Fig. 5 | Le plus ancien livre européen ayant conservé sa couverture d'origine, au décor stylisé de cuir repoussé : l'Évangile de saint Cuthbert, Wearmouth-Jarrow, début du VIIIe siècle, Add MS 89000 (grandeur réelle).

afin d'orner et d'élaborer le texte sacré. Les plus belles de leurs créations sont dites « enluminées » lorsqu'elles sont rehaussées d'or ou d'argent et d'illustrations ou de décors peints ou dessinés. Au début du Moyen Âge, copistes et enlumineurs étaient pour l'essentiel des moines ou des clercs, à l'œuvre dans le *scriptorium* (atelier dédié) des monastères : les noms des auteurs de certains manuscrits étudiés dans le présent ouvrage sont connus (Eadfrith, n° 2, Théodore, n° 14, Dominico et Munnio, n° 15, Goderannus et Ernesto, n° 16). Vers la fin de la période, le métier passa à des laïcs, qui œuvraient souvent en équipes dans les grandes villes. Un tel travail collégial est évident dans la plupart des manuscrits tardifs étudiés dans cet ouvrage, où différents styles peuvent être identifiés, parfois au sein d'une même miniature. Ces partenariats artistiques prévalaient dans les principaux centres de production de livres : Londres (Grande Bible, n° 39), Paris (Bible historiale de Charles de France, n° 40), Utrecht (Bible d'Utrecht, n° 41), Rome (Évangiles du cardinal Francesco Gonzaga, n° 43), ou encore Bruges, capitale du livre de luxe à la fin du XVe siècle (Bible historiale d'Édouard IV, n° 42). Nous savons grâce aux archives que nombre de ces artistes travaillaient aussi dans d'autres domaines, mais seule leur œuvre au service du livre nous est parvenue pour témoigner des admirables savoir-faire médiévaux.

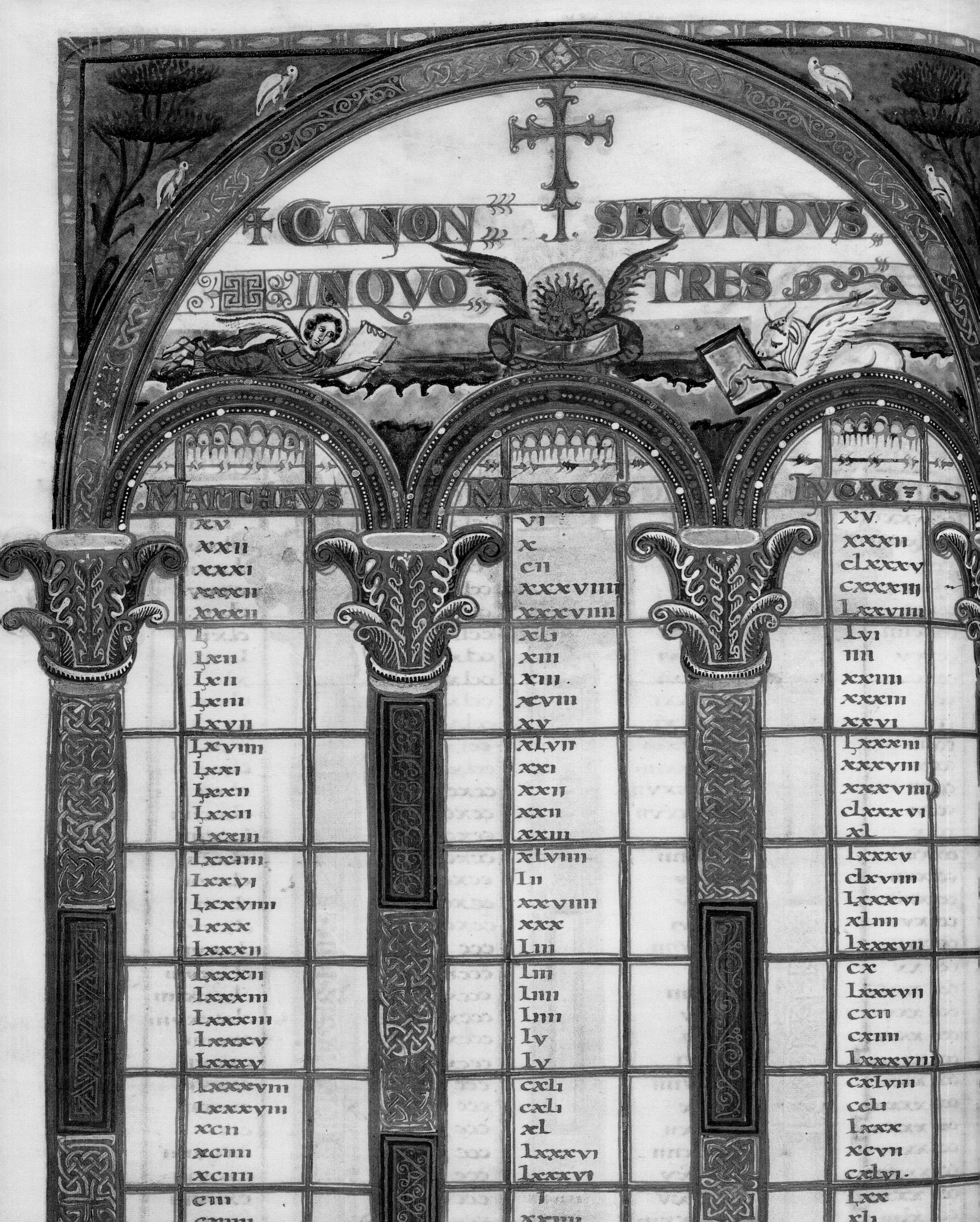

CANON . II . SECUNDUS
IN QUO TRES

MATTHEUS	MARCUS	LUCAS
xv	vi	xv
xxii	x	xxxii
xxxi	cii	clxxxv
xxxii	xxxviiii	cxxxiii
xxxii	xxxviiii	lxxviiii
l[illegible]	xli	lvi
lxii	xiii	iiii
lxii	xiii	xxiiii
lxiii	xviii	xxxiii
lxvii	xv	xxvi
lxviii	xlvii	lxxxiii
lxxi	xxi	xxxviii
lxxii	xxii	xxxviiii
lxxii	xxii	clxxxvi
lxxiii	xxiii	xl
lxxiiii	xlviii	lxxxv
lxxvi	lii	clxviii
lxxviii	xxviiii	lxxxvi
lxxx	xxx	xliiii
lxxxii	liii	lxxxvii
lxxxii	liii	cx
lxxxiii	liiii	lxxxvii
lxxxiii	liiii	cxii
lxxxv	lv	cxiiii
lxxxv	lv	lxxxviii
lxxxviii	cxli	cxlviii
lxxxviii	cxli	ccli
xcii	xl	lxxx
xciiii	lxxxvi	xcvii
xciiii	lxxxvi	cxlvi.
ciii	i	lxx
[illegible]	[illegible]	xli

Fig. 6 | Canon II *(Canon secundus in quo tres)* : l'homme, le lion et le bœuf surmontant les listes correspondant aux Évangélistes qu'ils symbolisent (Matthieu, Marc et Luc), avec oiseaux et plantes dans les écoinçons, Évangiles dorés Harley, n° 4, f° 7v (détail).

L'un des aspects saillants des bibles décorées est l'emploi d'une calligraphie stylisée, sous différentes formes, pour orner le texte, faisant de lettres isolées, voire de mots entiers, des éléments de décor à part entière. Dans la plupart des manuscrits en latin, la lettre initiale de chaque livre biblique – la lettrine – est agrandie et enjolivée, souvent à renfort de panneaux et de motifs décoratifs, comme dans le Psautier de Lothaire (ill. 7.4) et celui de Mélisende (ill. 19.2). Cet art de l'élaboration atteint des extrêmes dans l'exemple, fameux à juste titre, des Évangiles de Lindisfarne. Ici, les premiers mots de chacun des Évangiles et des lettres de saint Jérôme grandissent jusqu'à remplir l'essentiel de la page, tout en s'ornant de complexes entrelacs (fig. 2 et ill. 2.3). On retrouve cette tendance au début des Temps modernes avec l'initiale formée par les symboles des Évangélistes en ouverture du texte de saint Jean, dans les Évangiles en arménien du XVIIe siècle (ill. 44.4).

L'USAGE DE MATÉRIAUX PRÉCIEUX

Dans les livres les plus luxueux, le texte biblique est également mis en valeur par l'usage d'encre dorée ou de feuille d'or. Faite de poudre d'or mêlée de colle, l'encre était dite « en coquille » car on la déposait souvent, comme du reste les autres pigments, dans un coquillage. Elle intervient dans bon nombre des manuscrits examinés dans le présent ouvrage, dont deux sont écrits entièrement à l'or : le Psautier de Lothaire (n° 7) et les Évangiles dorés Harley (n° 4). À Byzance, le Psautier de Théodore (n° 14) est, selon les termes de son scribe, « écrit » (γραφὲν) et « écrit à l'or » (χρυσογραφηθέν : c'est la chrysographie). Bien que moins répandue, l'encre argentée est également employée dans certains livres : dans la Bible royale de Cantorbéry (ill. 5.1), l'or et l'argent se marient sur des feuilles peintes ou teintes en pourpre, couleur des empereurs, pour marquer les transitions importantes. Dans le manuscrit fragmentaire des Tables canoniques dorées (n° 1), l'or est peint à même le parchemin.

Plus fréquente que l'encre, la feuille d'or est d'ordinaire appliquée sur un enduit nommé assiette (le *gesso* des Italiens), et brunie à l'aide d'une pierre polie ou d'une dent animale. Les fonds et les détails des bibles illustrées dans cet ouvrage montrent le résultat spectaculaire de ce procédé : des siècles après leur réalisation, les images gardent tout leur brillant. Dans l'esprit chrétien, le prestige des matériaux souligne celui du texte lui-même. Le fond doré transpose figures et motifs dans l'espace du divin et du spirituel. Tant à Byzance qu'en Occident, Évangélistes et autres auteurs sont représentés sur des fonds étincelants qui traduisent l'inspiration divine de leurs écrits, comme dans le Nouveau Testament Guest-Coutts (n° 9), les Évangiles d'Echternach Harley (n° 12) ou les Évangiles Burney (n° 18).

La peinture fait la part belle à d'autres pigments rares et onéreux. Mesrop de Khizan (actif 1603-1652), qui enlumina les glorieux Évangiles arméniens d'Ispahan (n° 44), précise qu'il employa « du lapis-lazuli et toute sorte de pigments ». Au Moyen Âge, le lapis n'était produit que dans l'Afghanistan actuel, soit bien plus loin de Paris – par exemple – que d'Ispahan. C'est pourquoi on l'appelait « outremer ». Jusqu'à l'invention récente de technologies non destructives comme la spectroscopie Raman, il était difficile de déterminer si le bleu utilisé était du lapis, un autre pigment minéral meilleur marché comme l'azurite, ou une couleur d'origine

ΑΥΤΟΝΑΥΤΟΥϹΔΙΕϹΤΗΑΠΑΥ
ΤΩΝΚΑΙΑΝΕΦΕΡΕΤΟΕΙϹΤΟΝ
ΟΥΝΟΝ·ΚΑΙΑΥΤΟΙΠΡΟϹΚΥΝΗ
ϹΑΝΤΕϹΑΥΤΟΝΥΠΕϹΤΡΕΨΑ
ΕΙϹΙΛΗΜΜΕΤΑΧΑΡΑϹΜΕΓΑΛΗϹ
ΚΑΙΗϹΑΝΔΙΑΠΑΝΤΟϹΕΝΤΩΙΕΡΩ
ΤΕϹΚΑΙΕΥΛΟΓΟΥΝΤΕϹΤΟΝ
ΘΝΑΜΗΝ·

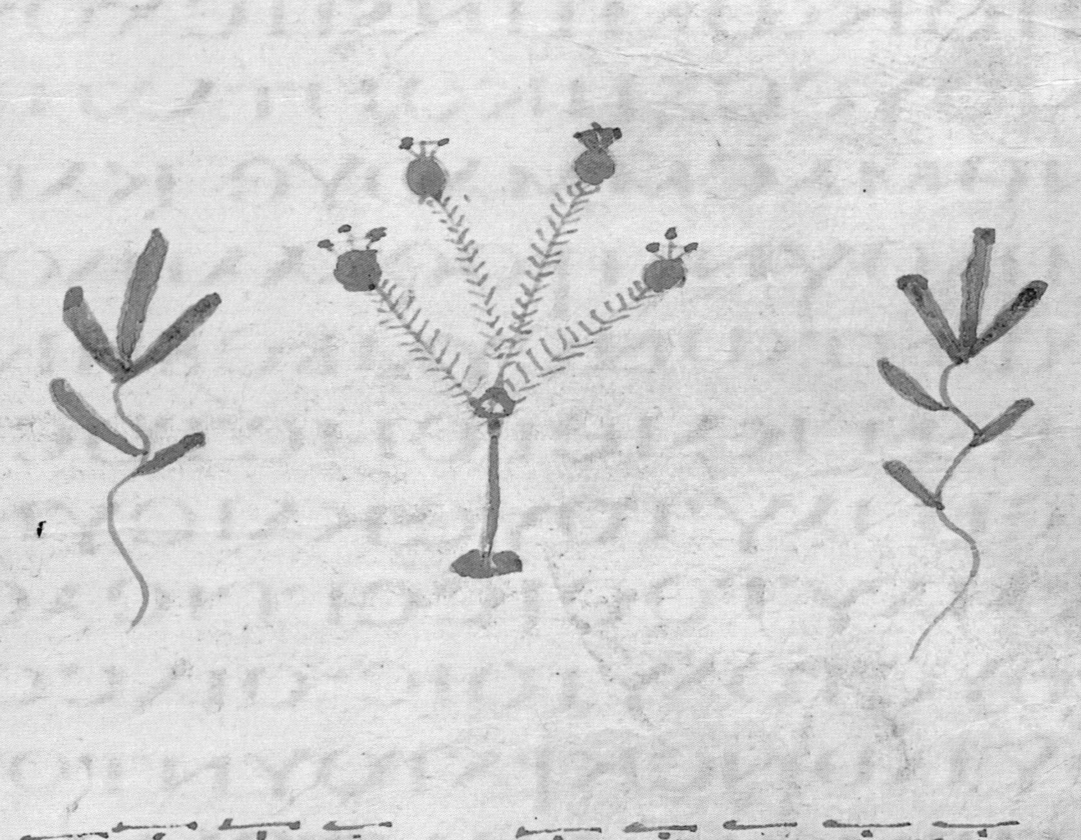

ΕΥΑΓΓΕΛΙΟΝ· ΚΑΤΑΛΟΥΚΑΝ·

Fig. 7 | Arbres stylisés à la fin de l'Évangile de Luc, dans la plus ancienne copie connue du canon entier en grec, Codex alexandrinus, Constantinople ou Asie mineure, Ve siècle, Royal MS 1 D VIII, fo 41v (détail).

végétale, la distinction étant impossible à l'œil nu. Le lapis n'était pas seulement cher, mais aussi très difficile à se procurer. Certains d'obtenir un rendu presque identique, les artistes combinaient donc souvent plusieurs bleus dans une même miniature[3]. Le bleu des Évangiles de Lindisfarne (no 2) n'est pas même d'origine minérale puisqu'il s'agit de pastel[4].

LES FONCTIONS DE L'ENLUMINURE

La calligraphie ornée et enluminée se retrouve dans les textes sacrés d'autres religions, mais parmi les croyances abrahamiques, seul le christianisme fait aussi une place aux illustrations de grandes dimensions. La tradition juive cantonne l'imagerie figurative à certains livres de commentaires bibliques (à l'exclusion de la Torah), sur la base d'une interprétation de l'interdit opposé par le deuxième commandement à toute « idole » ou « image » (Exode, XX, 4). Les manuscrits du Coran préfèrent de même la calligraphie et l'abstraction décorative à la figuration humaine ou animale. En revanche, dans la chrétienté grecque ou latine, le décorateur dispose d'une très large marge de manœuvre : initiales historiées, illustrations littérales ou allégoriques, jusqu'aux bibles où l'image narrative prend le pas sur le texte.

Cette approche de l'enluminure semble être apparue tôt. Le premier exemple de décoration d'une bible chrétienne est aussi la plus ancienne copie existante du canon complet : le Codex alexandrinus, réalisé au Ve siècle[5]. Dans ce manuscrit grec, les vignettes placées en fin de chaque livre incluent des motifs végétaux stylisés (fig. 7), ainsi que d'autres formes comme le symbole eucharistique du calice chargé de grappes de raisin. Autre manuscrit grec du Ve ou VIe siècle, la Genèse Cotton (fig. 8) fut sans doute, avant d'être gravement endommagée dans un incendie, l'un des livres de la Genèse les plus richement enluminés, avec plus de trois cents illustrations. Les Tables canoniques dorées (no 1) furent réalisées à l'époque où le pape Grégoire Ier le Grand (v. 560-604) fustigea l'évêque de Marseille pour avoir fait détruire les images de saints qui ornaient son diocèse. Saint Grégoire fut de fait un ardent avocat du recours aux images, par lesquelles « lisent ceux qui ignorent les lettres » (« *in ipsa legunt qui litteras nesciunt* »)[6]. C'est peut-être dans un tel dessein que furent produits des manuscrits illustrés pour des commanditaires qui ne semblent pas avoir eu la pleine maîtrise du latin, à l'instar de la Bible moralisée Harley (no 26), riche de centaines d'images, ou de l'Apocalypse glosée anglaise (no 27), dont le texte s'éclaire de grandes et somptueuses illustrations. Mais le principal fondement de l'incorporation d'images aux bibles, commentaires et écrits pieux et liturgiques est sans doute la distinction par laquelle saint Grégoire poursuit son propos : « une chose est en effet d'adorer une image, une autre d'apprendre, par l'histoire qu'elle illustre, ce qu'il faut adorer » (« *aliud est enim picturam adorare, aliud per picturae historiam quid sit adorandum addiscere* »).

En Orient, la question fut plus âprement débattue. De 726 à 730, l'empereur byzantin Léon III l'Isaurien (v. 675-741) proclama par plusieurs édits que toutes les images encourageaient l'idolâtrie et devaient être détruites, déclenchant ainsi la controverse des iconoclastes ou iconomaques (« destructeurs d'images »). Cet interdit fut assoupli et suspendu à plusieurs reprises, avant d'être formellement aboli en 843 lorsque la nouvelle impératrice Théodora (r. 842-856) réinstaura l'usage

NOTES

3 Spike Bucklow, « A Tale of Two Blues », *in* Stella Panayotova (dir.), *The Cambridge Illuminations: The Conference Papers*, Londres, Brepols, 2007, p. 205-214.

4 Katherine Brown, « Pigment Analysis by Raman Microscopy », *in* Michelle P. Brown, *The Lindisfarne Gospels: Society, Spirituality and the Scribe*, Londres, British Library, 2003, Appendice I.

5 Royal MS 1 D V-VIII.

6 *PL*, LXXVII, 1128.

des icônes, images offertes à une légitime vénération. L'Église d'Orient commémore encore l'événement lors du premier dimanche du Carême, appelé « Dimanche de l'Orthodoxie ». La justification de cette réintroduction des images avait été énoncée dès le second concile de Nicée en 787, qui prônait

> « d'attribuer aux icônes baiser et prosternation d'honneur : non pas la vraie adoration selon notre foi, qui convient à la seule nature divine, mais selon le mode qui vaut pour le signe de la Croix honorable et vivifiante, pour les saints Évangiles et les autres objets de culte sacrés[7]. »

Les exceptionnelles peintures du Nouveau Testament Guest-Coutts (n° 9), œuvre du Xe siècle, sont un vivant exemple de l'épanouissement que connut dès lors l'enluminure biblique à Constantinople. Ode tardive au triomphe des iconodoules ou iconophiles, le Psautier de Théodore inclut même des portraits de grandes figures de la controverse dans ses commentaires marginaux (ill. 14.2). Ces deux livres trahissent en contrepartie la réticence de l'Orient aux évolutions du style, loin de l'infinie variété des sujets et des formes qu'illustrent les exemples occidentaux abordés dans le présent ouvrage[8].

LES TYPES D'ENLUMINURES

La légitimation théologique des images par les deux traditions ouvrit la voie au développement d'une vaste gamme de décorations appliquées à la Bible. Par-delà l'embellissement calligraphique, les initiales ouvrant les livres bibliques ou articulant la séquence des Psaumes pouvaient être « historiées » d'images narratives, illustrant ou commentant le texte. En Occident, le premier exemple apparaît au VIIIe siècle dans le Psautier Vespasien, exécuté dans le Kent anglais, avec des figurations animales placées entre les lettres (ill. 3.4-3.5), et l'image de David au sein même de l'initiale (ill. 3.2-3.3). Dès lors et pour plus de huit siècles, l'initiale historiée fut un élément récurrent des livres de luxe : voir, à ce titre, le Psautier de Winchester du XIIe siècle (ill. 20.2) ou la Grande Bible du XVe (ill. 39.1-39.6). La lettre « I » se prêtait naturellement aux compositions verticales : médaillons superposés dans la Genèse des Bibles de Stavelot et de Worms (ill. 16.2-16.3, 21.2), scènes empilées, tels les étages d'une architecture gothique, dans les bibles de poche de Paris ou dans la formule *I[n] illo tempore* (« En ce temps-là ») qui ouvre chacune des lectures du quatrième Évangéliaire de la Sainte-Chapelle (ill. 29.1-29.4). Dans les volumes non paginés, cette décoration avait aussi pour fonction d'aider le lecteur à retrouver les différents livres ou segments du texte.

Par le style, ces peintures puisent largement dans l'héritage de l'ancien monde gréco-romain. En témoignent notamment les chefs-d'œuvre de raffinement paléochrétien que nous montrent les vestiges de livres aussi luxueux que les Tables canoniques dorées (n° 1) ou la Genèse Cotton (fig. 8). Par l'iconographie également, tant l'Orient que l'Occident perpétuaient la tradition du portrait d'auteur à l'antique pour représenter les Évangélistes en préface de leurs écrits. Depuis l'Angleterre saxonne des Évangiles de Lindisfarne (ill. 2.1), en passant par la Constantinople impériale des splendides Évangiles Burney du XIIe siècle (ill. 18.1-18.4), jusqu'à la Rome renaissante des Évangiles du cardinal Francesco Gonzaga

NOTES

[7] Traduit par Marie-France Auzépy, *in* François Boespflug et Nicolas Lossky (dir.), *Nicée II, 787-1987. Douze siècles d'images religieuses*, Paris, Éditions du Cerf, 1987, p. 32-33.

[8] Voir à ce sujet John Lowden, « Illustration in Biblical Manuscripts », *in* Richard Marsden et E. Ann Matter (dir.), *The New Cambridge History of the Bible*, vol. 2, *From 600 to 1450*, Cambridge, Cambridge University Press, 2012, p. 446-481.

Fig. 8 | Abraham et les trois anges dans l'une des plus anciennes copies de la Genèse, Genèse Cotton, Égypte ?, Ve ou VIe siècle, Cotton MS Otho B VI, fo 26v.

(ill. 43.1-43.2), les narrateurs de la vie de Jésus veillent, vêtus de toges classiques, en ouverture de leurs livres. On les voit dans l'attitude typique du scribe, tenant la plume ou le calame pour écrire et le couteau pour se corriger, et les volumes ouverts sur lesquels ils s'affairent montrent souvent, clairement lisibles, les premiers mots de leur récit. Dans la Bible d'Arnstein, leurs portraits s'insèrent dans les initiales de leurs Évangiles respectifs (ill. 23.1-23.2).

La tradition latine s'éloigne cependant de la grecque en représentant souvent les Évangélistes accompagnés de leurs symboles, inspirés des quatre « Vivants » des visions d'Ézéchiel et de saint Jean[9]. Dans les Évangiles d'Æthelstan, on voit les hommes interagir avec leurs symboles (ill. 8.1-8.4) ; dans les Évangiles dorés Harley, les symboles brandissent les versets initiaux du texte (ill. 4.1-4.2). À l'inverse, dans les manuscrits en grec du Nouveau Testament Guest-Coutts (ill. 9.1-9.2), des Évangiles Burney (ill. 18.1-18.4) ou des Évangiles grecs Harley (ill. 24.1), les Évangélistes apparaissent seuls ou, s'agissant de saint Jean, en compagnie

NOTES

9 Sur les symboles des Évangélistes, voir les Évangiles dorés Harley, no 4.

de son assistant Prochore, rarement figuré dans la tradition occidentale.

Dans toute la chrétienté, l'illustration de la Bible s'étendait également à de véritables cycles narratifs ou exégétiques. Dès l'époque carolingienne, l'imposante Bible de Moutier-Grandval incluait des représentations en pleine page d'épisodes de la Genèse et de l'Exode, ainsi que des images plus complexes commentant la relation entre Ancien et Nouveau Testaments (ill. 6.1-6.4). Ces cycles enluminés s'intégraient parfois au corps du texte, comme dans l'évangéliaire produit à Mossoul au XIIIe siècle, avec son grand récit en images de la vie du Christ (ill. 25.1-25.3), et dans le précieux Psautier de la reine Marie, réalisé à Londres un siècle plus tard (ill. 30.2-30.5). La plupart des psautiers illustrés plaçaient cependant les images de la vie et de la Passion du Christ en préface du texte, éclairant et précisant la nature prophétique des Psaumes et leur rôle dans la piété chrétienne. Apparue dans le Psautier Tibère (nº 13), fabriqué à Winchester au XIe siècle, cette tradition se répandit parmi les psautiers de luxe dans tout l'Occident chrétien. Elle trouve un autre exemple splendide dans le cycle peint un siècle plus tard par un certain Basilios, au royaume latin de Jérusalem, dans le Psautier de Mélisende (ill. 19.4-19.6). Ce livre illustre également la circulation des influences stylistiques si prégnante dans l'enluminure, avec sa préface imagée peinte à la manière byzantine et son extraordinaire couverture d'ivoire montrant des figures vêtues en empereurs d'Orient (ill. 19.1). De même, le Psautier de Winchester, réalisé en Angleterre au XIIe siècle, s'ouvre sur un « diptyque byzantin » consacré à la Vierge (ill. 20.4-20.5). Ces deux œuvres nous rappellent que les livres, comme les icônes, calices, pyxides et autres objets de la liturgie et de la piété, étaient mobiles, et circulaient à titre de présents princiers et de biens religieux du plus haut prix[10].

Une approche différente de l'illustration apparaît dans le Psautier Harley (nº 10), copie d'un fameux manuscrit carolingien, où les images dialoguent avec les versets correspondants des Psaumes, dont elles livrent phrase par phrase une traduction visuelle. Dans d'autres livres, sans doute conçus pour un lectorat laïc, les images prédominent, le texte biblique qu'elles paraphrasent leur faisant office de légendes. Dans l'un des précurseurs de cette veine, l'Hexateuque en vieil anglais du XIe siècle (nº 11), les images pleines de vie qui envahissent presque entièrement les pages s'accompagnent de la plus ancienne traduction anglaise connue de passages de l'Ancien Testament. Un autre livre anglais réalisé deux siècles plus tard, la Bible en images de Holkham (nº 32), comprend des légendes en français, tandis que dans la Bible historiée de Padoue (nº 37), celles-ci sont en italien. Nombre de bibles citant ou paraphrasant de plus amples passages des Écritures parurent également dans les langues vernaculaires aux XIVe et XVe siècles. La Bible historiale qui eut tant de succès en France nous a légué des copies de grandes dimensions, presque toujours richement enluminées. Le présent ouvrage en aborde trois, toutes liées à la royauté : celles de Charles V (nº 36), de Charles de France (nº 40, fig. 1) et d'Édouard IV (nº 42).

Dans d'autres manuscrits encore, l'imagerie biblique atteint des niveaux de sophistication confondants. C'est logiquement le cas d'ouvrages destinés aux moines et aux clercs : ainsi les interprétations symboliques à plusieurs niveaux de lecture de la grande Bible de Floreffe (nº 22), conçue pour l'abbaye prémontrée de Floreffe dans la vallée de la Meuse. Tout aussi ardus, les « types »

Fig. 9 | Plat supérieur émaillé montrant le Christ en majesté entouré des symboles des Évangélistes, Add MS 27926.

NOTES

[10] Sur le don de livres au haut Moyen Âge, voir les Évangiles d'Æthelstan, nº 8.

et « antétypes » de la *Biblia pauperum* ayant appartenu au roi George III (n° 38) et les scènes de la Bible moralisée Harley (n° 26) s'adressaient pourtant à des laïcs, qui s'aidaient sans doute pour les interpréter de leurs chapelains particuliers.

LES RELIURES D'ORFÈVRERIE

L'image, enfin, ne se cantonnait pas à l'intérieur des livres. Les couvertures, souvent richement ornées de matières aussi précieuses que l'or, l'argent et les gemmes, étaient en soi de véritables trésors (l'expression anglaise *treasure binding*, désignant les reliures d'orfèvrerie, est à ce titre éloquente). Celles des livres des Évangiles portaient de préférence l'image centrale du Christ en majesté qu'entouraient les symboles des Évangélistes, comme dans le cas du Nouveau Testament Guest-Coutts (ill. 9.4) et des Évangiles allemands du XIIe siècle, à la couverture parée d'émail de Limoges (fig. 9). Malheureusement, rares sont les reliures à nous être parvenues sans que leur somptueux décor n'ait été démantelé par convoitise. On sait par exemple que le roi Æthelstan fit couvrir de joailleries le livre qu'il offrit à l'église du Christ à Cantorbéry (n° 8), et que Billfrith revêtit d'or et d'argent les Évangiles de Lindisfarne (n° 2) – mais ces deux reliures ne sont plus aujourd'hui que des souvenirs. Certaines couvertures montrent la trace des plaques qui y étaient fixées : ainsi celle des Évangiles bulgares du tsar Ivan Alexandre (n° 35). Parmi les rares merveilles épargnées par les siècles, la reliure originale du Psautier de Mélisende montre un dos de soie brodée de croix en fils d'argent et de différentes couleurs, et des plats en ivoire où un programme complexe fait alterner scènes de la vie de David, Vices et Vertus (ill. 19.1) et Sept Œuvres de miséricorde corporelles. De tels joyaux se prêtaient de toute évidence à l'ostentation publique ou privée – procession dans une église ou démonstration plus confidentielle de l'opulence du propriétaire.

CONCLUSION

De tous les arts du Moyen Âge, l'enluminure est probablement celui que le public a le moins d'occasions d'admirer. Si Internet rend aujourd'hui les manuscrits numérisés accessibles au plus grand nombre, les originaux, conservés pour l'essentiel dans les réserves de bibliothèques, ne se montrent qu'aux chercheurs et aux visiteurs d'éphémères expositions. Aucun autre support que le livre n'a pourtant conservé autant de chefs-d'œuvre de la peinture médiévale. Le spectaculaire Psautier de la reine Marie (n° 30, fig. 10) contient à lui seul plus de mille dessins et peintures. Le présent ouvrage entend encourager la consultation de ressources numériques de plus en plus accessibles (presque tous les livres abordés le sont), et faciliter l'interprétation et la compréhension de l'art de la Bible enluminée[11].

Afin de présenter la gamme la plus large possible de bibles illustrées d'Europe et d'ailleurs, le fonds sans équivalent de la British Library permet ici d'explorer plus d'un millénaire de manuscrits enluminés. Les écrits qu'ils contiennent sont de natures diverses : Hexateuque, Octateuque, Nouveau Testament, Évangiles, Apocalypse, psautiers, bibles en images et pandectes en grec, latin et langues vernaculaires. Ces manuscrits comptent parmi les plus beaux fleurons de l'histoire de l'art, toutes disciplines et périodes confondues. Ensemble, ils célèbrent la variété, l'inventivité et la splendeur de l'art d'enluminer la Bible.

Fig. 10 | Dieu créant les animaux, Psautier de la reine Marie (n° 30), f° 2 (détail).

NOTES

[11] Voir les manuscrits numérisés sur le site de la British Library : <http://www.bl.uk/manuscripts/>.

1

LES TABLES CANONIQUES DORÉES

Somptueux vestiges de la Constantinople paléochrétienne

Tables de concordance d'Eusèbe de Césarée, en grec. Constantinople, VI

Durant plus de mille ans, Constantinople (l'actuelle Istanbul) rayonna d'une splendeur sans égale. Baptisée en l'honneur de Constantin Ier le Grand (r. 306-337) qui y transféra la capitale de l'empire romain en 324, l'ancienne Byzance devint aussi la capitale du monde chrétien. La très haute qualité des peintures qui y furent alors produites pour embellir les textes chrétiens trouve un témoin éloquent dans le manuscrit lacunaire des *Golden Canon Tables*, selon son appellation consacrée en anglais. Dans ses vestiges, un spécialiste moderne voit « peut-être les plus précieux fragments de manuscrit paléochrétien[1] ». Ils nous invitent à mesurer les pertes subies dans ce domaine, mais aussi à nous garder de trop généraliser sur la base des quelques exemples conservés.

Les tables de concordance sont un élément essentiel des copies du texte sacré à travers les siècles. La grande majorité des quelque deux mille manuscrits contenant les quatre Évangiles en grec – les tétraévangiles (*tetraevangelia*) – commence par ces tables, et c'est aussi le cas de plusieurs centaines de copies en latin et d'autres traductions anciennes[2]. Mises au point par Eusèbe (mort en 340), évêque de Césarée en Palestine et Père de l'Église, ces tables (ou canons, d'un mot grec signifiant « règle ») offrent une clé de lecture providentielle aux récits si disparates des saints Matthieu, Marc, Luc et Jean. Dans une lettre à son ami Carpien, Eusèbe expliquait avoir voulu aider le lecteur à « connaître les passages où chacun des Évangélistes fut poussé par l'amour de la vérité à parler des mêmes choses[3] ». Le canon I énumère les passages communs aux quatre Évangiles ; les canons II à IX, ceux qu'on retrouve dans deux ou trois Évangiles ; et le canon X, ceux qui n'existent que dans un seul des Évangiles. Partant d'un découpage des textes en versets, une idée qu'il attribue à Ammonios d'Alexandrie, Eusèbe assigne des numéros à ces versets et les reporte dans ses tables pour mettre en relation les passages analogues. Il éclaire ainsi la concordance des quatre récits sans chercher à les harmoniser en un texte unique. Les feuillets conservés à la British Library sont de rares témoins attestant d'une révision précoce du système d'Eusèbe.

1.1 | Deux arcs décorés avec un portrait en buste, encadrant les canons VIII à X des tables d'Eusèbe, fº 11 (détail).

ΚΑΝΩΝ
Η
ΕΝ Ω Β ΙΔΙΩΣ
Μ Λ
ΙΒ ΚΓ
ΙΔ ΚΕ
ΚΗ ΚΘ
ΚΘ ΛΓ
ϞΖ ΛΘ
ϞΘ ΜϚ
Ρ ΝΓ
ΡϚ ΞΑ
ΡΓ ΟΖ
ΡΙΑ ΟΘ
ΡΙΘ ΠΓ
ΡΚΓ ΠΘ
ΡΚΕ ϞΓ
ΡΚΗ ϞΖ
ΡΛΓ ϞΘ
ΡΛΘ Ρ
ΡΜϚ ϹΑ
ΡΜΖ ϹΑΒ
ζ ζ
ΤΕΛΟϹ ΚΑΝΟ
ΝΟϹ Θ ΕΛΟΟΥ
ΕΝ Ω ΟΙΛΥ
ΚΑΝΩΝ
Θ
ΕΝ Ω Β ΙΔΙΩΣ
Λ Ι
ΡΞΑ ΡΙΘ
ΡΞΘ ΡΚΓ
ϹΙ ΡΚΕ
ϹΙΓ ΡΚΘ
ϹΚΘ ΡΛΓ
ϹΛΓ ΡΛΕ
ϹΛΘ ΡΛΖ
ϹΜΗ ΡΛΕ
ΤΓ ΡΜΓ
ΤΙΓ ΡΜΕ
ΤΙΘ ΡΝΑ
ΤΚΕ ΡΝΘ
ΤΛΓ ΡΠΓ
ΤΛΘ ΡΠϚ
ΤΜΑ ΡΠΕ
ΤΜ ΡΠΗ
ΤΜΓ ΡϞΓ
ΤΜΕ ΡϞϚ
ΤΜ ΡϞΘ
ΤΜ ΡϞΕ
ΤΝΑ ϹΑΓ
ΤΝΓ ϹΑϚ
ζ ζ
ΤΕΛΟϹ ΚΑΝΟ
ΚΑΝΩΝ
Ι
ΕΝ Ω ΜΑ
ΟϹ ΙΔΙΩ
Β
Δ
Η
ΙΕ
ΚΓ
ΚΕ
ΚΘ
ΛΓ
ΛΘ
ΜΖ
ΜΘ
ΟΓ
ΟϚ
ΠΖ
ΠΘ
ϞΓ
ϞϚ

1.2 | Deux arcs décorés avec un portrait en buste, encadrant le canon I des tables d'Eusèbe, f° 10v (détail).

Leur préservation tient du miracle. Séparés du texte des quatre Évangiles dont ils formaient la préface, ils furent insérés dans un manuscrit contenant la version grecque de ces Évangiles, rédigé avant 1189[4]. Le livre semble avoir été conservé au monastère de Simonopetra sur le mont Athos, foyer spirituel orthodoxe situé dans le nord-est de la Grèce, avant de gagner la Grande-Bretagne au début du XVIIIe siècle grâce à Antonios Trifillis, un Grec résidant à Londres, puis de passer aux mains du riche médecin londonien Anthony Askew (1722-1774). Les deux feuillets conservés contiennent la fin de la lettre d'Eusèbe (ill. 1.3), une partie du canon I (ill. 1.2), l'intégralité des canons VIII et IX, et une partie du canon X (ill. 1.1). Leurs dimensions d'origine étaient probablement deux fois plus grandes. Tant la lettre que les tables sont rédigées en capitales sur un parchemin entièrement peint au préalable à l'or en coquille[5]. Le texte s'insère dans un cadre d'arcatures magnifiquement enluminées, associant la rigueur géométrique de formes linéaires à des détails d'un remarquable naturalisme. Les contours soigneux et la peinture appliquée avec rigueur soulignent les qualités de surface du cadre architectural. Par endroits, un pinceau énergique et généreux simule le volume de formes naturelles : fleurs luxuriantes, oiseaux multicolores. La lettre d'Eusèbe s'inscrit sous une arche unique qui occupait jadis toute la largeur de la page, tandis que les tables prennent place sous deux arches plus étroites.

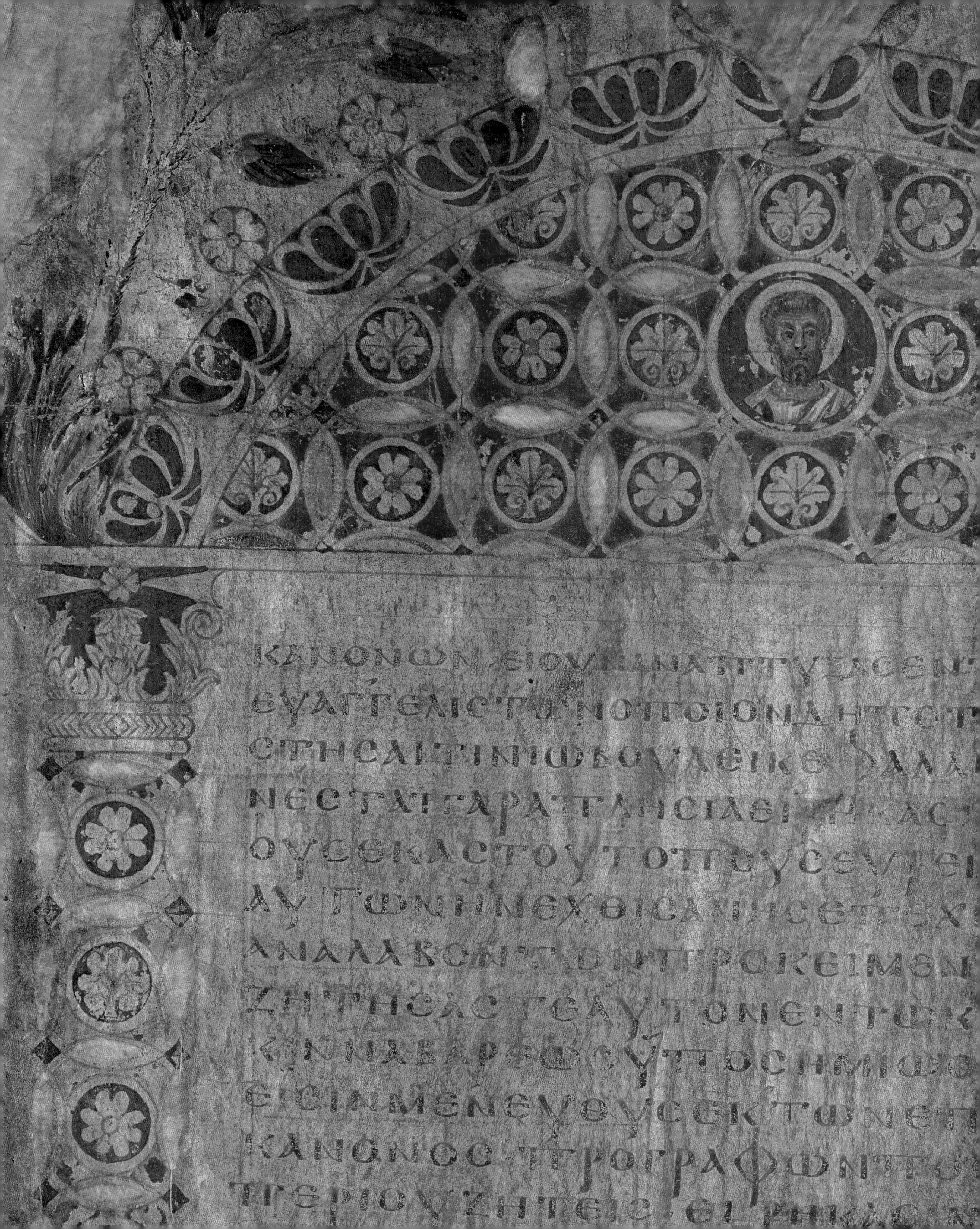

ΚΑΝΟΝΩΝ ΕΙΟΥΝΑΝΑΓΝΟΥϹΕΝΙ
ΕΥΑΓΓΕΛΙϹΤΩΝ ΟΠΟΙΟΝΔΗΠΟΤ
ϹΤΗϹΑΙΤΙΝΙΩΒΟΥΛΕΙΚΕΦΑΛΑ
ΝΕϹΤΑΠΑΡΑΠΛΗϹΙΑΕΙΡΗΚΑϹ
ΟΥϹΕΚΑϹΤΟΥΤΟΠΟΥϹΕΥΡΕΙ
ΑΥΤΩΝΗΝΕΧΘΗϹΑΝΗϹΕΠΕΧ
ΑΝΑΛΑΒΩΝΤΟΝΠΡΟΚΕΙΜΕΝ
ΖΗΤΗϹΑϹΤΕΑΥΤΟΝΕΝΤΩΚ
ΚΙΝΝΑΒΑΡΕΩϹΥΠΟϹΗΜΙΩϹ
ΕΙϹΙΑΜΕΝΕΥΘΥϹΕΚΤΩΝΕΠ
ΚΑΝΟΝΟϹ ΠΡΟΓΡΑΦΩΝΠΟ
ΠΕΡΙΟΥΖΗΤΕΙϹ ΕΙΡΗΚΑϹΙΝ

1.3 | **Colonne et arc décorés avec un portrait en buste, encadrant la lettre d'Eusèbe à Carpien, f° 10 (détail).**

Les arcs encadrant les tables portent en haut le numéro des canons, et se subdivisent en arcs plus petits dont chacun renferme en guise de titre le nom abrégé de l'Évangéliste concerné. Sous ces arcs secondaires s'étagent les listes des numéros de versets pour chaque Évangile, écrits en grec et groupés par quatre. Les arcs conservés présentent quatre médaillons complets montrant des hommes en buste, dont trois sont nimbés. On reconnaît là l'ancien type romain de l'*imago clipeata*, portrait funéraire qui représentait le défunt en buste dans la forme circulaire d'un *clipeus* (bouclier rond)[6]. Le symbole chrétien du poisson apparaît dans l'arc richement orné qui couronne les canons VIII et IX (ill. 1.1). Les tables complètes contenaient probablement douze portraits en buste. Il s'agissait peut-être des Apôtres, peints à la manière des bustes inscrits dans les arcades de la rotonde du mausolée de Constantin le Grand, près de l'église des Apôtres à Constantinople[7].

BIBLIOGRAPHIE

Carl Nordenfalk, *Die Spätantiken Kanontafeln*, Göteborg, 1938, p. 127-146.

Carl Nordenfalk, « The Apostolic Canon Tables », *Gazette des beaux-arts*, LXII, 1963, 17-34, p. 19-21.

Kurt Weitzmann, *Late Antique and Early Christian Book Illumination*, Londres, 1977, p. 19, 29, 116, pl. 43.

David Buckton (dir.), *Byzantium: Treasures of Byzantine Art and Culture from British Collections*, Londres, 1994, n° 68.

John Lowden, « The Beginnings of Biblical Illustration », *in* John William (dir.), *Imaging the Early Medieval Bible*, University Park, 1999, p. 9-59 (p. 24-26).

NOTES

1 Weitzmann, *op. cit.*, p. 116.

2 Voir les Évangiles de Lindisfarne, la Bible royale de Cantorbéry, les Évangiles d'Echternach Harley, et les Évangiles arméniens, ill. 2.4, 2.5, 5.2, 12.4, 44.1 ; voir aussi fig. 6.

3 *PG*, XXII, 1276C.

4 Aujourd'hui Add MS 5111, 5112.

5 Sur l'or en coquille, voir « Mille ans d'art et de beauté », p. 21.

6 Sur l'*imago clipeata*, voir aussi le Psautier de Théodore, n° 14.

7 Nordenfalk, *op. cit.* (1963).

2

LES ÉVANGILES DE LINDISFARNE

Chef-d'œuvre ornemental anglo-saxon

Les quatre Évangiles en latin, avec insertion d'une glose en vieil anglais. Lindisfarne, v. 700 (glose ajoutée à Chester-le-Street v. 970).

- 365 × 275 mm
- 259 f[os]
- Cotton MS Nero D IV

Le *codex* de Lindisfarne est un élément clé pour la connaissance et la compréhension de la production anglo-saxonne de livres dans l'un des grands centres de la chrétienté occidentale au début du Moyen Âge. Après le Livre de Kells, ce somptueux manuscrit est sans doute la plus célèbre copie des quatre Évangiles que nous ait léguée l'art chrétien. Son importance tient à la fois aux circonstances assez bien connues de sa fabrication, à la beauté de ses illustrations, et à la glose ajoutée au texte à la fin du Xe siècle, qui offre aussi la plus ancienne version des Évangiles en langue anglaise.

La date et le lieu de production du manuscrit ont fait l'objet de vifs débats, leur détermination reposant sur l'interprétation d'un colophon ajouté en même temps que la glose en vieil anglais vers la fin du Xe siècle, ainsi que sur le style de l'ornementation. L'inscription est due au prêtre qui rédigea vers 970 la traduction interlinéaire : Alfred, alors prévôt de la communauté à Chester-le-Street, ville située à une dizaine de kilomètres au nord de Durham. Dans la colonne laissée vierge à la fin du livre, Alfred écrivit :

> Eadfrith évêque de l'église de Lindisfarne
> Commença par écrire ce livre pour Dieu et
> saint Cuthbert, et pour tous les vertueux
> saints qui sont sur l'île.
> Et Æthilwald évêque des insulaires de Lindisfarne
> le relia et le couvrit, comme il savait bien le faire.
> Et Billfrith l'anachorète forgea les
> Ornements qui sont au-dehors et
> Le vêtit d'or et de gemmes et
> Aussi d'une richesse d'argent pur[1].

Eadfrith fut moine puis, des environs de 698 à sa mort vers 721, évêque de l'« île sainte » (*Holy Island*) de Lindisfarne, dans le Nord

2.1 | Portrait de l'Évangéliste Matthieu en scribe assis, accompagné de son symbole, l'homme ailé, et d'une autre figure à demi cachée derrière un rideau ; ouverture de l'Évangile selon saint Matthieu, f° 25v.

DOUBLE PAGE SUIVANTE

2.2-2.3 | Page-tapis avec une croix formée d'entrelacs et début de l'Évangile selon saint Matthieu, avec la calligraphie du mot *Liber* (« livre »), f°s 26v-27.

imago homi nis :~
O AGIOS
MATT
HEUS

+ ihs xps · Matheus homo

ongynned godspelles

Incipit evangelii

genelogia mathei

boc

LIBER GENERATIONIS IHU XPI FILII DAVID FILII ABRAHAM

cynn recce nisse

cneu nisse

hælen de cristes

dauides sunu

abrahames sunu

I
I
xiiii
I

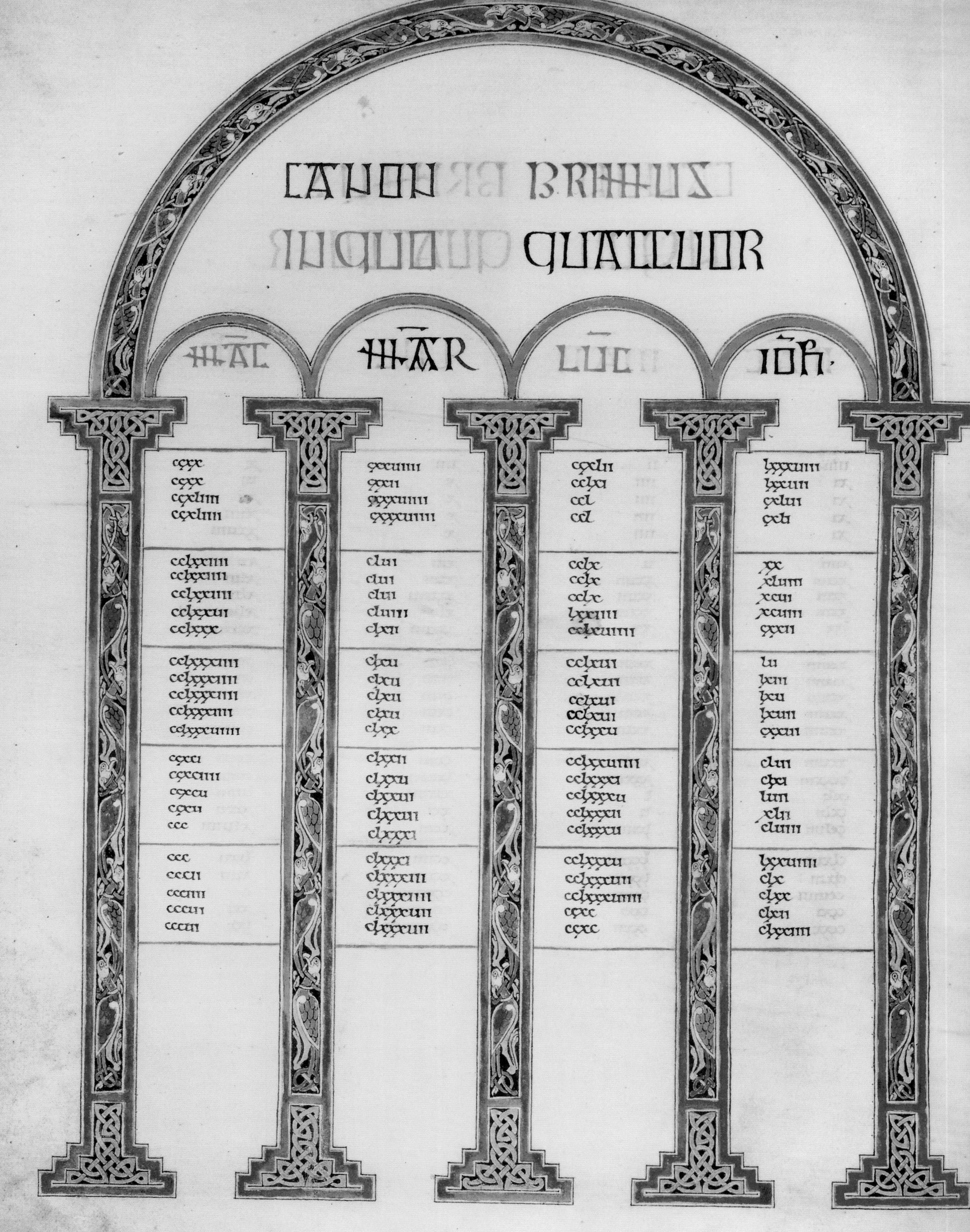
CANON PRIMUS
IN QUO QUATTUOR
MAT
MAR
LUC
IOH

2.4 | Canon I (*Canon primus in quo quattuor*), recensant les passages présents dans les quatre Évangiles de *Mat[thaeus]*, *Mar[cus]*, *Luc[as]* et *Ioh[annes]*, f° 10v.

de l'Angleterre. Le colophon affirme qu'il écrivit le texte, mais ne fait pas mention de l'enluminure. Æthilwald le relieur et Billfrith l'orfèvre sont eux aussi nommés. Pourquoi alors ne pas identifier le peintre ? D'après certains spécialistes, Eadfrith lui-même doit être considéré, non seulement comme le copiste, mais aussi comme l'auteur des riches et complexes enluminures du livre. Si le rôle de l'enlumineur n'est pas individualisé, c'est peut-être parce qu'à cette époque la décoration des lettres n'était vue que comme une élaboration de la calligraphie[2].

Quoi qu'il en soit, ce livre est sans conteste un chef-d'œuvre. Il comprend cinq « pages-tapis » (ill. 2.2), ainsi nommées par analogie avec les tapis d'Orient qui, selon certains auteurs, auraient directement influencé leur décor de motifs intriqués. Quatre d'entre elles figurent en ouverture des différents Évangiles ; la cinquième précède les textes formant la préface du livre. Ces textes sont ceux qu'on retrouve au début de nombreuses copies des Évangiles : lettres de saint Jérôme (ill. 2.6, voir fig. 2), listes de chapitres, et dix tables de concordance[3].

Sur chaque page-tapis, le décor s'organise autour d'un motif central en croix. Ces folios semblent avoir fait office de « reliure intérieure », mettant en valeur chaque Évangile, en écho à la couverture d'orfèvrerie si élogieusement décrite par le colophon. L'analogie entre l'orfèvrerie contemporaine – qu'on songe par exemple au trésor de Sutton Hoo – et ces entrelacs de rubans, de corps changés en lianes intriquées et de têtes animales stylisées ne fait aucun doute. De tels motifs, récurrents

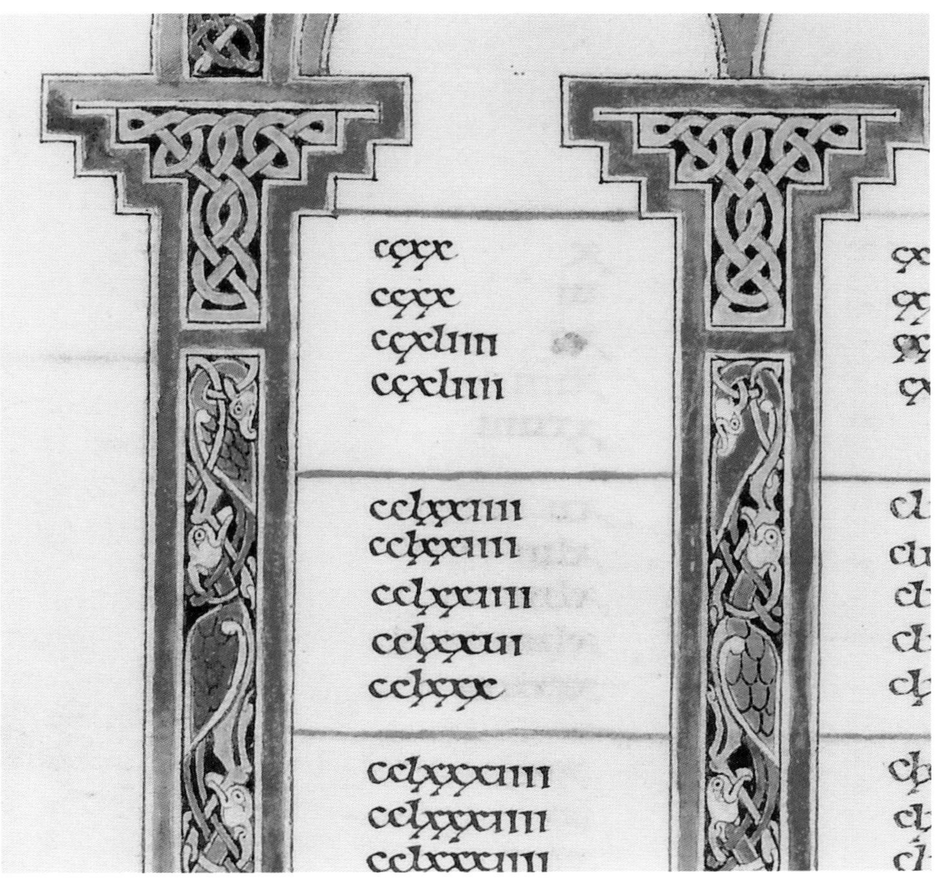

2.5 | Détail du canon I, f° 10v.

dans les livres anglais de l'époque, se retrouvent dans les tables de concordance de Lindisfarne, avec leur colonnade formée d'oiseaux mordant des chaînes et d'entrelacs tressés (ill. 2.4-2.5). Ils interviennent aussi dans les grandes lettrines ornées de tout le manuscrit (ill. 2.3, 2.6, voir fig. 2). Les initiales ouvrant chacun des Évangiles sont encore magnifiées jusqu'à devenir éléments du décor ou, pour reprendre les termes d'un auteur moderne, « signes talismaniques offerts à la révérence, et non lettres destinées à être reconnues et lues[4] ».

Les portraits des quatre Évangélistes suggèrent quant à eux une connaissance de l'art méditerranéen (ill. 2.1). Le texte lui-même accuse une origine italienne : la liste des lectures précédant chaque Évangile inclut par exemple les fêtes napolitaines. Eadfrith avait peut-être vu, dans l'exemplaire des Évangiles qu'il copia, ou ailleurs, des portraits d'auteurs inspirés de ceux qu'on faisait figurer en préface des anciens textes grecs pour affirmer leur authenticité et leur autorité. Les toges qui habillent les portraits du livre de Lindisfarne et les sièges où ils prennent place sont d'allure toute classique. Chaque Évangéliste est identifié dans un grec rédigé en alphabet latin : *O agios* (« le saint »). Deux d'entre eux tiennent des rouleaux, renforçant ainsi le lien avec l'autorité de la tradition antique où le *codex* n'avait pas encore remplacé le *volumen*[5]. Mais les figures aplanies et stylisées témoignent d'un intérêt pour la forme, cohérent avec les inextricables motifs abstraits des pages-tapis et la généreuse ornementation des lettres et mots.

BIBLIOGRAPHIE

T. D. Kendrick *et al.* (éd.), *Evangeliorum quattuor Codex Lindisfarnensis*, 2 vol., Olten, 1956-1960.

Janet Backhouse, *The Lindisfarne Gospels*, Londres, 1981.

Michelle P. Brown, *The Lindisfarne Gospels: Society, Spirituality and the Scribe*, Londres, 2003.

Richard Gameson, *From Holy Island to Durham: The Contents and Meanings of the Lindisfarne Gospels*, Londres, 2013.

2.6 | Calligraphie du premier mot de la lettre de saint Jérôme, *Plures fuisse*, f° 5v (détail).

NOTES

1 D'après une traduction en anglais moderne par Gameson, *op. cit.*

2 Voir Gameson, *op. cit.*, p. 25 ; à comparer avec la Bible de Stavelot, n° 16, où le copiste est également nommé sans mention de l'enlumineur.

3 Sur les tables de concordance, voir les Tables canoniques dorées, n° 1 ; sur saint Jérôme, voir « Mille ans d'art et de beauté », p. 12, les Évangiles dorés Harley, n° 4, le Psautier de Lothaire, n° 7, et la Bible de Worms, n° 21.

4 J. J. G. Alexander, *A Survey of Manuscripts Illuminated in the British Isles*, I, *Insular Manuscripts: 6th to the 9th Century*, Londres, 1978, p. 11.

5 Sur la transition du *volumen* au *codex*, voir « Mille ans d'art et de beauté », p. 13.

ualeas et memineris
mei papa beatissime.

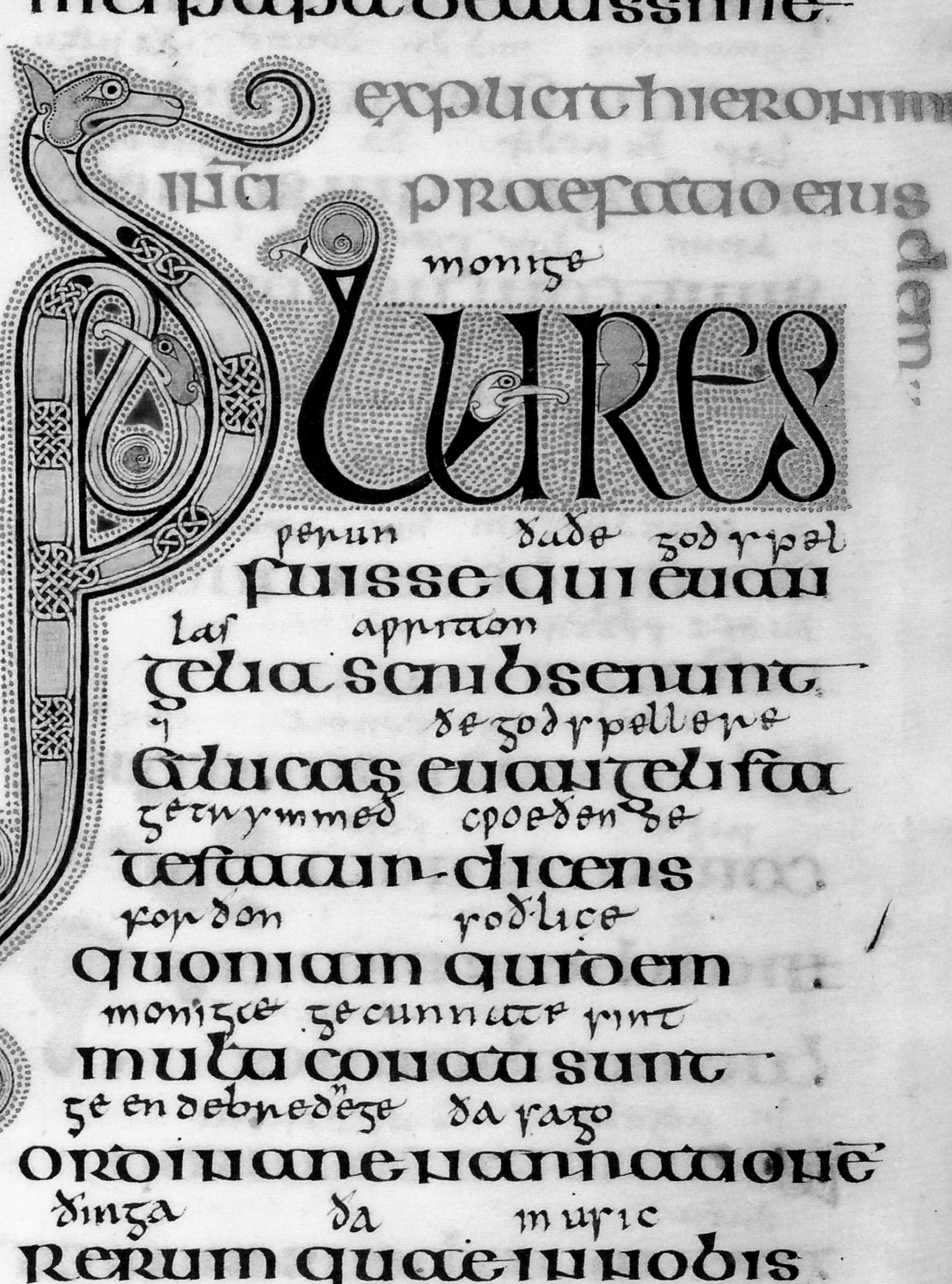

EXPLICIT HIERONIMI.
INCIPIT PRAEFATIO EIUSDEM.

PLURES
fuisse qui euan
gelia scribserunt
et lucas euangelista
testatur dicens
quoniam quidem
multi conati sunt
ordinare narrationem
rerum quae in nobis

3

LE PSAUTIER VESPASIEN

La naissance de l'initiale historiée en Europe occidentale

Psautier, en latin, avec glose interlinéaire en vieil anglais. Kent, première moitié du VIIIe siècle (glose ajoutée au milieu du IXe).

- 240 × 190 mm
- 160 fos
- Cotton MS Vespasian A I

La place centrale des Psaumes dans la spiritualité médiévale explique le grand nombre de psautiers parmi les manuscrits que nous a légués la période : une cinquantaine proviennent de la seule Angleterre anglo-saxonne. Les psautiers incluent d'autres textes affirmant leur rôle dans la pratique du dévot, et notamment un calendrier qui le renseigne sur les jours consacrés aux saints et autres festivités. Ce calendrier fait également mention d'événements liés à l'histoire personnelle du propriétaire : consécration d'églises ou naissance et mort de parents. Les Cantiques, qui suivent souvent les Psaumes, s'accompagnent eux aussi de prières et de litanies plus propres aux lieux et aux personnes. Ainsi un recueil de chants rédigés à l'origine en hébreu à l'intention de la liturgie juive donne-t-il lieu à une compilation personnalisée, vouée à la dévotion intime du chrétien. Ces viatiques nécessaires à la prière privée et collective sont souvent richement décorés. C'est le cas du Psautier Vespasien, qui offre aussi le plus ancien exemple connu en Europe d'initiales historiées[1].

Le texte est superbement rédigé dans une écriture onciale (en capitales) à la fois claire, lisible et élégamment disposée (ill. 3.2-3.4). Chaque psaume s'ouvre sur une grande lettrine décorée, souvent dans le style intriqué et zoomorphique de l'art anglo-saxon. Parfois, l'ornementation s'étend à tout le premier mot, souvent sur un fond peint; dans trois cas apparaissent des figures humaines ou animales, comme l'oiseau du psaume LXXXVII (ill. 3.4). Les calligraphies les plus élaborées marquent typiquement les huit sections du psautier, soit le début des psaumes I, XXVI, XXXVIII, LII, LXVIII, LXXX, XCVII et CIX. Ce découpage correspond aux huit groupes de psaumes récités chaque jour et aux vêpres du dimanche selon l'usage monastique, en application du chapitre XVI de la règle de saint Benoît (v. 460-v. 547). Celle-ci tirait la leçon du Psalmiste lui-même : « Au milieu de la nuit, je me lève et te rends grâce » (psaume CXVIII, 62) et « Sept fois chaque jour, je te loue » (psaume CXVIII, 164).

3.1 | David jouant de la harpe, accompagné de musiciens et de deux hommes tapant des mains, avec figures animales dans les piédroits de l'arc, fo 30v.

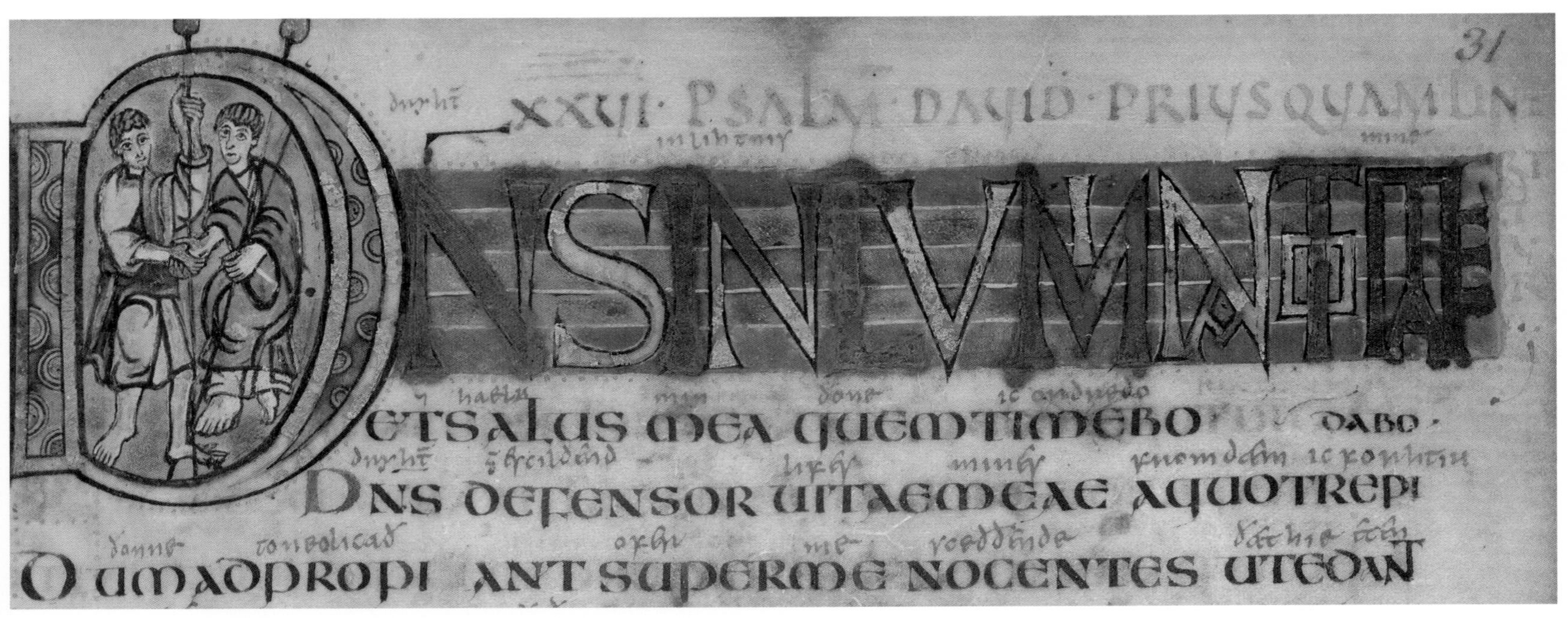

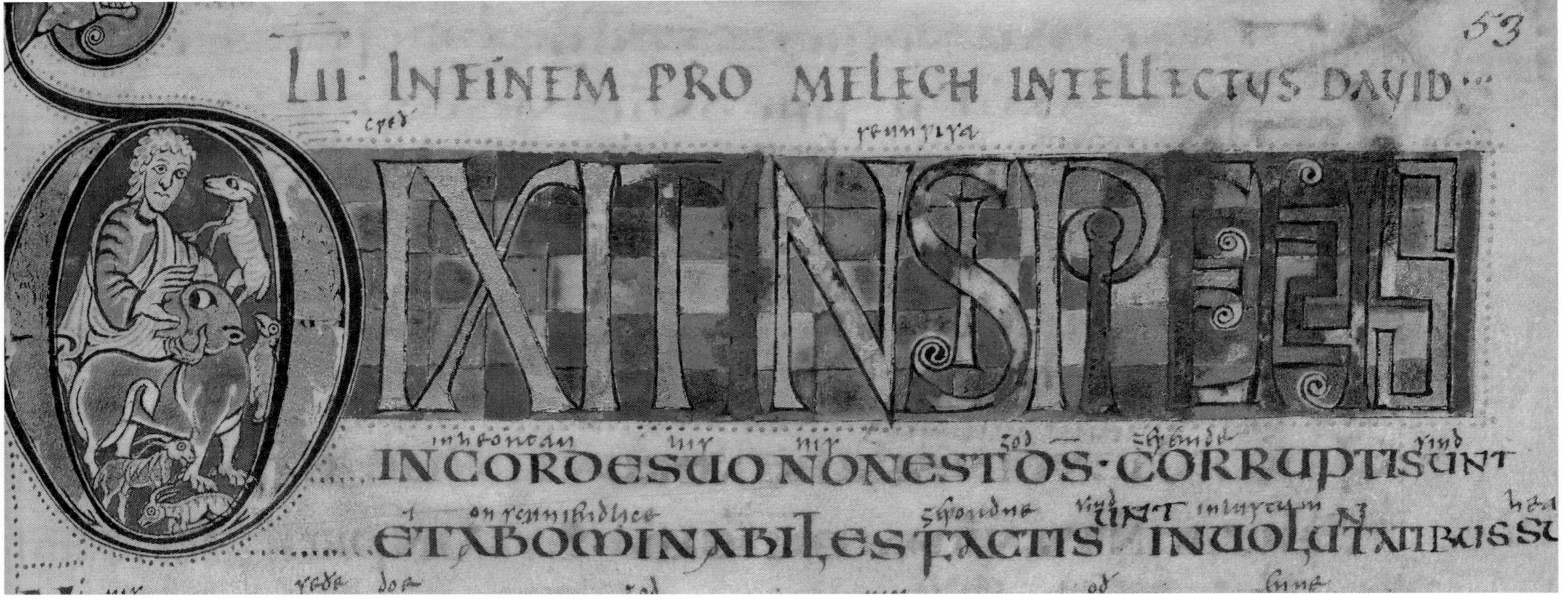

EN HAUT

3.2 | Deux hommes (probablement David et Jonathan) se serrant la main, dans la lettre « D » de *D[omi]n[u]s* (« Seigneur »), au début du psaume XXVI, f° 31 (détail).

CI-DESSUS

3.3 | David, entouré de son troupeau, tenant ouverte la gueule d'un lion, dans la lettre « D » de *Dixit* (« [Le fou] déclare »), au début du psaume LII, f° 53 (détail).

3.4 | Premières lettres du mot *Cantate* (« Chantez »), avec un oiseau, au début du psaume XCVII, f° 93v (détail).

Deux des lettrines ornées montrent des scènes de la vie de David, au début des psaumes XXVI et LII (ill. 3.2-3.3). David passait en effet pour l'auteur des Psaumes, comme en témoigne l'intitulé du psaume XXVI : *Psalm[us] David*. En dessous, dans la lettre « D » de *D[omi]n[u]s* (« Seigneur »), deux jeunes hommes imberbes se serrent la main : il s'agit probablement de David et de Jonathan (ill. 3.2). Au psaume LII, David reparaît en berger défendant ses moutons face à un lion, tel que le décrit, non le livre des Psaumes, mais celui de Samuel :

> Quand ton serviteur était berger du troupeau de son père,
> si un lion ou bien un ours venait emporter une brebis du troupeau,
> je partais à sa poursuite, je le frappais et la délivrais de sa gueule.
> S'il m'attaquait, je le saisissais par la crinière et je le frappais à mort.
> (I Samuel, XVII, 34-35, ill. 3.3).

Autre figuration typique de David, son portrait en musicien ouvre souvent le livre des Psaumes, ces chants qu'il aurait composés. Tel était probablement le cas dans le Psautier Vespasien, mais l'image fut par la suite déplacée au début du psaume XXVI (ill. 3.1).

Comme la plupart des livres pieux de la chrétienté occidentale, le psautier est rédigé en latin, dans l'une des versions traditionnellement attribuées à saint Jérôme (v. 347-420)[2]. Jérôme passa près de vingt-cinq ans à traduire les textes bibliques du grec et de l'hébreu dans la langue latine « vulgaire » ; il acheva trois versions ou révisions des Psaumes. La première, issue de la Septante grecque, fut adoptée par l'Église romaine, d'où son appellation de « psautier romain » *(Psalterium romanum)*. Le Psautier Vespasien est la plus ancienne copie connue de cette version, qui resta la plus communément employée en Angleterre jusqu'à la fin du xe siècle.

Le livre doit aussi son exceptionnelle valeur à la glose en vieil anglais qui fut ajoutée au IXe siècle au-dessus des mots latins, comme il en fut un peu plus tard des Évangiles de Lindisfarne (nº 2). Cette glose est la plus ancienne traduction connue des Psaumes en anglais, et seuls treize autres psautiers contiennent un texte en vieil anglais[3]. D'après le style de l'écriture et de la décoration, on s'accorde à penser que le livre fut fabriqué dans le sud de l'Angleterre anglo-saxonne (la « Southumbrie », au sud de l'estuaire du Humber), mais on ignore dans quel monastère ou pour quel commanditaire. Une hypothèse l'attribue aux moniales de l'abbaye bénédictine de Minster-in-Thanet près de Cantorbéry[4]. En 1599, le livre était en possession du grand collectionneur Sir Robert Cotton (1571-1631). Celui-ci le plaça en première position sur la plus haute étagère de sa bibliothèque, où se trouvait un buste de l'empereur romain Vespasien : d'où à la fois sa cote à la British Library (Cotton MS Vespasian A I) et son appellation d'usage.

3.5 | Premières lettres du mot *Salvum* (« Sauve[-moi] »), avec un oiseau, au début du psaume LXVIII, fº 64v (détail).

BIBLIOGRAPHIE

David Wright, *Early English Manuscripts in Facsimile*, XIV, *The Vespasian Psalter*, Copenhague, 1967.

Phillip Pulsiano, « Psalters », *in* Richard W. Pfaff (dir.), *The Liturgical Books of Anglo-Saxon England*, *Old English Newsletter Subsidia*, XXIII, Kalamazoo, 1995, p. 61-86.

Michelle P. Brown, *Manuscripts from the Anglo-Saxon Age*, Londres, 2007, p. 7, 10, 15, 53, 60, 61.

NOTES

1 Sur les initiales historiées, voir « Mille ans d'art et de beauté », p. 24. Rosemary Muir Wright, « Introduction to the Psalter », *in* Brendan Cassidy et Rosemary Muir Wright (dir.), *Studies in the Illustration of the Psalter*, Stamford, 2000, p. 1-11 (p. 5).

2 Sur saint Jérôme, voir « Mille ans d'art et de beauté », p. 12-13.

3 Minnie Cate Morrell, *A Manual of Old English Biblical Materials*, Knoxville, 1965, p. 45-81.

4 Brown, *op. cit.*, p. 53.

usque
NON
VENI IN ALTITUDINE

4

LES ÉVANGILES DORÉS HARLEY

L'Évangile en lettres d'or

Les quatre Évangiles, en latin.
Empire carolingien
(Aix-la-Chapelle ?), v. 800.

- 365 × 250 mm
- 208 f^os^
- Harley MS 2788

Charlemagne fut sacré empereur d'Occident à Rome le jour de Noël 800. À sa cour d'Aix-la-Chapelle, il amorça une *renovatio* de l'ancien art romain, vouée à recréer la splendeur de la Rome impériale. Un petit corpus d'Évangiles de grand luxe témoigne du succès de l'entreprise. Très proches par le style, ils furent probablement produits à Aix, peut-être sous la supervision directe de Charlemagne. Parmi eux, les Évangiles Harley contiennent une copie des quatre Évangiles ainsi que de superbes tables de concordance, des listes de chapitres et une série de lectures évangéliques destinées aux messes de l'année liturgique. L'appellation anglaise de *Harley Golden Gospels* leur vient de leur texte entièrement écrit à l'encre d'or. Chaque page de texte porte en marge un décor élaboré qui lui est propre. Cette copie particulièrement luxueuse contient le portrait de chaque Évangéliste, occupant une pleine page en ouverture de son récit, et mis en regard d'une page d'*incipit* portant les premiers mots du texte (ill. 4.1-4.4).

Chaque Évangéliste apparaît accompagné de son symbole : l'homme de Matthieu, le lion de Marc, le bœuf de Luc et l'aigle de Jean. Ces symboles dérivent des « Vivants » aux quatre faces décrits par Ézéchiel (Ézéchiel, I, 5-11) et des créatures vues par Jean devant le trône de Dieu (Apocalypse, IV, 6-8). Leur association aux Évangélistes remonte aux premiers temps des Pères de l'Église. Dans la préface de son commentaire de l'Évangile selon Matthieu, saint Jérôme déclare ainsi que l'aigle « signifie » (« *significat* ») Jean, qui dans son évocation du Verbe « revêt les plumes de l'aigle et s'élève vers les hauteurs » (« *assumptis pennis aquilae, et ad altiora festinans*[1] »). Ici, les symboles occupent un espace architectural qui leur est dédié – la voûte de la niche feinte encadrant chaque Évangéliste[2]. Ils tiennent des livres – *volumen* déroulé en phylactère pour deux d'entre eux, *codex* ouvert pour les deux autres – dans lesquels est lisible le début de leurs Évangiles respectifs. On lit ainsi dans le codex de l'aigle : *In principio erat verbum et verbum erat apud D[eu]m et D[eu]s erat verbum hoc erat in principio apud D[eu]m*

4.1 | Portrait de l'Évangéliste Jean portant un livre ouvert et surmonté de l'aigle, son symbole, également muni d'un livre, f° 161v (détail).

DOUBLE PAGE SUIVANTE

4.2-4.3 | Portrait de l'Évangéliste Marc portant un livre ouvert et surmonté du lion, son symbole, et début de son Évangile avec la lettrine « I » de *Initium*, f°s 71v-72 (détails).

INPRINCI
PIOERAT
VERBUM.
ETVERBUM
ERATAPUD
DM
ETDS
ERAT
VERBUM.
HOCERATIN
PRINCIPIO
APUD DM.
EGO MISIVOS
METERE QUOD
VOS NON LA
BORASTIS.
ALII LABO
RAVERUNT.
ET VOS
IN LABORES
EORUM IN
TROISTIS

INITIVM EVANGELII IHV XPI FILII DI · SIC
SCRIPTVM EST IN ESAIA PROP · ECCE MITTO ANG
VIGILATE
ERGO · NES
CITIS ENIM
QVANDO
DOMINVS
DOMVS
VENIAT ·
SERO
AN MEDIA
NOCTE ·
AN GALLI
CANTV ·
AN MANE
NE CVM VE
NERIT RE
PENTE IN
VENIAT
VOS DOR
MIENTES ·

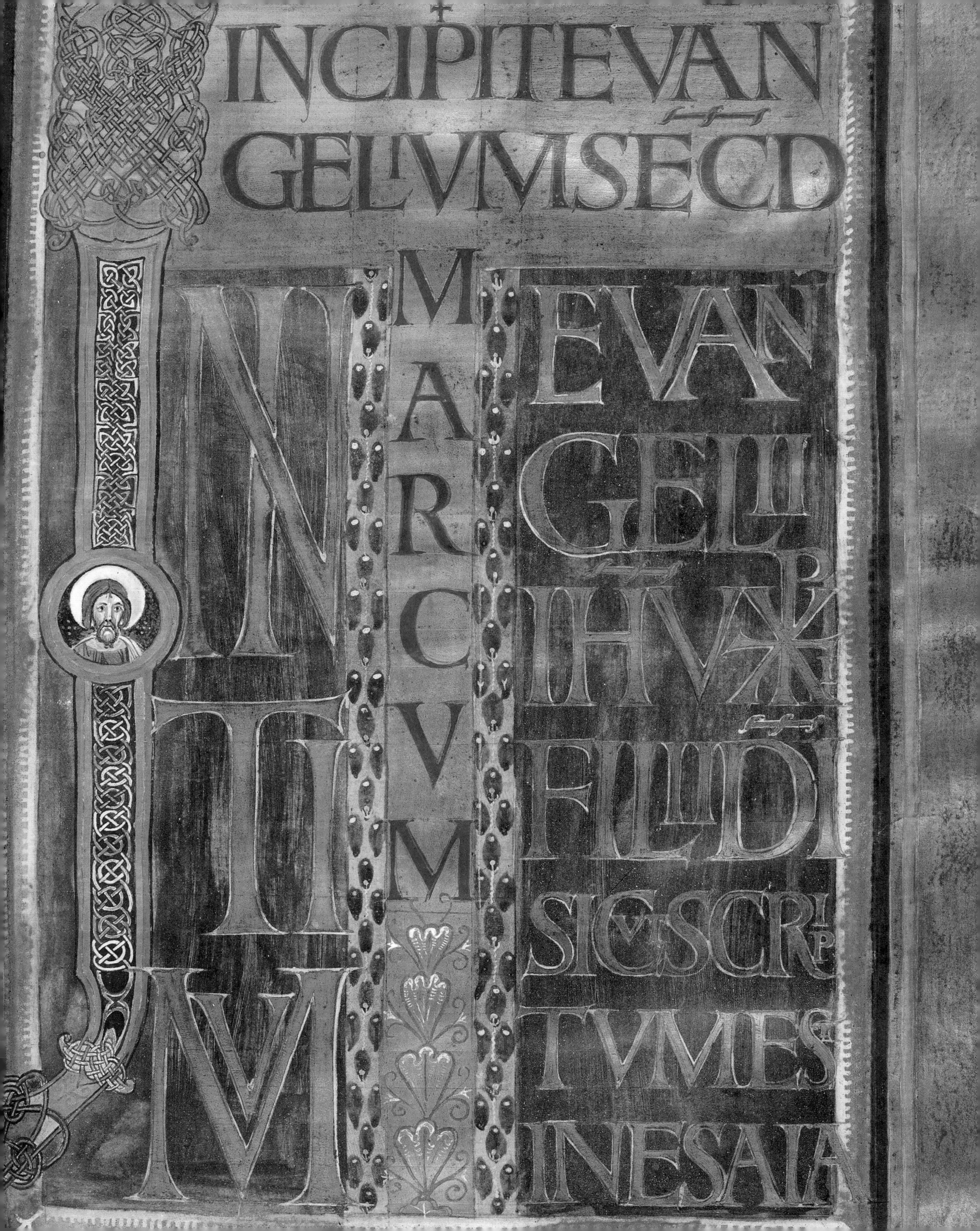

INCIPIT EVAN
GELIUM SECD

MARCUM

INITIUM

EVAN
GELII
IHU XPI
FILII DI
SICUT SCRIP
TUM EST
IN ESAIA

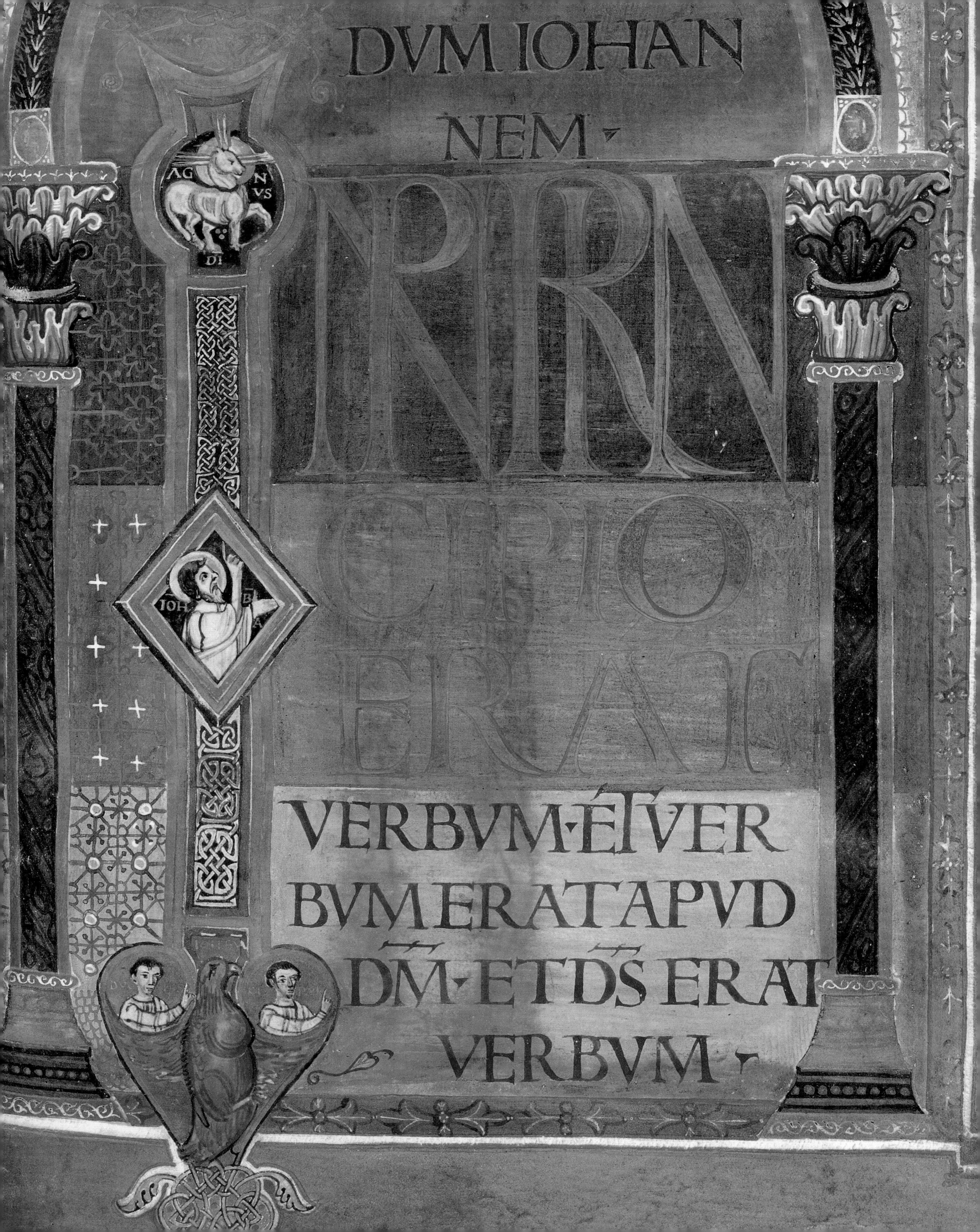

DVM IOHAN
NEM·

INPRIN
CIPIO
ERAT

VERBVM·ET VER
BVM ERAT APVD
DM· ET DS ERAT
VERBVM·

4.4 | Début de l'Évangile de Jean, avec l'agneau de Dieu, saint Jean Baptiste et deux disciples incorporés à la lettrine « I » de *In*, f° 162 (détail).

(« Au commencement était le Verbe, et le Verbe était auprès de Dieu, et le Verbe était Dieu. Il était au commencement auprès de Dieu », Jean, I, 1-2, ill. 4.1). Les symboles se retrouvent au sommet des tables de concordance, où ils permettent d'identifier immédiatement l'Évangile concerné par la colonne qu'ils dominent (voir fig. 6).

On voit bien là le rapport complexe qu'entretiennent l'écrit et l'image dans l'ensemble du manuscrit. Le premier verset de chaque Évangile étant brandi par le symbole correspondant, le livre ouvert que porte chacun des Évangélistes laisse voir un texte pris ailleurs dans son récit. Jean vient ainsi d'écrire : *Ego misi vos metere quod vos non laborastis alii laboraverunt et vos in labores eorum introistis* (« Je vous ai envoyés moissonner ce qui ne vous a coûté aucun effort ; d'autres ont fait l'effort, et vous en avez bénéficié », Jean, IV, 38, ill. 4.1). Le texte qui déborde du livre de saint Marc est quant à lui tiré de ses versets XIII, 35-36 : « Veillez donc, car vous ne savez pas quand vient le maître de la maison. » Sa mise en regard de la tête nimbée du Christ dans l'initiale de la page opposée n'est peut-être pas fortuite (ill. 4.2-4.3). Les images incorporées aux lettrines d'autres Évangiles sont en revanche sans lien avec le texte offert au regard par le portrait de l'auteur. Dans celui de saint Jean, l'*Agnus Dei* (l'agneau de Dieu), saint Jean Baptiste et deux disciples dans des médaillons font référence aux versets I, 36-37 : « Posant son regard sur Jésus qui allait et venait, il dit : "Voici l'Agneau de Dieu". Les deux disciples entendirent ce qu'il disait, et ils suivirent Jésus » (ill. 4.4).

Le style, les postures, les vêtements et l'encadrement des Évangélistes témoignent d'un désir de recréer le passé. Les colonnes de marbre et de porphyre où ils prennent place, et qu'on retrouve dans les tables de concordance (voir fig. 6), renvoient à celles que Charlemagne fit venir de Rome à Aix pour orner sa chapelle palatine. Leur allure classicisante, le modelé de leur visage et même leurs ustensiles de scribes convergent dans la vision d'une sorte d'Antiquité christianisée qui animait le nouvel empereur d'Occident.

BIBLIOGRAPHIE

Wilhelm Koehler (dir.), *Die Karolingischen Miniaturen*, II, *Die Hofschule Karls des Grossen*, Berlin, 1958, p. 56-69, pl. 42-66.

James A. Harmon, *Codicology of the Court School of Charlemagne: Gospel Book Production Illumination, and Emphasised Script*, *European University Studies*, série 28, History of Art, 21, Francfort, 1984.

George Henderson, « Emulation and Invention in Carolingian Art », *in* Rosamond McKitterick (dir.), *Carolingian Culture: Emulation and Innovation*, Cambridge, 1994, p. 248-273.

NOTES

1 *PL*, XXVI, 19.

2 À comparer avec la Bible royale de Cantorbéry, où Luc et son bœuf sont regroupés dans la partie haute (ill. 5.1).

5

LA BIBLE ROYALE DE CANTORBÉRY

L'une des premières bibles de Cantorbéry

Bible (aujourd'hui réduite aux quatre Évangiles), en latin. Cantorbéry, premier quart du IXe siècle.

- 470 × 340 mm
- 77 fos
- Royal MS 1 E VI

En 597, le pape Grégoire Ier le Grand envoya le prieur bénédictin Augustin (mort v. 604) convertir le roi de Kent Æthelberht (Ethelbert, 560-616) ; la capitale du royaume, Cantorbéry, s'imposa dès lors comme l'un des grands centres spirituels et intellectuels de l'Angleterre anglo-saxonne. « Apôtre des Anglais », saint Augustin de Cantorbéry était sans doute venu avec des livres, et l'on rapporta par la suite que saint Grégoire lui avait envoyé une grande Bible. Ce texte essentiel fut copié et disséminé depuis la cathédrale et l'abbaye toute proche, à l'origine dédiée aux saints Pierre et Paul, puis à saint Augustin après sa mort.

Ce qu'on appelle aujourd'hui la « Bible royale » est le vestige d'une copie de la Bible exécutée à l'abbaye de Saint-Augustin au début du IXe siècle, et entrée à la bibliothèque royale anglaise. Le livre ne contient plus que les quatre Évangiles et les tables de concordance (d'autres folios en ont été retrouvés dans d'autres collections)[1], mais les signatures de cahiers internes dénotent qu'il comptait à l'origine plus de neuf cents pages, et couvrait probablement l'ensemble de la Bible. Ses dimensions (470 mm de hauteur de page) indiquent qu'il était conçu pour être lu à un auditoire[2], et sa décoration se prêtait de toute évidence à l'ostension.

Sa principale singularité est l'usage, pour certains folios, d'un parchemin teint ou peint d'un profond coloris pourpre sur lequel tranche le texte écrit à l'encre d'or et d'argent (ill. 5.1, 5.3). Cette couleur et ces matières sont chargées de valeurs spirituelles et surtout impériales. Certains empereurs romains étaient connus pour se réserver le port de vêtements pourpres. On raconte par ailleurs que Constantin Ier le Grand (r. 306-337) reçut un jour en présent des poèmes écrits à l'or et à l'argent sur des feuillets pourpres (« *ostro tota nitens, argento auroque coruscis scripta notis*[3] »). Ce procédé fut logiquement appliqué aux plus somptueuses copies du texte biblique. Godescalc, le scribe qui rédigea vers 780 l'Évangéliaire dit de Charlemagne (BnF NAL 1203), exprime bien l'effet recherché dans son poème de dédicace : « Les mots sont écrits

5.1 | Portrait de l'Évangéliste Luc avec le bœuf, son symbole, au début de son Évangile, fo 43.

DOUBLE PAGE SUIVANTE

5.2 | Canon I portant le titre *Incip[it] canon primus in quo iiii* et le nom des Évangélistes Matthieu, Marc, Luc et Jean, fo 4 (détail).

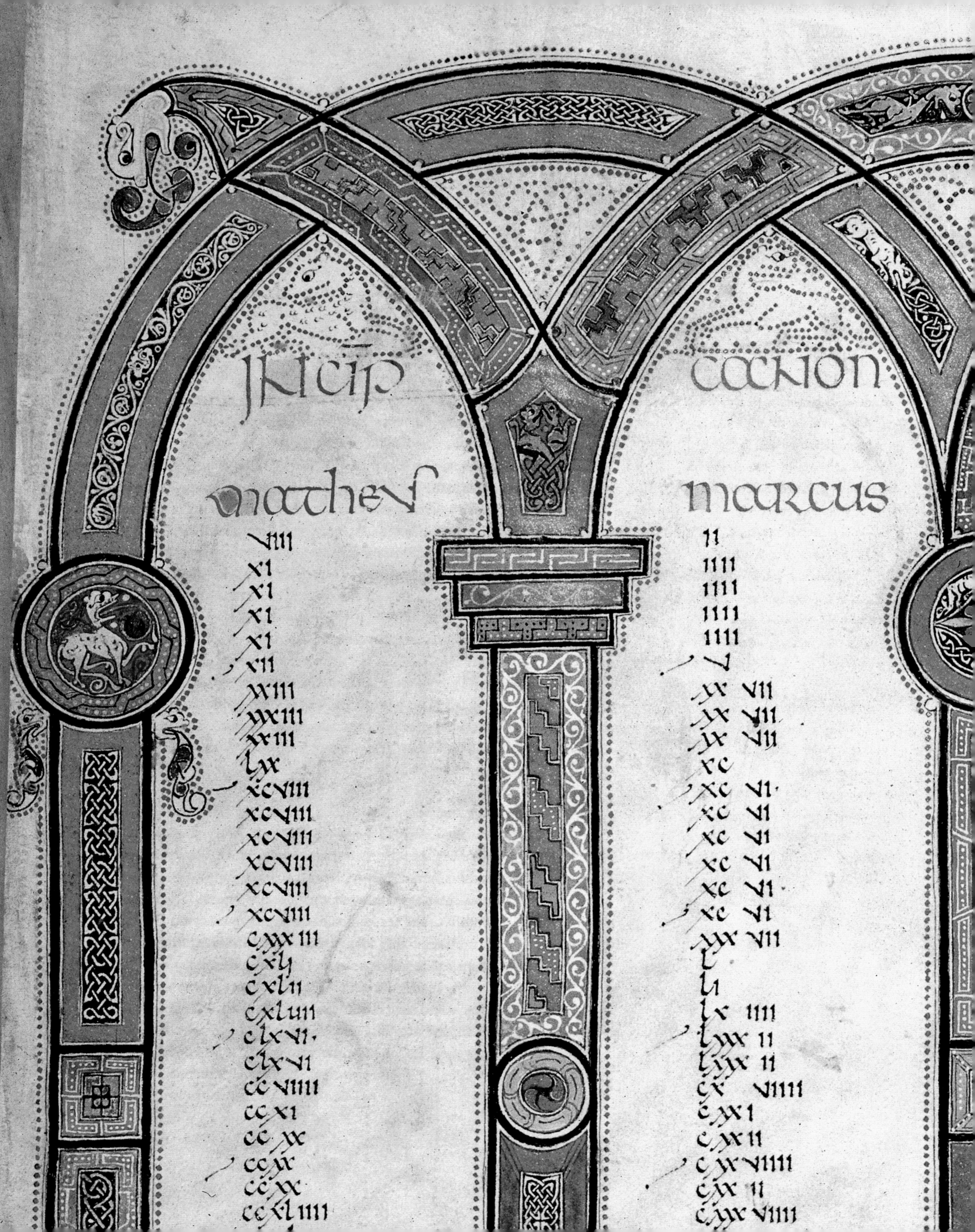

mattheus
marcus

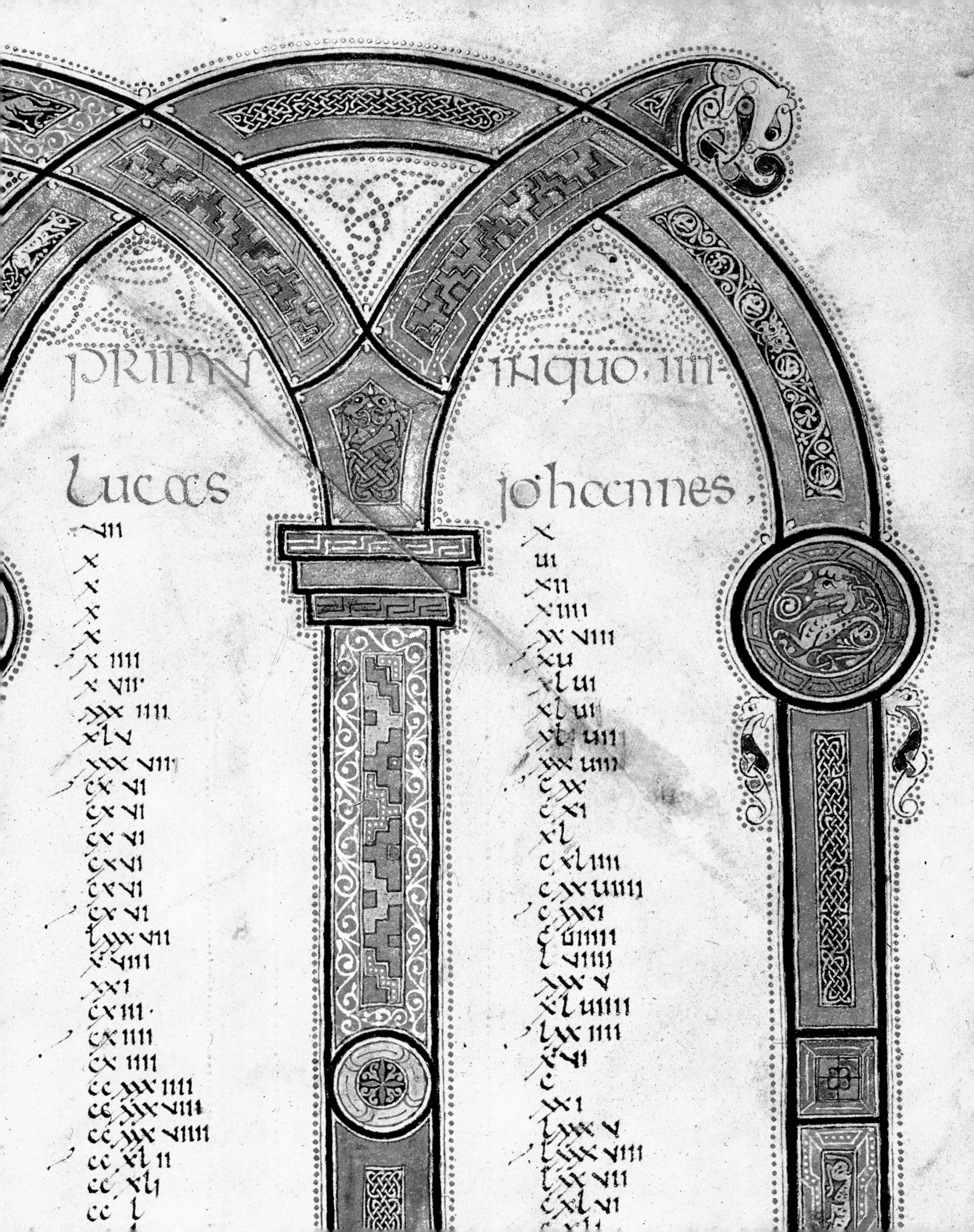
PRIMUS
IN QUO IIII
Lucas
Johannes

à l'or sur des pages pourpres. Les brillants royaumes étoilés du maître de la foudre, révélés d'un sang rosé, clament la joie des cieux. Et l'éloquence de Dieu, brillant d'une digne fulgurance, promet les splendides récompenses de la vie éternelle[4]. »

Ces folios sont une précieuse survivance. Le parchemin pourpré est connu dans divers manuscrits européens, mais dans le domaine anglo-saxon, seuls la Bible royale de Cantorbéry et deux autres livres en conservent des exemples. Parmi les quatre folios teints en pourpre, trois ne contiennent que du texte, le quatrième présentant le portrait de l'Évangéliste Luc (ill. 5.1). Ce dernier n'est pas figuré en scribe assis mais en buste dans un médaillon. L'emplacement le plus en vue revient à son symbole : le bœuf déploie ses ailes dans le tympan d'un arc reposant sur deux piédroits ornés[5]. Ces deux piliers, formés d'entrelacs inscrits dans des cercles et des rectangles qui rappellent l'orfèvrerie, encadrent l'*incipit* du récit de saint Luc : *Quoniam quidem* (« Puisque »), en lettres d'or et d'argent. Ces pages toutes spéciales continuèrent d'être estimées et utilisées bien après leur réalisation : au début du XIe siècle, le portrait de l'Évangéliste Marc fut ajouté au verso de l'une d'elles (ill. 5.3). Dans cette miniature plus tardive, Évangéliste et symbole échangent leurs positions, et la large bordure qui les enceint est faite de motifs végétaux plus simples que les entrelacs du IXe siècle.

Ces entrelacs se retrouvent dans les tables de concordance (ill. 5.2)[6], comparables à celles peintes environ un siècle plus tôt dans les Évangiles de Lindisfarne (n° 2). Pointillés rouges, éléments zoomorphiques tels que têtes d'oiseaux et de bêtes fantastiques, panneaux à degrés et à tresses évoquant le travail du métal sont communs aux deux manuscrits. On ressent aussi le même attachement à célébrer la majesté du texte par son extraordinaire ornementation, ici en or et argent sur fond pourpre.

BIBLIOGRAPHIE

Patrick McGurk, « An Anglo-Saxon Bible Fragment of the Late Eighth Century: Royal 1 E. VI », *Journal of the Warburg and Courtauld Institutes*, XXV, 1962, p. 18-34.

J. J. G. Alexander, *Insular Manuscripts: 6th to the 9th Century, A Survey of Manuscripts Illuminated in the British Isles*, I, Londres, 1978, n° 32.

Richard Gameson, « The Canterbury Royal Bible », *in* Scot McKendrick, John Lowden et Kathleen Doyle (dir.), *Royal Manuscripts: The Genius of Illumination*, Londres, 2011, n° 2.

5.3 | Portrait de l'Évangéliste Marc avec le lion, son symbole, ajouté au XIe siècle, f° 30v.

NOTES

1 Cantorbéry, bibliothèque de la cathédrale, MS Add. 16; Oxford, Bodleian Library, MS. Lat. bib. b. 2 (P).

2 Sur l'usage des bibles de lutrin, voir les Bibles de Worms et d'Arnstein, n°s 21 et 23.

3 P. Optatianus Porfyrius, *Carmina*, I, 1-4.

4 Paris, BnF, ms nouv. acq. lat. 1203, f° 126v. Sur Charlemagne, voir les Évangiles dorés Harley, n° 4, et la Bible de Moutier-Grandval, n° 6.

5 Sur les symboles des Évangélistes, voir les Évangiles dorés Harley, n° 4.

6 Sur les tables de concordance, voir les Tables canoniques dorées, n° 1.

6

LA BIBLE DE MOUTIER-GRANDVAL

Joyau de l'enluminure tourangelle carolingienne

Bible, en latin.
Tours, deuxième quart du IXe siècle.

- 510 × 375 mm
- 449 fos
- Add MS 10546

Pour servir son dessein de réformer l'Église, Charlemagne réunit à sa cour de sages et doctes conseillers venus de toute l'Europe[1]. C'est un Anglais, Alcuin de York, qu'il nomma abbé de Saint-Martin de Tours en 796, puis qu'il chargea, en 800, de réviser le texte de la Bible. Sous l'abbatiat d'Alcuin et de ses successeurs, Saint-Martin devint un centre majeur de la production de livres, donnant le jour, dans la première moitié du IXe siècle, à plus de quarante copies de la Bible conservées jusqu'à notre époque[2]. La « Bible d'Alcuin » reprend les Psaumes dans la version « gallicane » *(Psalterium gallicanum)* plutôt que « romaine » *(Psalterium romanum)* de la Vulgate de Jérôme, ainsi qu'une série particulière de livres et de prologues bibliques[3]. Ses copies produites à Tours sont pour l'essentiel des pandectes, volumes imposants réunissant l'intégralité des textes bibliques. Elles se distinguent notamment par leur écriture très lisible qui les vouait, selon un spécialiste, à l'exportation[4]. Ce corpus de manuscrits témoigne avec grandeur d'une volonté de diffuser un texte « correct » de la Bible à travers tout l'empire carolingien.

Trois des quatorze pandectes de Tours connues à ce jour témoignent, avec leurs enluminures spectaculaires, d'un âge d'or du manuscrit tourangeau sous l'abbatiat d'Adalhard (834-843) et de Vivien (844-851)[5]. La plus ancienne est la Bible de Moutier-Grandval, un énorme *codex* de plus de cinquante centimètres de hauteur. Cette copie semble avoir été conçue pour le monastère de Moutier-Grandval, dans le diocèse de Bâle. Elle contient quatre miniatures considérées comme les premiers exemples d'enluminure narrative de pleine page au Moyen Âge.

La première illustration ouvre le livre de la Genèse ; dans ses quatre frises superposées, les épisodes se lisent de gauche à droite. Les scènes choisies sont tirées des deuxième et troisième chapitres de la Genèse : création d'Adam et d'Ève, interdiction par Dieu de manger les fruits de l'arbre de la connaissance, tentation et chute, expulsion du jardin d'Éden, enfin Ève allaitant tandis qu'Adam travaille la terre (ill. 6.1). Les bandeaux intercalaires contiennent un poème écrit en lettres d'or et résumant les événements illustrés ; ce texte a peut-être été composé

6.1 | Création d'Adam et d'Ève, admonition, tentation et chute, expulsion du jardin d'Éden, et Ève allaitant tandis qu'Adam travaille la terre, début de la Genèse, fo 5v.

DOUBLE PAGE SUIVANTE (À GAUCHE)

6.2 | Christ en majesté entouré des symboles des Évangélistes, début du Nouveau Testament, fo 352v.

DOUBLE PAGE SUIVANTE (À DROITE)

6.3 | L'agneau et le lion de Juda autour du Livre aux sept sceaux et entre les symboles des Évangélistes (en haut), un personnage assis tenant un voile parmi les symboles des Évangélistes (en bas), fo 449.

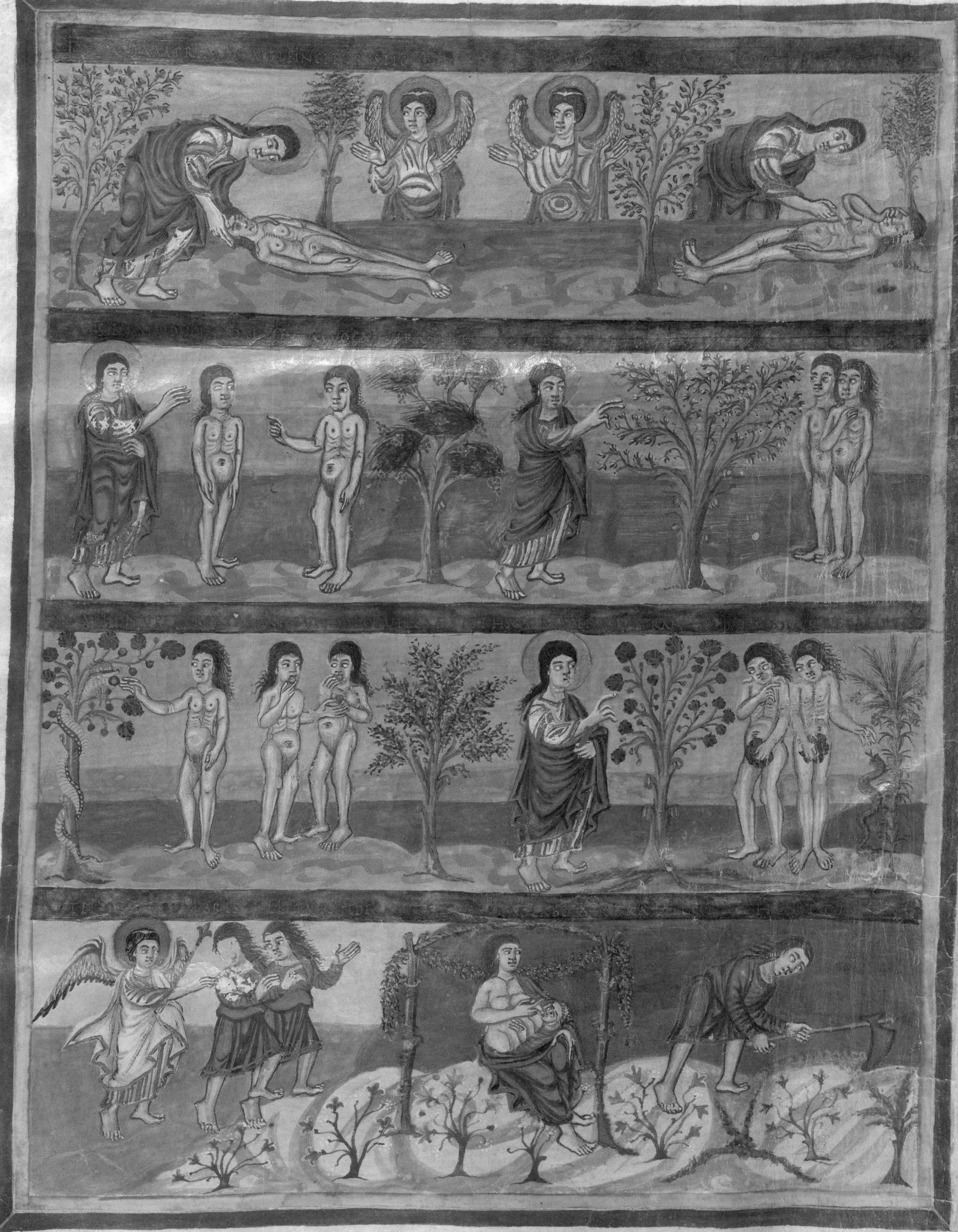

Johannes.
REXMI
REVSCON
SIVEP
HICEVAN
QVATTVOR
TVBRE
CATAETHE
DIGNE
PHETAE O
GELICAE
ATQ:

Matheus
Joh.
Marcus
Lucas
SEPTEM SIGILLIS AGNUS INNOCENS MODIS SIGNATA MIRIS IURA DISSERIT

6.4 | Moïse recevant la Loi de la main de Dieu et l'énonçant à son peuple, début de l'Exode, f° 25v.

d'après les images[6]. L'Exode est introduit par une autre illustration de pleine page, où deux épisodes marquants s'étagent en autant de registres (ill. 6.4). En haut, Moïse reçoit la Loi de la main de Dieu sur une colline semée de flammes ardentes, d'après Exode, XXIV, 17 : « La gloire du Seigneur apparaissait aux fils d'Israël comme un feu dévorant, au sommet de la montagne. » En bas, Moïse édicte les commandements du deuxième jeu de tables au peuple d'Israël (Exode, XXXIV, 29-32). La dette du peintre à l'art classique est évidente dans l'habillement des figures, les rideaux suspendus sur les côtés, et surtout la colonnade qui supporte le plafond à caissons et dont les écoinçons montrent des figures empruntées à la peinture murale romaine, telle que nous la connaissons aujourd'hui grâce aux fouilles de Pompéi et d'Herculanum.

Les deux autres folios peints offrent une interprétation plus complexe du texte biblique. Le premier, en ouverture du Nouveau Testament, montre l'image centrale du Christ en majesté entouré des symboles des quatre Évangélistes tenant des livres (ill. 6.2)[7]. Dans les angles, quatre hommes (probablement les grands prophètes Isaïe, Jérémie, Daniel et Ézéchiel) tiennent des volumes déroulés en phylactères. Davantage qu'illustration d'un épisode contenu dans le livre qui suit, l'image se fait ici commentaire visuel résumant la conception des Évangiles comme accomplissement des prophéties de l'Ancien Testament.

Ces deux conceptions de l'illustration biblique se combinent dans l'iconographie de la quatrième page peinte. Au registre supérieur, les symboles des Évangélistes entourent l'agneau et le lion de Juda qui ouvrent le Livre aux sept sceaux, selon Apocalypse, V, 1-7 et VI, 1 (ill. 6.3). Les textes brandis par les symboles sont ici rédigés en notes tironiennes, système sténographique latin mis au point au Ier siècle av. J.-C. pour consigner les discours au Sénat romain. L'invention serait due à Tiron (v. 104-v. 4 av. J.-C.), affranchi de Cicéron[8]. Au registre inférieur, le personnage assis ne trouve pas d'identification aisée dans le texte. Il pourrait s'agir de Moïse, incarnant l'Ancien Testament dévoilé par le Nouveau (en la personne des Évangélistes représentés par leurs symboles), ou de Dieu lui-même, « révélé dans les Écritures [comme] personne unique[9] ». L'idée fait écho au commentaire de l'Apocalypse par Beatus de Liébana : « La face de la Bible fut voilée de Moïse au Christ, et à la fin de ce livre elle est révélée[10] ». Aujourd'hui en dernière page, l'image se trouvait peut-être à l'origine en ouverture de l'Apocalypse, voire en début de volume, proclamant l'unité des deux Testaments.

NOTES

1 Sur Charlemagne, voir les Évangiles dorés Harley, n° 4.

2 David Ganz, « Mass Production of Early Medieval Manuscripts », *in* Richard Gameson (dir.), *The Early Medieval Bible: Its Production, Decoration and Use*, Cambridge, 1994, p. 53-62.

3 Sur le *Psalterium gallicanum*, voir le Psautier de Lothaire, n° 7.

4 Rosamond McKitterick, « Carolingian Bible Production: The Tours Anomaly », *in* Gameson (dir.), *op. cit.*, p. 63-77 (p. 63).

5 Walter Cahn, *Romanesque Bible Illumination*, Ithaca, 1982, p. 46. Les deux autres sont : Bamberg, Staatliche Bibliothek, Msc. Bibl. 1, et Paris, BnF, ms lat. 1.

6 Voir Kessler, *op. cit.* (1977), p. 33.

7 Sur les symboles des Évangélistes, voir les Évangiles dorés Harley, n° 4.

8 Merci à David Ganz d'avoir porté ce fait à notre attention.

9 Voir Cahn, *op. cit.*, p. 50, et Kessler, *op. cit.* (2006), p. 92.

10 Cité dans Kessler, *op. cit.* (2006), p. 92 ; sur Beatus, voir l'Apocalypse de Silos, n° 15.

BIBLIOGRAPHIE

Herbert Kessler, *Studies in Manuscript Illumination*, VII, *The Illustrated Bibles from Tours*, Princeton, 1977.

Herbert Kessler, « The Book as Icon », *in* Michelle P. Brown (dir.), *In the Beginning: Bibles before the Year 1000*, Washington, 2006, p. 77-103 (p. 91-92, 99, fig. 11).

David Ganz, « Carolingian Bibles », *in* Richard Marsden et E. Ann Matter (dir.), *The New Cambridge History of the Bible*, II, *From 600 to 1450*, Cambridge, 2012, p. 325-337.

7

LE PSAUTIER DE LOTHAIRE

Un psautier impérial

Psautier, en latin.
Aix-la-Chapelle, v. 842-855.

- 235 × 185 mm
- 172 f^os
- Add MS 37768

La production de manuscrits de grand luxe se poursuivit sous le petit-fils de Charlemagne, Lothaire Ier (795-855), fils aîné de Louis Ier le Pieux et coempereur à ses côtés à partir de 817. Dans ce psautier, c'est bien en empereur qu'apparaît Lothaire : des pierres précieuses sèment sa couronne mais aussi sa robe, qu'on a pu comparer à celle de l'empereur romain Constance II (ill. 7.1)[1]. Sur la page en regard, un poème en lettres d'or chante le triomphe de ce César qui régnait tant sur l'Orient que sur l'Occident. Pierreries et références à la Rome impériale abondent dans le trésor de la cathédrale d'Aix-la-Chapelle, à l'image de la croix dite « de Lothaire » (bien qu'elle ait été réalisée un siècle et demi après son règne), sertie de gemmes et d'un camée romain. Le psautier est intimement lié à la famille impériale : une prière ajoutée avant le portrait de Lothaire fait référence à l'empereur lui-même, mais aussi à ses fils – elle fut peut-être rédigée à l'intention de sa fille Bertrade[2]. Le livre appartient à un groupe de cinq manuscrits encore existants, très proches par le style et le format. Leur facture remarquable porte à croire qu'ils furent produits à la cour de Lothaire à Aix-la-Chapelle, par un petit atelier employé à la réalisation de livres pour l'empereur et sa maison : la littérature anglophone parle de *Lothar Hofschule* (« école de la cour de Lothaire »).

Le livre de Lothaire, comme ceux de son grand-père, multiplie à dessein les allusions à Rome, tant dans les références textuelles que dans la figuration des habits de l'empereur et de son trône à têtes de fauve. Ce dernier serait la plus ancienne représentation connue d'un trône carolingien ; on l'a souvent comparé à celui du roi des Francs Dagobert (mort en 639), conservé à Paris[3]. La référence royale et impériale se prolonge dans l'image de David qui suit immédiatement celle de Lothaire (ill. 7.2). Le Psalmiste joue d'une viole[4], coiffé d'un nimbe plutôt que d'une couronne ; mais son allure, sa mise et son banc de pierre garni d'un coussin lui donnent un cachet romain qui n'a rien à envier à celui de Lothaire. Peut-être fournit-il le modèle du roi biblique, comme

7.1 | **Portrait de l'empereur Lothaire couronné et tenant un glaive, f° 4.**

DOUBLE PAGE SUIVANTE (À GAUCHE)
7.2 | **Portrait du jeune David assis, jouant de la viole, f° 5.**

DOUBLE PAGE SUIVANTE (À DROITE)
7.3 | **Portrait de saint Jérôme en prêtre, portant aube, chasuble et étole, et tenant un livre, f° 6.**

HIERO
NIMUS

I
AT
VS
uir
qui
NON
ABIIT
INCONSILIOIMPIORUM

AL
VV
M.
XI
ME FAC DÑE
QUONIAM DEFE
CIT SANCTUS

LXI
NNE
DÕ SUBIECTAERIT
ANIMAMEA AB
IPSO ENIM SALU
TARE MEUM

CI
N
E
EXAUDI
ORATIONEMME
AM ETCLAMORME
US ADTEUENIAT

7.4 | **Lettrines ornées : « Be » de *Beatus*, psaume I, f° 9, « S » de *Salvum*, psaume XI, f° 17, « No » de *Nonne*, psaume LXI, f° 64, et « D » de *Domine*, psaume CI, f° 105.**

le confirme le poème écrit sur la page en regard : Dieu le choisit – comme Lothaire – « parmi de nombreux frères » *(de multis fratribus unum quem Deus elegit)*, et ses Psaumes « désignèrent le Christ au monde » *(signarent Xr[istu]m mundi)*[5].

Le troisième portrait précédant les Psaumes est celui de saint Jérôme (ill. 7.3). Figure imposante, arborant la tonsure et bénissant d'une main tandis que l'autre tient un livre serti de gemmes, Jérôme est vêtu en prêtre, et non en cardinal comme dans la plupart de ses représentations postérieures ; son étole précieuse fait écho à son livre[6]. De même que David est considéré comme l'auteur des Psaumes, Jérôme en est le traducteur. Le texte qui suit son portrait adopte celle de ses versions qu'on appelle *Psalterium gallicanum* ou *gallicum*, car son usage s'imposa en Gaule tandis que l'autre, dite *Psalterium romanum*, faisait autorité dans l'Italie et l'Angleterre paléochrétiennes[7]. C'est entre 386 et 391 que Jérôme termina sa traduction, d'après le texte grec des Psaumes tiré des *Hexaples*, édition de l'Ancien Testament en hébreu et grec due à Origène (v. 185-v. 254). En usage à la cour de Charlemagne, le *Psalterium gallicanum* s'imposa comme la norme en matière de copie de la Vulgate. Le rôle de Jérôme dans la rédaction du texte « correct » est ici clairement énoncé dans l'inscription en lettres d'or qui occupe toute la page précédant les Psaumes : *Incipit liber Psalmorum emendatus a Sancto Hieronimo presbitero* (« Ici commence le livre des Psaumes amendé par saint Jérôme prêtre »).

Le livre se distingue aussi par la richesse de ses lettrines, toutes en complexes entrelacs dorés. Celles-ci ne marquent pas les huit sections « liturgiques », comme dans le Psautier Vespasien (n° 3), mais les décuries, groupes de dix psaumes suivant un usage établi par saint Ambroise, qu'on retrouve dans les psautiers milanais (ill. 7.4)[8]. Le style de ces initiales ornées, avec leur dense réseau de courbes formant tresses et nœuds, démontre la persistance de l'entrelacs dans le répertoire décoratif carolingien. Tant l'iconographie que l'ordre des portraits et des textes qui les accompagnent érigent Lothaire en successeur des chefs spirituels et temporels des premiers siècles chrétiens.

NOTES

1 Dodwell, *op. cit.*, p. 60.

2 Voir Rudolf Schieffer, « Ein Schwiegersohn Lothars I », *Deutsches Archiv für Erforschung des Mittelalters*, LXXI, 2015, p. 179-184.

3 Paris, BnF, Département des Monnaies, médailles et antiques.

4 À comparer avec le David du Psautier Vespasien, ill. 3.1.

5 Voir Lowden, *op. cit.*, p. 224.

6 Sur saint Jérôme en cardinal, voir la Grande Bible, n° 39.

7 Sur les traductions de saint Jérôme, voir « Mille ans d'art et de beauté », p. 12 ; sur le *Psalterium romanum*, voir le Psautier Vespasien, n° 3.

8 Sur cette tradition, voir Huglo, *op. cit.*

BIBLIOGRAPHIE

Margaret Gibson, « The Latin Apparatus », *in* Margaret Gibson, T. A. Heslop et Richard W. Pfaff (dir.), *The Eadwine Psalter: Text, Image, and Monastic Culture in Twelfth-Century Canterbury*, *Modern Humanities Research Association*, XIV, Londres, 1992, p. 108-122.

C. R. Dodwell, *The Pictorial Arts of the West, 800-1200*, New Haven, 1993, p. 60, pl. 47.

John Lowden, « The Royal/Imperial Book and the Image or Self-Image of the Medieval Ruler », *in* Anne J. Duggan (dir.), *Kings and Kingship in Medieval Europe*, *King's College London Medieval Studies*, X, Londres, 1993, p. 213-240 (p. 223-226, pl. 3-4).

Michel Huglo, « Psalmody in the Ambrosian Rite: Observations on Liturgy and Music », *in* Thomas Forrest Kelly et Matthew Mugmon (dir.), *Ambrosiana at Harvard: New Sources of Milanese Chant*, Cambridge (États-Unis), 2010, p. 97-124.

8

LES ÉVANGILES D'ÆTHELSTAN

Un présent royal

Les quatre Évangiles, en latin. Lobbes (sud de la Belgique), dernier quart du IXe siècle ou premier quart du Xe.

- 235 × 180 mm
- 218 fos
- Cotton MS Tiberius A II

Le roi Æthelstan (mort en 939) est considéré comme le fondateur du royaume d'Angleterre, qu'il parvint pour la première fois à unifier sous son autorité[1]. Il fut aussi un généreux mécène pour les institutions religieuses, auxquelles il fit don de reliques, de terres et de manuscrits. Dans les Évangiles qui portent son nom, Æthelstan est célébré comme « roi des Anglais et souverain de toute la Bretagne » *(Anglorum basyleos et curagulus totius Bryttaniae)* par une inscription ajoutée au Xe siècle. Une deuxième inscription ajoutée sur le folio 15 montre le « pieux roi Æthelstan » *(rex pius Aeðlstan)* offrant le livre à l'église du Christ de Cantorbéry, où il fut longtemps utilisé lors des cérémonies de couronnement. Ce manuscrit est l'un des six existant à ce jour à avoir été donnés par Æthelstan à des fondations religieuses (dont un autre également offert à l'église du Christ) ; mais ce ne sont probablement que les vestiges d'un ensemble bien plus important[2].

Le don d'Æthelstan à l'église de Cantorbéry apparaît comme un exemple précoce de la coutume, répandue au Moyen Âge, du cadeau « réoffert[3] ». Le manuscrit n'est pas d'origine anglaise mais continentale, et semble avoir été d'abord un présent d'Otton Ier (912-973), sacré roi de Germanie en 936 puis empereur en 962, peut-être à l'occasion de son mariage, en 929 ou 930, avec la demi-sœur d'Æthelstan, Eadgyth (Édith, morte en 946). C'est en tout cas ce que suggèrent deux inscriptions de main anglaise : *Odda rex* (« Otton roi ») et *Mihthild mater regis* (« Mathilde mère du roi » : il s'agit de la mère d'Otton, morte en 968). La prouesse du copiste et des peintres est sans conteste digne d'un présent royal. Æthelstan la rehaussa encore de titres en lettres d'or et d'une reliure d'orfèvrerie sertie de gemmes, malheureusement disparue[4].

L'insigne valeur du livre transparaît dans les exquis portraits des Évangélistes où brillent des rehauts d'or (ill. 8.1-8.2, 8.4). Comme souvent, chaque Évangéliste apparaît avec son symbole, dans une tenue et un cadre classicisants[5]. Mais ici, hommes et symboles interagissent avec une acuité particulière : saint Marc, notamment, semble se tordre

8.1 | Portrait de l'Évangéliste Marc écrivant dans un livre ouvert et se retournant vers son symbole muni d'un livre fermé, au début de son Évangile, fo 74v.

DOUBLE PAGE SUIVANTE

8.2-8.3 | Portrait de l'Évangéliste Matthieu portant un calame et un encrier, écrivant sous l'inspiration de l'homme, son symbole ; à droite, premiers mots de son Évangile, *Lib[er] Generationis*, en grandes capitales à entrelacs et lettres d'or, fos 24v-25.

MARCUS
UT ALTA FREMIT UOX
PER DESERTA LEONIS

HOC MATTHEUS AGENS
HOMINEM GENERALITER
IM PLET

IURE SACER
DOTIS LUCAS TENET
ORA IUVENCI

8.4 | Portrait de l'Évangéliste Luc tenant un rouleau ouvert avec le bœuf, son symbole, au début de son Évangile, f° 112v.

le cou pour regarder son lion (ill. 8.1). Ces échanges de regards renvoient peut-être au rôle d'inspirateurs célestes des symboles, qui semblent délivrer le message contenu dans les livres qu'ils brandissent[6]. Le rouleau que saint Luc déploie sur ses genoux porte, écrit en lettres d'or, le verset 5 du premier chapitre de son récit : *Fuit in diebus* (« Il y avait, au temps [d'Hérode] », ill. 8.4). Son livre à fermoirs rouge et or repose sur son pupitre, en écho à celui du bœuf, son symbole. Comme souvent dans l'art médiéval, les symboles sont ailés, en référence à la vision d'Ézéchiel (quatre « Vivants » dotés de « quatre ailes », Ézéchiel, I, 6) et à celle de Jean (« Les quatre Vivants ont chacun six ailes », Apocalypse, IV, 8).

Cette relation entre les Évangélistes et leurs symboles est énoncée par un poème du Ve siècle, le *Carmen paschale* de Coelius Sedulius (actif v. 425-450), chaque portrait s'accompagnant du passage qui lui correspond. Marc est ainsi dominé par la formule *Marcus ut alta fremit vox per deserta leonis* (« Marc rugit comme la haute voix du lion dans le désert »), écrite en lettres d'or au fronton de sa niche architecturale (ill. 8.1). La suite du poème, qui n'est pas retranscrite, confirme l'unité et l'universalité du message évangélique : « *Quatuor hi proceres una te voce canentes tempora ceu totidem latum sparguntur in orbem* » (« Ces quatre grands hommes, chantant d'une même voix tes louanges, se propagent telles les saisons de tous les côtés du monde[7] »).

Comme souvent dans les manuscrits de prestige, les portraits des Évangélistes sont mis en regard de grandes enluminures reprenant l'*incipit* de chacun de leurs récits (ill. 8.2-8.3). Les lettres, suivant l'usage médiéval, sont agrandies et stylisées en entrelacs, nœuds, écrans décoratifs et têtes d'oiseaux. Les trois premières lettres du mot *Liber* (« livre ») qui ouvre l'Évangile de Matthieu emplissent presque toute la page de leurs motifs intriqués (ill. 8.3). Comparé aux trois autres, le portrait correspondant trahit la main d'un autre peintre, qui a dévolu plus de place à son image, repoussant le vers de Sedulius dans la marge supérieure. Malgré de telles différences de style, l'effet d'ensemble de ces somptueuses doubles pages et de l'omniprésence de l'or exprime une quête de splendeur absolue dans la présentation du texte sacré.

NOTES

1 Wood, *op. cit.*, p. 38.

2 Keynes, *op. cit.*; Pratt, *op. cit.*, p. 337.

3 Voir Gameson, *op. cit.*; Pratt, *op. cit.*, p. 338, 356.

4 Pour d'autres références à l'art de la reliure d'orfèvrerie, voir les Évangiles de Lindisfarne, n° 2, l'image de saint Jérôme tenant un livre dans le Psautier de Lothaire, ill. 7.3, et l'Évangéliaire Egerton, n° 17.

5 À comparer avec les Évangiles de Lindisfarne, n° 2, et les Évangiles dorés Harley, n° 4.

6 Sur la dérivation biblique des symboles, voir les Évangiles dorés Harley, n° 4 ; à comparer également avec la Bible d'Arnstein, où l'aigle touche de son bec les lèvres de Jean (ill. 23.1).

7 Sedulius, *Carmen paschale*, livre I, 359, texte latin et sa traduction anglaise par Patrick McBrine (2008), en ligne : <http://pmcbrine.com/carmenpaschale1.pdf>.

BIBLIOGRAPHIE

Simon Keynes, « King Athelstan's Books », *in* Michael Lapidge et Helmut Gneuss (dir.), *Learning and Literature in Anglo-Saxon England: Studies Presented to Peter Clemoes on the Occasion of his Sixty-Fifth Birthday*, Cambridge, 1985, p. 143-201.

Julian Harrison, « The Athelstan or Coronation Gospels », *in* Scot McKendrick, John Lowden et Kathleen Doyle (dir.), *Royal Manuscripts: The Genius of Illumination*, Londres, 2011, n° 4.

Richard Gameson, « The Earliest English Royal Books », *in* Kathleen Doyle et Scot McKendrick (dir.), *1000 Years of Books and Manuscripts*, Londres, 2013, p. 3-35 (p. 10-15).

Michael Wood, « King Athelstan's Psalter », *ibid.*, p. 37-55.

David Pratt, « Kings and Books in Anglo-Saxon England », *Anglo-Saxon England*, XLIII, 2015, p. 297-377.

9

LE NOUVEAU TESTAMENT GUEST-COUTTS

Un Nouveau Testament enluminé de Constantinople

Nouveau Testament, en grec. Constantinople, milieu du xᵉ siècle.

- 290 × 210 mm
- 302 fᵒˢ
- Add MS 28815

Les manuscrits regroupant les vingt-sept livres du Nouveau Testament en grec sont extrêmement rares. Si l'on n'identifie pas moins de 5 700 copies du texte grec, une soixantaine à peine le contient dans son intégralité, dont moins de dix pour toute la période des xᵉ, xɪᵉ et xɪɪᵉ siècles[1]. Même s'il a perdu sa configuration d'origine, le manuscrit Guest-Coutts est l'une de ces perles rares.

Exceptionnel, il l'est aussi par le raffinement de son enluminure, qui en fait peut-être le plus bel ouvrage byzantin conservé par la British Library. Deux de ses quatre portraits des Évangélistes en pleine page sont préservés en ouverture de leurs livres respectifs (ill. 9.1), ainsi qu'un saint Luc en pied au début des Actes (ill. 9.2). Chacun est peint sur un folio inséré et ceint d'un large cadre très élaboré. Exemplaires du meilleur de la création constantinopolitaine du xᵉ siècle, ces portraits livrent une réinterprétation originale de leurs précédents dans la sculpture antique. Les anciennes tenues romaines y sont peintes d'un pinceau rapide appliquant les couches avec audace, puis traçant des ombres et des lumières qui s'affranchissent de la fidélité à la nature pour tendre vers l'abstraction nerveuse d'un monde supérieur. L'art du peintre cristallise ainsi le double héritage, classique et chrétien, de Constantinople.

La première page de chacun des livres du Nouveau Testament et des textes annexes est ornée d'un bandeau enluminé en forme de « pi » *(π)* ou de porte *(πύλη)*, où s'inscrit un titre en belles capitales dorées (ill. 9.3). À l'exception notable de la sobre initiale en aplat doré des Actes (ill. 9.3), les principales sections du texte sont marquées par des lettrines élaborées à motifs de plantes grimpantes. Deux feuillets fragmentaires précédant l'Évangile de Luc montrent que chacun des Évangiles était précédé d'une liste de chapitres écrite en lettres d'or sur parchemin pourpré, ajoutant encore à l'opulence du livre[2]. Tous ces éléments témoignent de la très haute qualité des ouvrages produits dans la capitale de la chrétienté d'Orient durant la « renaissance macédonienne », c'est-à-dire sous la dynastie des Macédoniens qui gouvernèrent Byzance

9.1 | Saint Luc écrivant son Évangile à la lumière d'une lampe suspendue, assis à une table chargée de ses outils de scribe, au début de son Évangile, fᵒ 76v.

DOUBLE PAGE SUIVANTE

9.2-9.3 | Saint Luc debout, tenant son étui de scribe et un long rouleau, devant une table où sont posés d'autres rouleaux ; à droite, le début des Actes, avec le titre en lettres d'or sous un encadrement enluminé, et une lettrine simple à l'encre dorée, fᵒˢ 162v-163.

ο λουκας

Α ἐς π(ερὶ) τῆς ἐξ ἀναστάσεως διδασκαλίας Χ(ριστο)ῦ Ἰ(ησο)ῦ ὀπτασίας πρὸς τοὺς μαθητ(άς)· Ἰ(ησο)ῦ π(ερὶ) ἐπαγγελίας τῆς τοῦ ἁγίου πν(εύματο)ς δωρεᾶς τε καὶ τρόπου τῆς ἀναλήψεως τοῦ Χ(ριστο)ῦ Ἰ(ησο)ῦ π(ερὶ) ἐνδόξου Ἰ(ησο)ῦ β΄ αὐτοῦ παρουσίας:

+ ΠΡΑΞΕΙΣ ΤΩΝ ΑΓΙΩΝ ΑΠΟΣΤΟΛΩΝ:

Α Τὸν μὲν πρῶτον λόγον ἐποιησάμην περὶ πάντων ὦ Θεόφιλε· ὧν ἤρξατο ὁ Ἰ(ησοῦ)ς ποιεῖν τε καὶ διδάσκειν· ἄχρι ἧς ἡμέρας ἐντειλάμενος τοῖς ἀποστόλοις διὰ πν(εύματο)ς ἁγίου· οὓς ἐξελέξατο ἀνελήφθη· οἷς καὶ παρέστησεν ἑαυτὸν ζῶντα μετὰ τὸ παθεῖν αὐτὸν ἐν πολλοῖς τεκμηρίοις· δι᾽ ἡμερῶν τεσσαράκοντα ὀπτανόμενος αὐτοῖς καὶ λέγων τὰ περὶ τῆς βασιλείας τοῦ θ(εο)ῦ· καὶ συναλιζόμενος παρήγγειλεν αὐτοῖς ἀπὸ Ἱεροσολύμων μὴ χωρίζεσθαι· ἀλλὰ περιμένειν τὴν ἐπαγγελίαν τοῦ π(ατ)ρ(ὸ)ς ἣν ἠκούσατέ μου· ὅτι Ἰωάννης μὲν ἐβάπτισεν ὕδατι· ὑμεῖς δὲ βαπτισθήσεσθε ἐν πν(εύματ)ι ἁγίῳ οὐ μετὰ πολλὰς ταύτας ἡμέρας· οἱ μὲν οὖν συνελθόντες ἐπηρώτων αὐτὸν λέγοντες· κ(ύρι)ε εἰ ἐν τῷ χρόνῳ τούτῳ ἀποκαθιστάνεις τὴν βασιλείαν τῷ Ἰσ(ρα)ήλ· εἶπεν δὲ πρὸς αὐτούς· οὐχ ὑμῶν ἐστιν γνῶναι χρόνους ἢ καιρούς· οὓς ὁ π(ατ)ὴρ ἔθετο ἐν τῇ ἰδίᾳ ἐξουσίᾳ· ἀλλὰ λήψεσθε δύναμιν ἐπελθόντος τοῦ ἁγίου πν(εύματο)ς ἐφ᾽ ὑμᾶς· καὶ ἔσεσθέ μοι μάρτυρες ἐν Ἱ(ερουσα)λὴμ καὶ ἐν πάσῃ τῇ Ἰουδαίᾳ καὶ Σαμαρείᾳ· καὶ ἕως ἐσχάτου τῆς γῆς· καὶ ταῦτα εἰπὼν βλεπόντων αὐτῶν

de 867 à 1056. Cette floraison culturelle et artistique suivit de près l'abandon en 843 de l'iconoclasme, doctrine introduite en Orient au siècle précédent, et qui rejetait la vénération des images[3].

Dans son état actuel, le volume contient un peu plus des trois quarts du Nouveau Testament, dans une écriture régulière en minuscules grecques datable du xe siècle. Aux quatre Évangiles succèdent les Actes, les sept Épîtres catholiques et les quatre premières Épîtres de Paul[4]. Les Épîtres catholiques sont précédées d'un ensemble de résumés et listes de chapitres *(capitula)* ; celles de Paul, d'une longue préface traditionnellement attribuée au diacre Euthale (Euthalios). Les Évangiles portent dans les marges la numérotation des sections et des tables de concordance, et les titres de chapitres sont également numérotés ; mais les tables elles-mêmes manquent[5] et les listes de chapitres ouvrant chaque Évangile sont très lacunaires. Actes et Épîtres sont eux aussi agrémentés de titres de chapitres numérotés, ainsi que d'abondantes gloses, dont certaines attribuées à des commentateurs des premiers temps chrétiens. Ailleurs, les mentions marginales se bornent à éclairer les références à l'Ancien Testament présentes dans le texte. On sait de longue date que ce manuscrit est complété par un autre ouvrage de la British Library (Egerton MS 3145), qui contient les dix Épîtres de Paul manquantes et l'Apocalypse. Le volume d'ensemble, ou son *exemplar* (modèle), fut probablement copié d'après deux ou trois manuscrits distincts.

C'est plusieurs siècles après sa réalisation que le livre fut scindé en deux, la partie qui nous intéresse ici se voyant dotée d'un somptueux plat de couverture, digne de son statut de matérialisation de la Parole divine au sein de la liturgie orthodoxe (ill. 9.4). Un chercheur y a récemment identifié des scènes de la vie du martyr Démètre (Demetrios ou Dimitri), suggérant que l'ouvrage fut un temps détenu par une église ou un monastère dédié à ce saint[6]. Au milieu du xixe siècle, les deux parties du manuscrit se trouvaient probablement en Épire, dans l'ouest de la Grèce. En 1864, la baronne Angelina Burdett-Coutts acheta la moins volumineuse (Egerton MS 3145) à un marchand de Ioannina ; en 1867, Sir Ivor Bertie Guest acquit l'autre parmi un groupe de manuscrits grecs en provenance de l'Épire. Séparées durant près d'un siècle, les deux parties furent réunies en 1936 à la bibliothèque du British Museum (actuelle British Library).

BIBLIOGRAPHIE

Kurt Weitzmann, *Die Byzantinische Buchmalerei des 9. und 10. Jahrhunderts*, Berlin, 1935, p. 20.

Gervase Mathew, *Byzantine Painting*, Londres, 1950, p. 3, 6, pl. 1-2.

David Buckton (dir.), *Byzantium: Treasures of Byzantine Art and Culture from British Collections*, Londres, 1994, n° 147.

Andreas Rhoby, « Zu den Szenen aus der Vita des heiligen Demetrios auf dem Einbanddeckel des Neuen Testaments in der British Library (Add. Ms 28815) », *Byzantinische Zeitschrift*, CV, 2012, p. 131-141.

9.4 | Décor du plat supérieur du livre : *Deesis* (le Christ trônant entre la Vierge et saint Jean Baptiste) entourée des symboles des quatre Évangélistes (dans les angles) et de deux séraphins (anges à six ailes, en haut et en bas) ; les quatre Évangélistes, saints Pierre et Paul (plaques identiques en haut et en bas) ; scènes de la vie de saint Démètre (plaques identiques à gauche et à droite).

NOTES

1 D. C. Parker, *An Introduction to New Testament Manuscripts and their Texts*, Cambridge, 2008, p. 77-78.

2 Sur les pages pourprées, voir la Bible royale de Cantorbéry, n° 5.

3 Sur l'iconoclasme, voir « Mille ans d'art et de beauté », p. 24, et le Psautier de Théodore, n° 14.

4 Sur les Épîtres, voir « Mille ans d'art et de beauté », p. 12.

5 Sur les tables de concordance, voir les Tables canoniques dorées, n° 1.

6 Rhoby, *op. cit.*

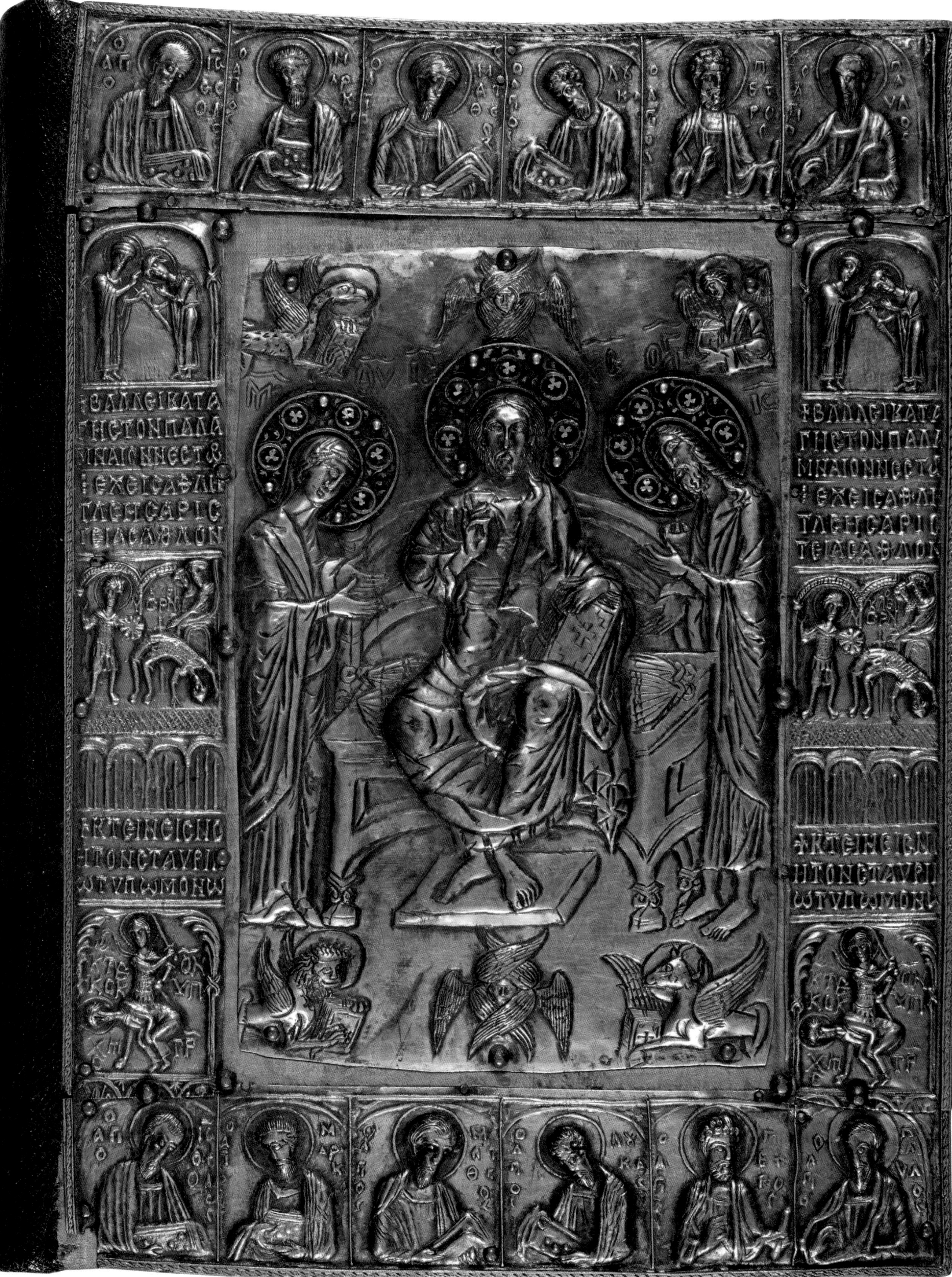

10

LE PSAUTIER HARLEY

Un chef-d'œuvre de l'art anglo-saxon

Psautier (lacunaire), en latin. Cantorbéry, première moitié du XIe siècle.

- 380 × 310 mm
- 73 fos
- Harley MS 603

L'une des principales évolutions de l'art du livre anglo-saxon après le haut Moyen Âge est le raffinement du dessin qui s'associe à la décoration peinte, lorsqu'il n'en vient pas à la remplacer totalement. L'élément déclencheur en fut peut-être l'arrivée à Cantorbéry, autour de l'an mil, d'un extraordinaire manuscrit continental aujourd'hui connu sous le nom de Psautier d'Utrecht, du nom de la ville néerlandaise où il est conservé[1]. Les Psaumes y sont enluminés de manière révolutionnaire : au lieu de se cantonner aux initiales ou aux scènes préliminaires évoquant la vie de David, l'image prend la forme de dessins linéaires illustrant verset par verset chacun des chants[2]. L'influence de ce livre est sensible dans trois copies directes exécutées à Cantorbéry au XIe siècle et au début du XIIe, à commencer par le Psautier Harley[3]. Il s'agit d'une copie relativement fidèle, qui retient l'approche littérale de son modèle tout en dynamisant le dessin par la couleur et le mouvement.

L'image inaugurale n'a rien de l'habituel portrait de David musicien. On voit ici un personnage central (peut-être le Psalmiste lui-même) expliquant par gestes les versets des Psaumes[4]. Le regard tourné vers un autre homme qui se tient à son côté, il montre du doigt le « méchant » qui trône sur sa gauche, tandis que son compagnon pointe l'homme assis de l'autre côté (ill. 10.1) : celui qui « se plaît dans la loi du Seigneur et murmure sa loi jour et nuit » (psaume I, 2). Assis sous une coupole, l'homme juste semble absorbé dans la lecture ardue d'un livre dont il suit les lignes du bout des doigts. Protégé par un ange, il ressemble aux portraits des Évangélistes et, comme eux, il lit le début du texte qu'il introduit : *Beat[us] vir qui non abiit in con[silio impiorum]* (« Heureux est l'homme qui n'entre pas au conseil des méchants », psaume I, 1). Son antitype, lui, siège « avec ceux qui ricanent » (psaume I, 1) : il s'entoure d'hommes en armes et d'un démon qui lui bat les flancs.

Le contraste du bon et du méchant se poursuit par métaphores au registre inférieur. Le premier « est comme un arbre planté près d'un ruisseau, qui donne du fruit en son temps, et jamais son feuillage

10.1 | Les justes et les impies, psaume I, fo 1v (détail).

DOUBLE PAGE SUIVANTE

10.2-10.3 | Illustrations des psaumes XIII, XIV et XV, fos 7v-8.

IN FINEM PSALMUS DAVID XIII

DIXIT INSIPI-
ens incorde suo.
non est ds. corrupti sunt
& habominabiles facti sunt
iuoluntatibus suis ;
Non est qui faciat bonum .
non est usque adunum ;
Dns decelo prospexit super
filios hominum : ut uide
at si est intellegens. aut
requirens dm ;
Omnes declinauerunt
simul inutiles facti sunt.
non est qui faciat bonum.
non est usque adunum ;
Sepulchrum patens est
guttur eorum. linguis suis
dolose agebant. uenenū
aspidum sub labiis eorum ;
Quorum os maledictione
& amaritudine plenum
est. ueloces pedes eorum
ad effundendum sanguinē ;
Contritio & infelicitas in
uiis eorum. & uiam pacis
non cognouerunt ;
Non est timor dī ante ocu
los eorum. nonne cogno
scent omnes qui operant
iniquitatem ;
Qui deuorant plebē meam
sicut escam panis. dm non
inuocauerunt. illic trepida
uerunt timore. ubi non
erat timor ;
Quo ds ingeneratione iusta
est. consilium inopis con
fudisti. quia ds spes eius est ;
Quis dabit ex sion salutare
israel. dum auerterit dns
captiuitatem plebis suę ;
Laetetur iacob & exultet
israel

PSALMUS DAVID ·XIIII·

DNE QUIS HABITA
bit intabernaculo
tuo. aut quis requiesc& in
monte sco tuo ;
Qui ingreditur sine macula.
& operatur iustitiam ;
Qui loquitur ueritatem in
corde suo. & non egit dolū
in lingua sua ;
Nec fecit proximo suo malū.
& obprobrium non accepit
aduersus proximum suū ;
Ad nihilum deductus est
in conspectu eius malign&.
timentes autem dnm
magnificat ;
Qui iurat proximo suo &
non decipit eū. qui pec
cuniam suam non dedit
ad usuram. & munera
super innocentem non
accepit ;
Qui facit hec. non commo
uebitur in eternum ;

manuum tuarum ;

Omnia subiecisti sub pedibus eius. oues & boues. uniuersa insuper. & pecora

campi

Volucres caeli & pisces ma-
qui perambulant semi-
maris

IN FINEM PRO OCCULTIS PSALM-

CONFITEBOR tibi dne in toto corde meo . narrabo omnia mirabilia tua ;

Laetabor & exultabo inte . & psallam nomini tuo altissime ;

aequitatem

Increpasti gentes & per-
impius. nomen eorum
lesti inaeternum & in
lum seculi

Inimici defecerunt fra-
infinem . & ciuitates e-

10.4 | Illustration du psaume IX, f° 5 (détail).

ne meurt » (psaume I, 3) : c'est l'arbre qu'on voit à gauche, dominant la personnification classique d'une rivière avec son urne. « Tel n'est pas le sort des méchants. Mais ils sont comme la paille balayée par le vent » (psaume I, 4) – ce vent, c'est une tête ailée, personnification tout aussi classique, qui souffle en direction des réprouvés massés sur la droite de l'image. L'un d'eux se fait harponner par un démon, dont la fourche en tourmente d'autres. Dans le coin inférieur droit, un démon plus massif consume les impies dans une fournaise, car « le chemin des méchants se perdra » (psaume I, 6).

Le même procédé se poursuit dans l'illustration très dynamique des psaumes XIII et XIV (ill. 10.2-10.3). En page de gauche, trônant parmi sa cohorte d'anges célestes, « le Seigneur se penche vers les fils d'Adam » (psaume XIII, 2). À droite, c'est la délivrance d'Israël, « quand le Seigneur ramènera les déportés de son peuple » (psaume XIII, 7). À la question qui ouvre le psaume suivant (« Seigneur, qui séjournera sous ta tente ? », psaume XIV, 1) répondent ceux « qui se condui[sen]t parfaitement » (psaume XIV, 2), dont un homme portant une bourse qui « prête son argent sans intérêt » (psaume XIV, 5). L'image surplombe généralement le passage correspondant, mais parfois elle figure en page précédente, comme pour le psaume XV illustré dans la marge inférieure (ill. 10.3).

La poésie des Psaumes se prête à merveille aux inventions visuelles. En témoigne par exemple la manière diversifiée dont justice est faite aux bons et aux mauvais au fil des pages. En haut de l'illustration du psaume IX, Dieu dans sa mandorle tient une balance (ill. 10.4). En bas, un ange lève son glaive sur les méchants, condamnés aux flammes éternelles ; à droite, leurs villes que Dieu a rasées s'effondrent (psaume IX, 7, ill. 10.4).

Ces dessins extraordinaires, loin d'illustrer platement le texte biblique, en livrent une véritable exégèse en images. Une interprétation visuelle riche et complexe qui s'adressait peut-être à un clerc plutôt qu'à un laïc, comme le laisse supposer le personnage tonsuré inclus dans l'initiale du premier psaume.

NOTES

1 Utrecht, Universiteitsbibliotheek, Ms. 32.

2 À comparer avec le Psautier Vespasien, n° 3.

3 Les deux autres sont : Cambridge, Trinity College, ms R.17.1, et Paris, BnF, ms lat. 8846.

4 Sur David musicien, voir les Psautiers Vespasien, de Lothaire, de Mélisende, de Winchester et de Saint-Omer, ill. 3.1, 7.2, 19.2, 20.2 et 33.1.

BIBLIOGRAPHIE

William Noel, *The Harley Psalter*, Cambridge, 1995.

Koert van der Horst, William Noel et Wilhelmina C. M. Wüstefeld (dir.), *The Utrecht Psalter in Medieval Art: Picturing the Psalms of David*, Tuurdijk, 1996, n° 28.

T. A. Heslop, « The Implication of the Utrecht Psalter in English Romanesque Art », *in* Colum Hourihane (dir.), *Romanesque: Art and Thought in the Twelfth Century. Essays in Honor of Walter Cahn*, *Occasional Papers*, X, Princeton, 2008, p. 267-290 (p. 270-272, 279-281, fig. 7, 8).

William Noel, « Harley Psalter », *in* Melanie Holcomb *et al.*, *Pen and Parchment: Drawing in the Middle Ages*, New Haven, 2009, n° 12.

11

L'HEXATEUQUE EN VIEIL ANGLAIS

La première bible illustrée en langue vernaculaire

Hexateuque (de la Genèse à Josué), en vieil anglais, avec des notes ajoutées en vieil anglais et en latin. Cantorbéry, deuxième quart du XIe siècle (notes ajoutées au XIIe).

- 330 × 220 mm
- 156 f^os
- Cotton MS Claudius B IV

Comme bien des manuscrits médiévaux, ce livre ne contient qu'une partie de la Bible. Il ne s'agit pourtant pas, comme souvent, des Évangiles ou des Psaumes, mais de l'Hexateuque, soit les six premiers livres de l'Ancien Testament (Genèse, Exode, Lévitique, Nombres, Deutéronome et Josué). Plus original encore, c'est la plus ancienne traduction anglaise existante de ces six textes, et la première copie enluminée d'un recueil biblique d'importance en langue vernaculaire connue en Occident[1]. Avec près de quatre cents images réparties sur 156 folios, c'est enfin le plus vaste cycle d'illustrations bibliques que nous ait légué la période[2]. L'abondance de l'enluminure et, en bien des endroits, sa prédominance sur l'espace alloué au texte laissent penser à un livre d'images commandé par un laïc.

La traduction du texte sacré en langue vernaculaire renforce cette hypothèse. Elle est due pour bonne part au moine bénédictin Ælfric, abbé d'Eynsham parfois appelé « le Grammairien » (mort v. 1010), qui se plaisait à écrire pour un lectorat laïc[3]. Une seule autre copie complète subsiste de ce texte en vieil anglais (il s'agit d'un manuscrit légèrement postérieur conservé à la Bodleian Library d'Oxford), mais elle n'est pas enluminée[4]. Comme le Psautier Harley (n° 10), l'Hexateuque fut produit à Cantorbéry dans les décennies qui précédèrent l'arrivée des Normands, et relève du mouvement de réforme intellectuelle anglo-saxon. Il appartient peut-être à un petit groupe de livres fabriqués à l'abbaye de Saint-Augustin pour un usage laïc[5]. L'ajout de nouveaux textes en anglais et en latin à la fin du XIIe siècle montre qu'il fut lu par plusieurs générations successives.

Les abondantes illustrations s'animent de brillants lavis colorés. Comme dans le Psautier Harley, les personnages interagissent dans un concert de mouvements débridés. Certaines images, si grandes qu'elles emplissent une page entière, sont justement célèbres pour leur vivacité et leur dynamisme. Se trouve ainsi illustré le passage où Dieu dit à Noé : « Sors de l'arche, toi et, avec toi, ta femme, tes fils et les femmes

11.1 | Dieu intimant à Noé de quitter l'arche, et la famille de Noé débarquant, f° 15v (détail).

DOUBLE PAGE SUIVANTE

11.2-11.3 | Dieu créant oiseaux et poissons (à gauche) et faisant d'Adam le maître des animaux (à droite), f°s 3v-4 (détails).

… eft ut culfran
heo com ða on æfnunge eft to noe · & brohte anne twig of
anum elebeame mid grenum leafum on hyre muðe · ða
under geat noe ðæt ða wæteru wæron adruwode ofer eor
ðan · & abad swa ðeah seofon dagas · & asende ut culfran
swa heo ne ge cyrde ongean to him · Ða ge openode noe
ðæs arces hrof · & beheold ut · & geseah ðæt ðære eorðan
bradnis wæs adruwod · God ða spræc to noe ðus cweðende
gang ut of ðam arce ðu · & þin wif · & ðine suna · & heora
wif · & eal ðæt ðær inne is mid ðe lædut mid ðe ofer
eorðan · & weaxe ge · & breod gemænifylde · ofer eorðan
Noe ða ut eode of ðam arce · & hi ealle ofer eorðan :·

forð on heora hiwum. & eall fleogende cyn æfter heora cynne. God geseah ða ðæt hit god wæs. & bletsode hi ðus cweðende. Wexað & beoð gemænigfylde. & gefyllað ðære sæ wæteru. & ða fugelas beon gemænigfylde ofer eorðan. & ða wæs geworden æfen. & merigen se fifta dæg.

a

God cwæð eac swilce lǽde seo eorðe forð cuce nytena on heora cynne. & creopende cyn. & deor æfter heora hiwum. hit wæs ða swa gedón. & god ða geworhte ðære eorðan deor æfter heora hiwum. & ða nytenu. & eall creopende cynn on heora cynne. God geseah ða ðæt hit god wæs & cwæð. Uton wyrcan man to anlicnysse. & to ure gelicnysse. & he sy ofer ða fixas. & ofer ða fugelas. & ofer ða deor. & ofer ealle gesceafta. & ofer ealle creopende ðe styriað on eorðan. God gesceop ða man to his anlic

Sanctus Methodius est in carcere martyr: revelatum est ei a spiritu de principio & fine mundi: quod et oravit et scriptum licet simpliciter reliquit. dicens quod in [illegible] de paradiso:

b Cete. neutri. idest indeclinabile est. declinatur tamen hic cetus. ceti. & omnem animam viventem atque mo

7 habbað anweald ofer ...
fugelas. 7 ofer ealle nytenu ðe styriað ofer eorðan. God cwæð
ða. Efne ic forgeaf eow eall gærs. 7 wyrta sæd berende
ofer eorðan. 7 ealle treowa ða ðe habbað sæd on him sylfum.
heora agenes cynnes. ðæt hi beon eow to mete. 7 eallum
nytenum. 7 eallum fugelcynne. 7 eallum ðam ðe styriað
on eorðan. on ðam ðe is libbende lif. ðæt hi habbon him
to gereordienne. Hit wæs ða swa gedon. 7 God geseah ealle
ða ðing. ðe he geworhte. 7 hi wæron swyðe gode. wæs ða ge
worden æfen. 7 mergen. se sixta dæg.

Methodius cwæð. adam wæs gesceapen man on plite of ðritig wintra. 7 nabeles on ane dæge. 7 gesceapa
7 æfter ðam, twa wintra. 7 ðrittig wintra. 7 alla ða oðron. [illegible]

·iiij· tenere dicitur passuum: paulatim altitudo angustior coartata erat. ut pondus imminens facilius sustentaret.
Hanc turrem nembroth gigas construxit. Qui post confusionem linguarum migrauit inde ad persas. eosque ignem colere docuit.

11.4 | **La construction de la tour de Babel, f° 19 (détail).**

de tes fils » (Genèse, VIII, 16, ill. 11.1). Tandis que Noé ouvre le toit de l'arche, la colombe apporte un énorme rameau d'olivier, annonce de l'approche de la terre. Plus bas, l'action marque un saut en avant, puisque la famille de Noé a déjà commencé à débarquer. Autre illustration de pleine page, la tour de Babel en construction fourmille d'ouvriers à tous les étages (ill. 11.4). On cloue, on maçonne, on hisse des matériaux sur l'échelle de droite, tandis qu'au sommet de celle de gauche, Dieu domine la scène, inspectant les travaux et s'apprêtant à disperser les hommes « sur toute la surface de la terre » (Genèse, XI, 1-9).

Les grandes illustrations du cycle de la Création insérées dans le texte sont particulièrement frappantes (ill. 11.2-11.3). Dans celle du cinquième jour, lorsque Dieu crée les oiseaux du ciel et les animaux des mers, une gigantesque bête occupe toute la largeur de l'image : il s'agit probablement d'un des « grands monstres marins » de Genèse, I, 21, appelés « grandes baleines » *(miclan hwalas)* dans le verset figurant en haut de la page. La forme en croix du bâton que Dieu tient dans sa main gauche semble annoncer le sacrifice du Christ, avant même la création d'Adam. Celle-ci est accomplie sur la page en regard, où Dieu fait du premier homme « le maître des poissons de la mer, des oiseaux du ciel, des bestiaux, de toutes les bêtes sauvages » (Genèse, I, 26). Adam est cerné d'une merveilleuse ménagerie : oiseaux, cheval, bélier, bouc, mais aussi, au premier plan, un chameau de Bactriane avec ses deux bosses. Les illustrations correspondent au texte en vieil anglais, même lorsque celui-ci diffère de la Vulgate : elles ont bien été conçues pour ce livre, et non copiées d'un ouvrage en latin. Image et texte convergent ainsi pour fournir des renseignements inestimables sur la manière dont un lecteur anglais du Moyen Âge pouvait appréhender la Bible.

NOTES

1 Kauffmann, *op. cit.*, p. 57.

2 Milton McC. Gatch, compte rendu de Dodwell et Clemoes (dir.), *op. cit.*, *Speculum*, LII, 1977, p. 365-369 (p. 368). La Genèse Cotton offre un exemple plus ancien de manuscrit illustré ne contenant qu'un seul livre biblique : voir « Mille ans d'art et de beauté », p. 24 et fig. 8.

3 Malcolm Godden, « Ælfric of Eynsham (*c.* 950-*c.* 1010) », *Oxford Dictionary of National Biography*, Oxford, 2004, <http://www.oxforddnb.com/view/article/187>, consulté le 17 janvier 2017.

4 Oxford, Bodleian Library, MS. Laud Misc. 509 ; voir Kauffmann, *op. cit.*, p. 56-57.

5 David Pratt, « Kings and Books in Anglo-Saxon England », *Anglo-Saxon England*, XLIII, 2015, p. 297-377 (p. 328). Sur un autre manuscrit fabriqué à Saint-Augustin, voir la Bible royale de Cantorbéry, n° 5.

BIBLIOGRAPHIE

C. R. Dodwell et Peter Clemoes (dir.), *Early English Manuscripts in Facsimile*, XVIII, *The Old English Illustrated Hexateuch: British Museum Cotton Claudius B. IV*, Copenhague, 1974.

C. M. Kauffmann, *Biblical Imagery in Medieval England, 700-1550*, Londres, 2003, p. 55-72.

Benjamin C. Withers, *The Illustrated Old English Hexateuch, Cotton Claudius B. iv: The Frontier of Seeing and Reading in Anglo-Saxon England*, Londres, 2007.

12

LES ÉVANGILES D'ECHTERNACH HARLEY

Le style impérial

Après l'éclatement de l'empire de Charlemagne, ses héritiers continuèrent de commander, sur son exemple, de grandes œuvres d'art. Puis, lorsque le roi de Saxe Otton Ier (ou Othon, 912-973) fonda le Saint Empire romain germanique en 962, s'ouvrit un nouveau volet de l'histoire de l'art occidental, continué par son fils Otton II et son petit-fils Otton III : l'art ottonien[1]. Conclue par les Saliens (ou Franconiens) Conrad II, empereur de 1024 à 1039, et Henri III, de 1039 à 1056, cette période fut un véritable âge d'or du livre d'Évangiles enluminé.

Plusieurs d'entre eux – peu nombreux mais d'une qualité exceptionnelle – virent le jour dans l'opulente abbaye bénédictine de Saint-Willibrord à Echternach, située dans l'actuel Luxembourg, à une quinzaine de kilomètres de Trèves. Les sept livres d'Évangiles et deux évangéliaires conservés à ce jour sont très proches par le style et l'iconographie. L'un d'eux contient l'image d'un scribe et d'un enlumineur laïc à l'œuvre dans une église, identifiée par une inscription à celle d'Echternach, confirmant ainsi l'affiliation à l'abbaye fondée en 698 par le missionnaire de Northumbrie Willibrord[2]. L'empereur Henri III est également représenté dans trois de ces livres, dont deux fois avec Agnès de Poitou, qu'il avait épousée en 1043[3]. Tous ces éléments permettent de dater le groupe du milieu du XIe siècle.

L'enluminure de ces livres se distingue notamment par l'emploi de fonds simulant des motifs textiles. Dans les plus majestueux d'entre eux, chaque Évangile s'ouvre sur une double page imitant la soie. Essentiellement monochromes ou en camaïeux d'une même couleur, ces pages-tapis montrent des motifs d'animaux empruntés aux soies byzantines, souvent opposés par paires. Dans le manuscrit Harley, les compositions sont plus colorées et centralisées, et renvoient aux textiles et mosaïques de l'Antiquité tardive (ill. 12.1)[4]. Comme les pages-tapis des Évangiles de Lindisfarne (n° 2), elles servaient peut-être à renforcer l'idée de l'ouverture des Évangiles comme révélation. Elles se rapprocheraient ainsi des véritables voiles de soie qu'on voit

Les quatre Évangiles, en latin. Echternach, milieu du XIe siècle.

- 255 × 190 mm
- 199 f^{os}
- Harley MS 2821

12.1 | Page-tapis simulant un tissu, avec un lion dans un médaillon cantonné par quatre oiseaux dans des médaillons plus petits, au début de l'Évangile de Luc, f° 99 (détail).

DOUBLE PAGE SUIVANTE

12.2-12.3 | Portait de l'Évangéliste Marc tenant un livre et bénissant de la main, avec le lion, son symbole ; à droite, la Nativité en trois registres superposés (l'âne et le bœuf auprès de l'Enfant, la Vierge et saint Joseph, et Bethléem), f°s 67v-68.

MAT
MARC
LUC
IOH
CANON PRIMUS IN QUO .IIII.

12.4 | Canon I *(Canon primus in quo iiii)*, avec des maçons à l'œuvre au faîte de la structure et des oiseaux de chaque côté, f° 9 (détail).

encore dans certains manuscrits, et qu'on soulevait pour admirer les miniatures, tels ceux de l'Évangéliaire Egerton (n° 17, folios aujourd'hui conservés séparément) et de la Bible d'Arnstein (n° 23). Elles se déclinent souvent en nuances de pourpre, couleur dont les prestigieuses connotations sont bien connues[5].

Outre cette utilisation indépendante sous forme de pages-tapis, les livres d'Echternach innovent en intégrant les motifs textiles au décor des marges[6]. Dans le manuscrit Harley, la bordure entourant le portrait de l'Évangéliste Marc et la Nativité qui lui fait pendant semble un fond de tissu sur lequel seraient posées les images (ill. 12.2-12.3). La figuration elle-même est hautement stylisée, le coloris vibrant et précieux. L'iconographie hérite de modèles anciens tout en les renouvelant. Marc est ainsi figuré, non plus en scribe, mais – selon une tradition mal attestée – en premier évêque d'Alexandrie, vêtu d'une chasuble et bénissant de la main droite. Chaque portrait d'Évangéliste est mis en regard d'une scène de pleine page, dont la position suit un ordre chronologique : l'Annonciation fait pendant au portrait de Matthieu, la Nativité à celui de Marc, la Crucifixion à celui de Luc, et l'Ascension à celui de Jean. Ces images furent peut-être sélectionnées parmi celles d'un cycle bien plus complet figurant dans trois des livres d'Évangiles d'Echternach encore conservés.

Les manuscrits d'Echternach incluent en outre des tables de concordance hautement décoratives, dont les colonnades simulent le marbre. Dans le *codex* Harley, cette architecture peinte abrite des figures humaines et animales, dont des maçons à l'œuvre sur la structure même (ill. 12.4). On y trouve également une scène de présentation, montrant un religieux tonsuré accompagné d'un saint diacre (peut-être saint Étienne), offrant un livre au Christ en majesté peint sur la page opposée. La même configuration se retrouve dans deux autres livres d'Évangiles d'Echternach de format similiaire[7]. L'analogie du style, du contenu et de la mise en pages du texte et des images suggère que ces livres furent conçus pour être offerts en présents[8].

NOTES

1 Sur Otton Ier, voir les Évangiles d'Æthelstan, n° 8.

2 Brême, Staats- und Universitätsbibliothek, Cod. ms. b. 21, f° 124v.

3 L'Escurial, Real Biblioteca, Cod. Vitrinas 17, f° 3v ; Uppsala, Universitetsbibliotek, C 93, f° 3. Henri III est également représenté sur le f° 125 du *codex* de Brême (voir note 2).

4 Nordenfalk, *op. cit.*, p. 102.

5 Sur l'usage du pourpre, voir la Bible royale de Cantorbéry, n° 5.

6 Nordenfalk, *op. cit.*, p. 98.

7 Londres, British Library, Egerton MS 608 ; Paris, BnF, ms lat. 10438.

8 Merci à Richard Gameson de nous avoir suggéré cette idée.

BIBLIOGRAPHIE

Carl Nordenfalk, *Codex Caesareus Upsaliensis: An Echternach Gospel-Book of the Eleventh Century*, Stockholm, 1971.

Henry Mayr-Harting, *Ottonian Book Illumination: A Historical Study*, deuxième édition, Londres, 1999, p. 186-205.

Christoph Stiegemann et Matthias Wemhoff (dir.), *Canossa 1077: Erschütterung der Welt*, II, Munich, 2006, n° 475.

13

LE PSAUTIER TIBÈRE

Un des premiers grands cycles christologiques

Psautier (lacunaire), en latin, avec glose interlinéaire en vieil anglais. Winchester, deuxième ou troisième quart du XIe siècle.

- 245 × 150 mm
- 129 fos
- Cotton MS Tiberius C VI

Le Psautier Tibère serait « l'un des plus importants monuments de la culture anglo-saxonne tardive qui subsistent[1] ». Sa valeur tient en partie à sa longue « préface » en images, l'un des premiers grands cycles de la vie du Christ connus en Occident. De tels cycles puiseraient leur inspiration dans l'exégèse des Psaumes comme préfiguration de la vie, de la mort et de la résurrection du Christ, une idée qui trouve son reflet dans les termes mêmes de Jésus : « Il faut que s'accomplisse tout ce qui a été écrit à mon sujet dans la loi de Moïse, les Prophètes et les Psaumes » (Luc, XXIV, 44). Les images vitalisent l'expérience du dévot méditant sur les Psaumes, en même temps qu'elles l'orientent par leur rôle de commentaire visuel. Le cycle, tout entier voué au dessin linéaire, a malheureusement souffert d'un incendie survenu en 1731, alors qu'il figurait dans la collection Cotton de l'Ashburnham House, provoquant un racornissement des pages[2]. Mais ce chef-d'œuvre de l'art anglo-saxon conserve une bonne part de son pouvoir d'évocation.

Le cycle débute par la Création et se poursuit par cinq scènes de la vie de David, dont deux montrent son violent combat contre Goliath (ill. 13.2-13.3). Sur la page de gauche, David brandit la fronde dont il s'apprête à frapper Goliath, qui lui fait face sur la page de droite. L'image livre pour l'essentiel un instantané fidèle du récit biblique, avec le « casque » et le « javelot de bronze » de Goliath (I Samuel, XVII, 5-6). D'autres détails trahissent une licence envers la chronologie des faits : à droite, les Philistins fuient avant même que le coup fatal n'ait été porté, et à gauche, on retrouve en bas David maniant l'épée de Goliath pour le tuer. Viennent ensuite les onze épisodes de la vie du Christ, évoqués par un dessin plein d'énergie et de mouvement. Dans la descente aux Limbes, le Christ foule aux pieds un démon captif et s'incline pour libérer les justes de la gueule béante d'un monstre (innovation iconographique anglo-saxonne, ill. 13.1)[3]. Sur la page suivante, il lève son bras droit pour permettre à saint Thomas de toucher sa plaie, et les drapés qui vêtissent les deux figures semblent s'animer d'une vie fébrile (ill. 13.4).

13.1 | La descente aux Limbes, avec le Christ piétinant un démon captif tandis qu'il délivre les âmes des justes, f° 14 (détail).

DOUBLE PAGE SUIVANTE

13.2-13.3 | Le combat de David et Goliath, avec en bas David tuant Goliath, fos 8v-9 (détails).

Le Psautier Tibère est l'une des nombreuses copies du *Psalterium gallicanum* réalisées à Winchester au milieu du XIe siècle[4]. Sous l'abbatiat d'Æthelwold (963-984), la capitale du royaume anglo-saxon de Wessex devint un grand foyer de réforme et d'enseignement religieux, où le recours aux textes en anglais était encouragé. En témoigne la glose continue en vieil anglais insérée entre les lignes du psautier : contemporaine du texte latin, elle fut probablement rédigée par le même copiste.

L'enluminure fait la part belle aux feuilles d'acanthe typiques du « style de Winchester » développé sous Æthelwold et ses successeurs. On voit ainsi des feuillages généreux et vivement colorés envahir les encadrements dorés, formant des groupes particulièrement denses aux angles ou au centre (voir fig. p. 329). De telles bordures se trouvent au début des psaumes I, LI, CI et CIX. Les trois premières de ces césures correspondent aux « trois cinquante », système de répartition aux origines anciennes. Attesté dans des psautiers irlandais avant de se répandre dans les anglais à partir du Xe siècle, ce découpage reflète une pratique monastique consistant à réciter les psaumes par groupes de cinquante[5]. Il est ici souligné par l'inclusion d'une grande miniature sur la page en regard. Ajoutées au cycle préliminaire, ces merveilles d'enluminure font du livre l'un des plus spectaculaires témoins de la piété dans l'ancienne Angleterre.

13.4 | L'incrédulité de saint Thomas, avec le saint touchant la plaie au flanc du Christ, fo 15 (détail).

BIBLIOGRAPHIE

Francis Wormald, « An English Eleventh-Century Psalter with Pictures: British Museum, Cotton ms Tiberius C. VI », *Walpole Society*, XXXVIII, 1962, p. 1-14, pl. 1-30.

A. P. Campbell (dir.), *The Tiberius Psalter, Edited from British Museum ms Cotton Tiberius C VI*, *Ottawa Medieval Texts and Studies*, II, Ottawa, 1974.

Michael Michael, « The Tiberius Psalter », *in* Frances Carey (dir.), *The Apocalypse and the Shape of Things to Come*, Londres, 1999, p. 64-65 (no 1).

C. M. Kauffmann, *Biblical Imagery in Medieval England, 700-1550*, Londres, 2003, p. 105-117.

NOTES

1 Michael, *op. cit.*

2 Sur Sir Robert Cotton, voir le Psautier Vespasien, no 3, et p. 328.

3 Kauffmann, *op. cit.*, p. 52.

4 Patrick O'Neill (éd.), *King Alfred's Old English Prose Translation of the First Fifty Psalms*, *Medieval Academy Books*, CIV, Cambridge (États-Unis), 2001, p. 13, consulté en ligne sur <http://www.medievalacademy.org/>, le 17 janvier 2017. Sur le *Psalterium gallicanum*, voir le Psautier de Lothaire, no 7.

5 Nigel Morgan et Paul Binski, « Private Devotion: Humility and Splendour », *in* Paul Binski et Stella Panayotova (dir.), *The Cambridge Illuminations: Ten Centuries of Book Production in the Medieval West*, Londres, 2005, p. 163-169 (p. 164).

EXTENDENS IESUS BRACHIUM SUUM THOMAS TETIGIT VULNERAM EIUS

14

LE PSAUTIER DE THÉODORE

Une exégèse visuelle byzantine des Psaumes

Psautier, en grec. Constantinople, 1066.

- 230 × 200 mm
- 208 f[os]
- Add MS 19352

Ce manuscrit remarquable contient l'un des cycles enluminés les plus élaborés à avoir été produit pour accompagner les Psaumes dans toute la chrétienté occidentale et orientale. Là où les plus luxueux psautiers d'Occident cantonnaient essentiellement l'image à la préface, ce manuscrit grec présente plus de quatre cents enluminures dispersées dans les bordures extérieures et inférieures de ses folios. Accompagnées d'inscriptions qui en éclairent le sens, elles composent un riche commentaire en images du texte biblique, à la fois hérité d'anciens modèles byzantins et propre aux spécificités des circonstances et du lectorat visé. Ces enluminures comptent aussi parmi les plus beaux exemples du style ascétique de l'art byzantin, où la description naturaliste du monde sensible pointe avec élégance la signification profonde des Écritures. En dépit d'importants dégâts de surface, elles n'ont guère perdu de leur qualité originelle ni de leur impact visuel (ill. 14.1).

Fait rare dans la tradition du livre byzantin, ce psautier inclut de nombreux textes et images conçus pour célébrer le contexte précis de sa fabrication. De tels détails fournissent aux chercheurs modernes de précieux renseignements sur l'histoire du livre. Selon une inscription en six lignes rédigée en lettres d'or sur fond rouge à la fin du volume, le manuscrit fut terminé en février 1066 à l'intention de Michel, abbé du puissant monastère de Stoudios à Constantinople. Michel Mermentoulos – ainsi que nous le désignent d'autres sources – est figuré sur la page en regard, offrant son livre au Christ ; le lecteur suivant le fil des pages l'aura déjà vu, cette fois recevant l'abbatiat du Christ en présence de saint Jean Baptiste, patron du monastère, et de saint Théodore le Studite (759-826), son plus célèbre abbé, ardent défenseur des icônes. Dans une seconde inscription en six lignes écrite à l'encre rouge, l'auteur de la rédaction et de la chrysographie[1] s'identifie comme Théodore, archiprêtre *(protopresbyter)* et scribe *(bibliographos)* du monastère de Stoudios, originaire de Césarée en Cappadoce. On pense aujourd'hui que ce Théodore de Césarée fut également l'enlumineur du livre.

14.1 | Un vieillard qui ne tire du nombre des années « que peine et misère » (psaume LXXXIX, 10), f° 121v (détail).

DOUBLE PAGE SUIVANTE

14.2-14.3 | Le patriarche Nicéphore et saint Théodore le Studite tenant une icône du Christ, leur débat face à l'empereur iconoclaste Léon V l'Arménien, et des iconoclastes s'apprêtant à détruire une icône du Christ, psaume XXV, 5 (à gauche) ; le jeune David, avec sa harpe et son bâton, gardant ses moutons, psaume XXVI (à droite), f°s 27v-28.

γέρων

Ψαλμὸς τῷ Δα(υί)δ:

κε

Κρῖνόν με κ(ύρι)ε, ὅτι ἐγὼ ἐν ἀκακίᾳ μου ἐπορεύθην:

Καὶ ἐπὶ τῷ κ(υρί)ῳ ἐλπίζων οὐ μὴ ἀσθενήσω:

Δοκίμασόν με κ(ύρι)ε καὶ πείρασόν με:

Πύρωσον τοὺς νεφρούς μου καὶ τὴν καρδίαν μου:

Ὅτι τὸ ἔλεός σου κατέναντι τῶν ὀφθαλμῶν μού ἐστι:

Καὶ εὐηρέστησα ἐν τῇ ἀληθείᾳ σου:

Οὐκ ἐκάθισα μετὰ συνεδρίου ματαιότητος:

Καὶ μετὰ παρανομούντων οὐ μὴ εἰσέλθω:

Ἐμίσησα ἐκκλησίαν πονηρευομένων:

Καὶ μετὰ ἀσεβῶν οὐ μὴ καθίσω:

Νίψομαι ἐν ἀθῴοις τὰς χεῖράς μου:

Καὶ κυκλώσω τὸ θυσιαστήριόν σου κ(ύρι)ε:

ὁ ἅγ(ιος) Νικηφ(όρος) ὁ π(ατ)ριάρχ(ης)

ὁ ἅγ(ιος) π(ατ)ήρ

ὁ ἅγ(ιος) π(ατ)ὴρ ἐλέγχων μετὰ τ(οῦ) π(ατ)ριάρχ(ου) τὸν εἰκονομάχ(ον)

οἱ εἰκονομάχοι

8

Τοῦ ἀκοῦσαί με φωνὴν αἰνέσεώς σου :·
Καὶ διηγήσασθαι πάντα τὰ θαυμάσιά σου :·
Κύριε ἠγάπησα εὐπρέπειαν οἴκου σου :·
Καὶ τόπον σκηνώματος δόξης σου :·
Μὴ συναπολέσῃς μετὰ ἀσεβῶν τὴν ψυχήν μου :·
Καὶ μετὰ ἀνδρῶν αἱμάτων τὴν ζωήν μου :·
Ὧν ἐν χερσὶν ἀνομίαι, ἡ δεξιὰ αὐτῶν ἐπλήσθη δώρων :·
Ἐγὼ δὲ ἐν ἀκακίᾳ μου ἐπορεύθην :·
Λύτρωσαί με Κύριε καὶ ἐλέησόν με :·
Ὁ πούς μου ἔστη ἐν εὐθύτητι :·
Ἐν ἐκκλησίαις εὐλογήσω σε Κύριε :·

ΚS

ΨΑΛΜ ΤΩ ΔΑΔ

Κύριος φωτισμός μου καὶ σωτήρ μου, τίνα φοβηθήσομαι :·
Κύριος ὑπερασπιστὴς τῆς ζωῆς μου

Le format d'ensemble de celui-ci est une version tardive – et agrandie – d'un type de psautier illustré apparu à Constantinople au milieu du IXe siècle. Ces « psautiers à décor marginal » (*marginal psalters* en anglais) relevaient, dans le contexte de l'Église byzantine de leur temps, d'une claire réaffirmation de l'image comme aide à la dévotion et au développement spirituel. Ils entérinaient ainsi le triomphe des iconodoules ou iconophiles, ces contemporains et alliés de saint Théodore, qui avaient défendu les images comme reproductions symboliques de leur modèle dans sa personne et non dans sa substance, arguant par là que leur création et leur usage ne relevaient pas de l'idolâtrie telle que la condamne le deuxième commandement. Écho tardif du rôle moteur joué par le monastère de Stoudios dans la controverse, le présent psautier ne fait pas mystère de son iconophilie, dans le texte de sa glose comme dans son iconographie très « référencée ». Au psaume XXV, l'enlumineur reprend à son compte l'identification classique des iconoclastes aux imposteurs, hypocrites, méchants et impies, avec qui le Psalmiste refuse de s'asseoir (psaume XXV, 4-5, ill. 14.2). Partout, il sème littéralement ses pages d'icônes : le Christ en *imago clipeata*[2] est ainsi adoré tour à tour par les saints, les clercs et les justes, mais aussi par le Psalmiste lui-même. La scène qui illustre la prière de David – « Sur nous, Seigneur, que s'illumine ton visage ! »

EN BAS À GAUCHE

14.4 | David roi en orant devant une croix portant l'*imago clipeata* du Christ, psaume IV, 7, f° 3v (détail).

PAGE CI-CONTRE, EN HAUT

14.5 | Une *imago clipeata* de la Vierge à l'Enfant entre David roi et Gédéon sous la bénédiction de la main de Dieu (à gauche), et l'Annonciation (à droite), psaume LXXI, 6, f° 91v (détail).

PAGE CI-CONTRE, EN BAS

14.6 | Le peuple d'Israël adorant le veau d'or, et Moïse descendu du mont Sinaï brisant les tables de la Loi pour punir leur idolâtrie, psaume CV, 16-22, f° 143v (détail).

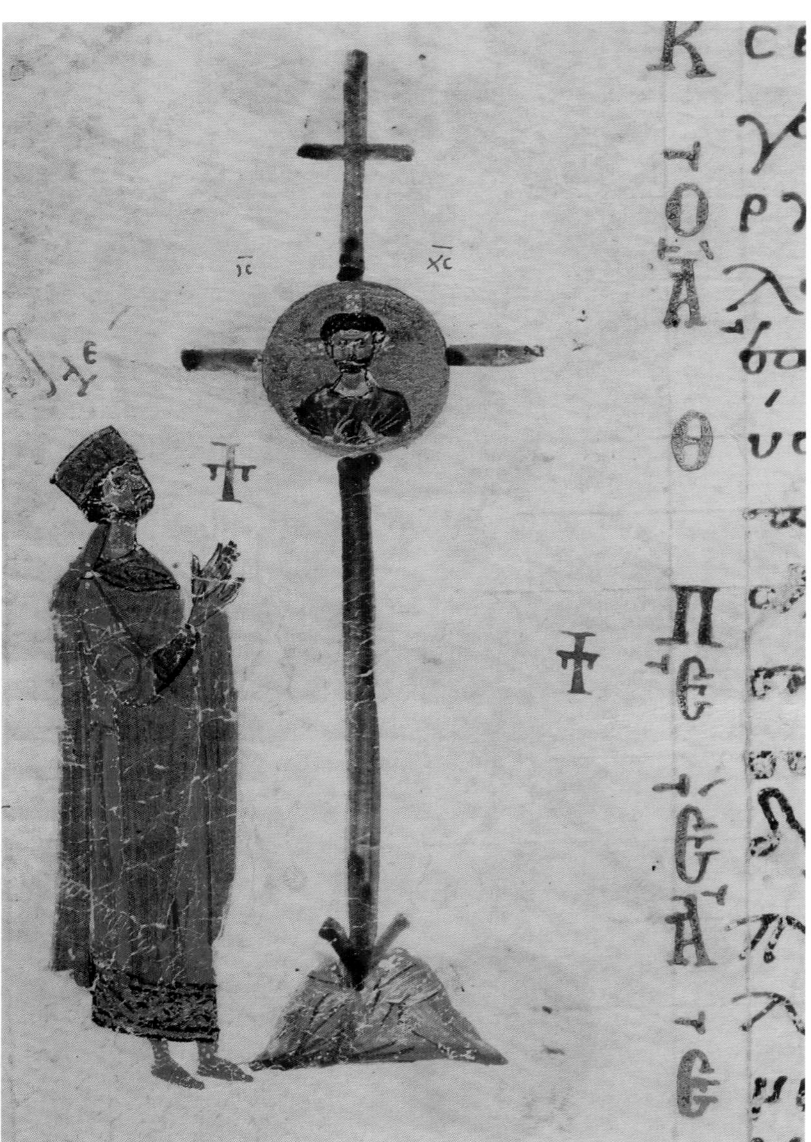

συμπαραμενεῖ τῷ ἡλίῳ·
Καὶ πρὸ τῆς σελήνης γενεὰς γενεῶν :·
Καταβήσεται ὡς ὑετὸς ἐπὶ πόκον :·
Καὶ ὡσεὶ σταγὼν ἡ στάζουσα ἐπὶ τὴν γῆν :·
Ἀνατελεῖ ἐν ταῖς ἡμέραις αὐτοῦ δι

ὁ Δα(υί)δ λέγει

ΜΗΡ ΘΥ

ΓΕΔΕΩΝ ΕΙΣ ΤΟΝ ΠΟΚΟΝ

ὁ χαιρετισμός

ἀβειρών :·
Καὶ ἐξεκαύθη πῦρ ἐν τῇ συναγωγῇ
αὐτῶν :·
Φλὸξ κατέφλεξεν ἁμαρτωλούς :·
ΠΓ Καὶ ἐποίησαν μόσχον ἐν Χωρήβ, καὶ προ
σεκύνησαν τῷ γλυπτῷ :·
Καὶ ἠλλάξαντο τὴν δόξαν αὐτοῦ ἐν ὁμοι
ώματι μόσχου ἔσθοντος χόρτον :·
Καὶ ἐπελάθοντο τοῦ θ(εο)ῦ τοῦ σώζοντος
αὐτούς :·
Τοῦ ποιήσαντος μεγάλα ἐν Αἰγύπτῳ :·

ἡ μοσχοποιία

ὁ Ἀαρὼν λέγει πρὸς τὸν Μωϋσῆν ἴδε τί ἐποίησαν

αἱ πλάκες

(psaume IV, 7) – en le montrant debout devant une croix ornée, là encore, de l'*imago clipeata* du Christ (ill. 14.4), énonce avec force le lien entre l'histoire chrétienne et son précédent juif. Le discours se réitère dans l'illustration du psaume LXXI, 6, qui juxtapose à l'Annonciation une *imago clipeata* de la Vierge à l'Enfant vénérée par David et Gédéon (ill. 14.5). Ailleurs, lorsqu'il s'agit d'illustrer le rejet par le Psalmiste de l'adoration des faux dieux, une claire distinction est faite entre icônes saintes et vaines idoles : les secondes sont des statues posées sur des colonnes, à l'instar du veau que les Israélites firent « à l'Horeb », au pied du Sinaï (psaume CV, ill. 14.6).

La richesse de significations des images déborde même la stricte exégèse biblique. À la fin du psaume LXXVI, soit vers le mitan des Psaumes, une page magnifique convoque mots et images pour célébrer le Dieu qui « fai[t] connaître chez les peuples [s]a force » (ill. 14.7). La composition est cernée par les eaux de la mer Rouge, qui s'ouvrirent devant les Israélites conduits « par la main de Moïse et d'Aaron ». Quelques béliers renvoient simultanément au peuple d'Israël mené « comme un troupeau » et à la figure de David berger (voir ill. 14.3). L'image du bétail, guidé par Moïse et Aaron sous le regard de Dieu, avait sans doute une résonance particulière pour l'abbé Michel, dont la scène d'investiture s'accompagne d'un poème priant le Christ de lui montrer comment être « le robuste berger de ce troupeau » (f° 191v). Entre la fin des Psaumes et cette scène d'investiture, le thème est repris dans une série de vers célébrant la prévenance de David envers son cheptel d'animaux et d'hommes : peut-être Michel lui-même composa-t-il ces vers, comme David composa les Psaumes. Le motif de l'abbé et de ses ouailles trouve du reste bien d'autres expressions au fil des enluminures du livre, vaste flot d'images qui relie les Psaumes aux hauts faits des saints chrétiens sous la conduite du Christ.

14.7 | Moïse et Aaron guidant le peuple d'Israël sous le regard du Christ sur son trône, psaume LXXVI, 20-21, f° 99v.

BIBLIOGRAPHIE

Sirarpie Der Nersessian, *L'Illustration des psautiers grecs du Moyen Âge*, II, *Londres, Add. 19.352*, Paris, 1970.

David Buckton (dir.), *Byzantium: Treasures of Byzantine Art and Culture from British Collections*, Londres, 1994, n° 168.

Helen C. Evans et William D. Wixom (dir.), *The Glory of Byzantium: Art and Culture of the Middle Byzantine Era, A.D. 843-1261*, New York, 1997, n° 53.

Charles Barber (éd.), *Theodore Psalter: Electronic Facsimile* (CD-Rom), Champaign, 2000.

NOTES

1 Sur la chrysographie, voir « Mille ans d'art et de beauté », p. 21.

2 Sur l'*imago clipeata*, voir les Tables canoniques dorées, n° 1.

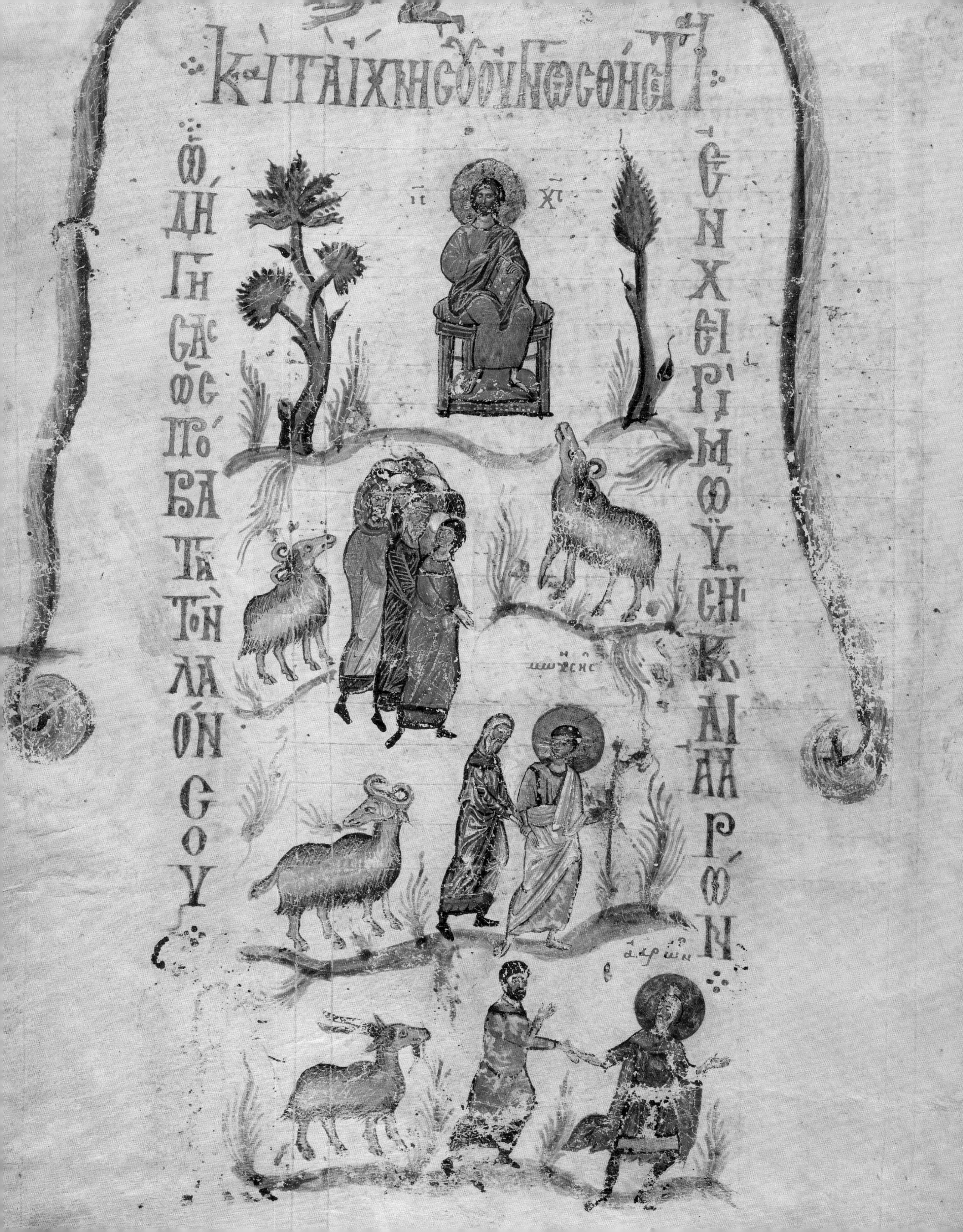
ΚΑΙ ΤΑ ΙΧΝΗ ΣΟΥ ΟΥ ΓΝΩΣΘΗΣΕΤΑΙ
ΩΔΗΓΗΣΑΣ ΩΣ ΠΡΟΒΑΤΑ ΤΟΝ ΛΑΟΝ ΣΟΥ
ΕΝ ΧΕΙΡΙ ΜΩΥΣΗ ΚΑΙ ΑΑΡΩΝ
ΙΣ ΧΣ
ΜΩΥΣΗΣ
ΑΑΡΩΝ

15

L'APOCALYPSE DE SILOS

La Révélation selon l'art mozarabe

Apocalypse, avec le commentaire de Beatus de Liébana, et Livre de Daniel, avec le commentaire de saint Jérôme, en latin. Silos, 1091 (texte) et 1109 (enluminure).

- 380 × 240 mm
- 279 f^os
- Add MS 11695

Diverses inscriptions de l'Apocalypse de Silos, dont des colophons datés, fournissent des informations précises – bien que contradictoires – sur ses scribes et peintres, et sur ses lieu et date de production. Dans son colophon, déployé sur deux pages à la bordure élaborée, Dominico, moine de l'abbaye Saint-Dominique de Silos, dans le nord de l'Espagne, rapporte que l'abbé Fortunio (Fortunius, abbé v. 1073-v. 1100) l'a chargé, ainsi que son parent Munnio, d'écrire le livre, et que celui-ci a été terminé (« *perfectus est igitur hic liver [liber]* ») en avril 1091. Selon une inscription plus tardive, seule « une partie minime en fut faite » (« *minima pars ex eo facta fuit* ») sous l'abbé Fortunius, et le prieur Petrus « le termina et l'enlumina entièrement » (« *complevit et conplendo ab integro illuminabit* ») en 1109. On s'accorde donc à penser que les foisonnantes miniatures sont postérieures d'une vingtaine d'années au texte.

Le manuscrit contient le texte du livre de la Révélation, accompagné du long commentaire que rédigea Beatus de Liébana vers 780. Beatus répartissait le texte de l'Apocalypse en soixante-huit sections, comprenant généralement de dix à douze versets, qu'il appelait *storiae*. La version adoptée n'est pas la Vulgate de Jérôme, mais plutôt une traduction antérieure en *Vetus Latina* qui proviendrait d'Afrique du Nord. À chaque *storia*, Beatus faisait succéder un commentaire compilant des écrits des Pères de l'Église. Trente-cinq copies de son œuvre nous sont parvenues, dont vingt-six enluminées[1]. Leurs images, qui s'écartent peu d'un même modèle, correspondent aux différentes *storiae* ; elles s'insèrent généralement entre le passage biblique et son commentaire. C'est le cas dans l'Apocalypse de Silos, qui se distingue cependant par la puissance du style et de la présentation, se hissant ainsi au rang de chef-d'œuvre de la peinture médiévale.

Outre une illustration des versets bibliques, les images en fournissent un commentaire visuel qui s'ajoute à celui du texte de Beatus. L'une des plus grandes envahit une double page entière : le Dragon rouge du texte de Jean, aux sept têtes et dix cornes (*draco magnus rufus habens*

15.1 | **Saint Jean devant le Christ avec le glaive à deux tranchants de part et d'autre de sa bouche, et les sept Églises représentées par des arcs (en bas), Apocalypse, I, 10-20, f° 24 (détail).**

DOUBLE PAGE SUIVANTE

15.2-15.3 | **Le Dragon et la Femme d'Apocalypse, XII, 1-18, f°s 147v-148 (détails).**

angelus

michael et angeli eius cum draco
pugnant
mulier am
ctu sole et luna
sub pedibus eius
et sup capud
corona
stellarum
duodecim
serpens
misit
aquam
ex ore
suo

cherubin
Serufin

lacus leonum
ubi daniel missus fuit et ubi aba
cuc positus est illi
prandium
Rex incenatus pro danielo
dolens somnium fugit.
ab occulis eius.

capita septem et cornua decem, Apocalypse, XII, 3), y prend la forme d'une immense hydre rouge et grise (ill. 15.2-15.3) dont la queue semble vouloir enfermer un amas d'étoiles (« Sa queue, entraînant le tiers des étoiles du ciel, les précipita sur la terre », Apocalypse, XII, 4). Face à lui, dans l'angle supérieur gauche, se tient « une Femme, ayant le soleil pour manteau, la lune sous les pieds » *(mulier amicta sole et luna sub pedibus ei[u]s)*, avec le verset correspondant (Apocalypse, XII, 1) écrit près d'elle. Dans l'angle opposé de la double page, l'enfant de la Femme est « enlevé jusqu'auprès de Dieu et de son Trône » (Apocalypse, XII, 5). Au centre, « Michel, avec ses anges », combat la créature (*Michael et angeli eius cum draco[ne] pugnant*, Apocalypse, XII, 7).

Le style, intense et vivement coloré, est parfois qualifié de « mozarabe » (de *musta'rib*, « arabisé »), en référence à l'art des chrétiens vivant dans l'Espagne musulmane *(al-Andalus)* et, par extension, dans le nord chrétien de la péninsule, entre le VIIIe et le XIe siècle. « La peinture mozarabe est un art de la couleur[2] » : cette formule d'un éminent historien de l'art est amplement confirmée par l'enluminure vibrante de l'Apocalypse de Silos, en grands aplats de coloris éclatants. Dans l'illustration de la troisième *storia* (Apocalypse, I, 10-20), bleu, rouge, orange et vert s'étagent en registres pour former le fond de la vision du « Fils d'homme » assis sur un trône, « un glaive acéré à deux tranchants » *(gladius ex utraque parte)* sortant de sa bouche (Apocalypse, I, 16, ill. 15.1). Les sept chandeliers, ou lampes d'or, représentant les « sept esprits de Dieu », s'alignent en haut de la page ; en bas, les « sept Églises » destinataires du livre sont symbolisées par des arcs outrepassés rappelant ceux de la grande mosquée de Cordoue.

Comme la plupart des copies du texte de Beatus, l'Apocalypse de Silos associe le livre de la Révélation à celui de Daniel, lui aussi considéré comme prophétique. On retrouve dans les illustrations de Daniel la même palette chromatique et le même dessin schématique, mais les fonds colorés et encadrés manquent. C'est ce qu'on constate sur la page où David parmi les lions domine l'image du roi Darius qui, tourmenté par le sort du jeune homme, « ne put trouver le sommeil » (*somnium fugiit* [sic] *ab occulis eius*[3], Daniel, VI, 19, ill. 15.5).

BIBLIOGRAPHIE

Meyer Schapiro, « From Mozarabic to Romanesque in Silos », *Art Bulletin*, XXI, 1939, p. 313-374.

John Williams, *The Illustrated Beatus: A Corpus of the Illustrations of the Commentary on the Apocalypse*, 5 vol., Londres, 1994-2003.

Beatus of Liébana: Codex of Santo Domingo de Silos Monastery, fac-similé avec commentaire, Barcelone, 2001-2003.

Ann Boylan, « The Silos Beatus and the Silos Scriptorium », *in* Therese Martin et Julie A. Harris Church (dir.), *State, Vellum, and Stone: Essays on Medieval Spain in Honor of John Williams, The Medieval and Early Modern Iberian World*, XXVI, Leyde, 2005, p. 173-233.

DOUBLE PAGE PRÉCÉDENTE (À GAUCHE)

15.4 | Christ en majesté, symboles des Évangélistes, et les vieillards jouant de leurs instruments, avec l'agneau de Dieu au centre, Apocalypse, IV-V, f° 86v (détail).

DOUBLE PAGE PRÉCÉDENTE (À DROITE)

15.5 | Daniel dans la fosse aux lions, et le roi Darius dans son lit, tourmenté par l'angoisse, Daniel, VI, 12-18, f° 239 (détail).

CI-CONTRE

15.6 | Les quatre cavaliers à qui fut donné le pouvoir de « tuer par le glaive, par la famine et par la peste, et par les fauves de la terre », Apocalypse, VI, 1-8, f° 102v (détail).

NOTES

1 Williams, *op. cit.*, I, p. 10-11, 20.

2 Schapiro, *op. cit.*, p. 324.

3 Selon la Vulgate : « *Somnus recessit ab eo* ».

equum aluum
et qui sedebat
sup eum abe
bat arcum
equum roseum
et qui sedebat
sup eum abebat
gladium.
et se quebatur
eum infernus
equus niger
et qui sedebat
sup eum
abebat
equus pallidus
et qui sedebat
sup eum abebat gladium.

16

LA BIBLE DE STAVELOT

Une œuvre d'art monumental

Bible, en latin. Stavelot, près de Liège, 1093-1097.

- 580 × 390 mm
- 232 f^os (vol. 1), 241 f^os (vol. 2)
- Add MS 28106, 28107

À l'époque où Dominico et Munnio travaillaient à leur imposante Apocalypse de Silos (nº 15), le moine Goderannus écrivait qu'il avait passé avec frère Ernesto quatre ans à travailler sur une bible à l'abbaye de Saint-Remaclus à Stavelot, dans les environs de Liège (actuelle Belgique). Goderannus décrit avec précision ce que les deux hommes ont accompli dans cet énorme livre en deux volumes et indique que l'écriture, l'enluminure et la reliure (*scriptura*, *illuminatione*, *ligatura*) ont été achevées en 1097. Malgré ce témoignage, les spécialistes ne s'accordent pas sur la question de savoir si les deux moines (ou du moins Ernesto) étaient à la fois les artistes et les copistes de ce travail. Certains pensent que les enlumineurs étaient des laïcs rémunérés et non des moines, d'où leur absence du long colophon. En outre, la différence stylistique entre les lettrines et les autres images tend à indiquer que plus de deux personnes ont participé à ce projet, cinq artistes différents ayant été identifiés[1].

Ce qui ne fait pas de doute, en revanche, c'est la qualité et l'aspect monumental de la peinture dans la Bible de Stavelot. Son image la plus célèbre, en ouverture du Nouveau Testament, est une représentation en pleine page du Christ en majesté entouré des symboles des Évangélistes (ill. 16.1). Pareille à une icône, c'est une représentation puissante et frontale du Christ à la fin des temps. Il tient une croix en or dans sa main gauche, et ses pieds reposent sur un cercle représentant le monde divisé en trois parties. C'est une carte en « TO » (*terrarum orbis* ou « globe de la Terre »), formée de la lettre T dans la lettre O. Cette image a pu rappeler aux lecteurs de l'époque les peintures monumentales ornant les absides des églises[2]. Les prophètes et Évangélistes assis ou debout, représentés au début de leurs livres respectifs, sont tout autant expressifs et avenants ; certains sont présentés de façon inhabituelle, tels ces Évangélistes debout tenant des parchemins avant la préface de leur Évangile.

Des peintures beaucoup plus petites apparaissent également dans cette bible à l'intérieur de lettrines historiées. La plus complexe du point de vue iconographique est la longue initiale « I » de *In principio*

16.1 | Le Christ en majesté, les pieds reposant sur la carte « TO », avec les symboles des quatre Évangélistes dans les angles, début du Nouveau Testament, Add MS 28107, fº 136.

16.2 | Initiale « I » de la Genèse, avec la Crucifixion, la mise au tombeau et le Christ en majesté (de bas en haut dans les médaillons centraux), Add MS 28106, f° 6 (détail de la partie supérieure).

PAGE CI-CONTRE
16.3 | Iniale « I » de la Genèse, avec l'Annonciation, la Nativité, le baptême du Christ et la Crucifixion (de bas en haut dans les médaillons centraux), Add MS 28106, f° 6 (détail de la partie inférieure).

VIT
VIR
UNUS
de rama
thaim
sophim
de monte
effraim.
& nomen
eius el
chana
filius hiero
boam. filii
helui. filii thau.
filii suph ephratte
us. & habuit duas
uxores. Nomen uni
anna. & nomen secundę
fenenna. Fueruntq; fenen
nę filii. annę autem non erant
liberi. Et ascendebat uir ille de

16.4 | **Vœu et offrandes d'Anne, I Samuel, Add MS 28106, f° 97 (détail).**

(« Au commencement ») qui ouvre le Livre de la Genèse (ill. 16.2-16.3). Les images sont groupées dans et autour de la lettre. Elles ne décrivent pas, comme d'habitude, les sept jours de la Création, mais forment plutôt une exégèse complexe de l'histoire du Salut. Les mots *In principio* se déploient le long de l'initiale, de haut en bas, tandis que la séquence d'images dans les médaillons commence en bas de page avec l'Annonciation et se poursuit vers le haut, culminant avec un Christ en majesté (ill. 16.2-16.3). La Crucifixion forme la partie centrale de la composition, entourée des autres images de l'Ancien et du Nouveau Testaments. À gauche de la lettrine on reconnaît l'expulsion du Paradis, Noé bâtissant l'arche, le sacrifice d'Isaac (ill. 16.3) puis Moïse recevant et brisant les Tables de la Loi, le Christ prêchant et les anges (ill. 16.2). Des événements connexes sont insérés autour de ces scènes comme l'adoration du veau d'or sous celle de Moïse. À droite de l'axe central on peut admirer une représentation rare et détaillée de la parabole des ouvriers dans la vigne (Matthieu, XX, 1-6) dans laquelle le royaume des Cieux est comparé à un propriétaire embauchant des ouvriers pour travailler dans sa vigne à différentes heures de la journée. Tout autour des médaillons dans lesquels l'embauche des hommes est décrite, les ouvriers sont montrés en train d'élaguer et de soigner la vigne.

Les autres lettrines historiées de l'Ancien Testament contiennent moins de petites figures mais elles racontent des histoires toujours composites. Par exemple la lettrine illustrée « F » de *Fuit* (« Il y avait ») au début du premier Livre de Samuel comporte des dessins délicats qui se détachent sur un fond peint et illustrent les événements du premier chapitre (ill. 16.4). Dans la partie inférieure de la lettre, Elcana et ses deux épouses, Anne et Pennina, se rendent à Silo pour y faire un sacrifice et Elcana offre de la nourriture aux deux femmes. Anne se détourne et « ne voulut rien manger » car « le Seigneur l'avait rendue stérile » (I Samuel I, 1-8). Au-dessus, elle aborde le prêtre Eli qui lui dit que Dieu a exaucé son vœu d'être mère. En haut de la lettrine, Anne et Elcana apparaissent avec l'enfant tant désiré (Samuel) et offrent « un taureau de trois ans, un sac de farine et une outre de vin » comme sacrifice d'action de grâce (I Samuel I, 24-28). Ces illustrations, qui regroupent souvent plusieurs passages dans la même image, dénotent une bonne connaissance du texte biblique. Ce qui implique que, si les frères Goderannus et Ernesto n'ont pas exécuté les enluminures de la Bible eux-mêmes, ils ont dû les concevoir et superviser le travail réalisé par d'autres.

BIBLIOGRAPHIE

François Masai, « Les Manuscrits à peintures de Sambre et Meuse aux XIe et XIIe siècles : pour une critique d'origine plus méthodique », *Cahiers de civilisation médiévale*, 10, 1960, p. 169-189.

Wayne Dynes, *The Illuminations of the Stavelot Bible*, New York, 1978.

Walter Cahn, *Romanesque Bible Illumination*, Ithaca (NY), 1982, p. 130-136.

John Lowden, « Illustration in Biblical Manuscripts », *in* Richard Marsden et E. Ann Matter (dir.), *The New Cambridge History of the Bible*, vol 2 : *From 600 to 1450*, 2012, p. 446-482.

NOTES

1 Dynes, *op. cit*, p. 70-93.

2 Cf. Lowden, *op. cit*, p. 454.

17

L'ÉVANGÉLIAIRE EGERTON

L'art d'enluminer la liturgie

Évangéliaire, en latin.
Germanie, v. 1100.

- 260 × 185 mm
- 50 f[os]
- Egerton MS 809

L'une des raisons pour lesquelles tant de beaux exemplaires des Quatre Évangiles ont survécu est qu'on a commencé très tôt à les utiliser pendant le service dans l'Église occidentale et orientale. Beaucoup présentent les Évangiles dans l'ordre, chacun étant introduit par un portrait de l'Évangéliste en train d'écrire son livre. D'autres, appelés évangéliaires, se présentent sous la forme de lectionnaires (contenant littéralement des « leçons » ou « lectures »), avec les passages disposés dans l'ordre de la lecture au cours de l'année, lequel s'est normalisé avec le temps. Plusieurs centaines nous sont parvenus, ce qui confirme leur importance[1]. L'évangéliaire Egerton est un exemplaire particulièrement magnifique car il contient quatre illustrations en pleine page représentant les fêtes importantes abordées dans les passages sélectionnés : Noël, Pâques, l'Ascension et la Pentecôte (ill. 17.1, 17.2, 17.4, et ill. p. 5).

Stylistiquement, ces peintures évoquent, avec leurs couleurs éclatantes et leurs cadres dorés, l'art ottonien des Xe et XIe siècles dont elles sont inspirées. Par exemple, à la Pentecôte, les Apôtres sont suspendus au-dessus d'une imposante fortification, de petites flammes reposant sur leurs têtes (ill. 17.2). Le texte contient lui aussi de l'or, que ce soit dans ses initiales ornées de feuillages ou ses caractères. Celui qui fait face à l'image – *Si quis diligit me, sermonem meum servabit* (« Si quelqu'un m'aime, il gardera ma parole », Jean, XIV, 23) – est en partie écrit en grandes lettres dorées (ill. 17.3). Il se poursuit par une référence au « Consolateur, l'Esprit Saint, que le Père enverra en mon nom, vous enseignera tout » (Jean, XIV, 26), représenté dans l'image. Les passages sont identifiés à l'aide du nom de l'Évangéliste concerné, comme on peut le voir en haut de la page : *S. Ioh[anne]m.* À l'Ascension, le Christ est placé au centre, installé sur un nuage rose dans une demie mandorle tenue par des anges sur un fond doré scintillant (ill. 17.4). Les Apôtres et la Vierge dirigent leur regard vers lui ; certains lèvent une main, geste typique de la prière *orans* connu depuis les débuts de l'art chrétien et repris dans les traditions à la fois occidentale et orientale[2].

17.1 | **Les trois femmes au tombeau abordées par un ange, avec des soldats endormis au-dessus, lecture pour Pâques, Marc, XVI, 1, f° 27v.**

DOUBLE PAGE SUIVANTE

17.2-17.3 | **La Pentecôte, avec les Apôtres touchés par le feu ur leurs têtes et, au-dessus, la colombe du Saint Esprit et (à droite) texte de la lecture pour la Pentecôte (Jean, XIV, 23) en partie écrit en lettres d'or, f°s 35v-36.**

IN DIE SCŌ PENTECOSTE. S. IOHAN.

In illo t. Dixit dns ihc discipulis suis.

I QUIS DILIGIT
ME SERMONEM
MEUM SERUABIT.

ET PATER MEUS DILIGET EUM.

ET AD EUM UENIEMUS. ET MANSIONEM
apud eum faciemus. Qui non diligit me.
sermones meos non seruat. Et sermonem
quē audistis. non ē meus. sed eius qui misit
me patris. Hęc locutus sum uobis. apud uos
manens. Paraclytus autē sps scs quē mittet
pater in nomine meo. ille uos docebit om
nia. & suggeret uobis omīa quęcunq; dixe

Quant à l'ange apparaissant aux trois femmes au tombeau, il est imposant mais semble flotter dans la structure complexe sur le toit de laquelle des soldats en armures dorment profondément (ill. 17.1). Bien que le style soit sans doute plus statique que celui, par exemple, du dessin anglo-saxon si fluide du Psautier Harley (nº 10) et de l'Hexateuque en vieil anglais (nº 11) de Cantorbéry, peu de gens s'accorderaient aujourd'hui avec cette critique de l'Évangéliaire Egerton émise au début du XXᵉ siècle selon laquelle l'œuvre était « ardue, plate et inintéressante[3] ».

L'évangéliaire avait une couverture (désormais conservée séparément) dont les plats en bois étaient à eux deux plus épais que le corps même du livre (chacun mesure environ 1,6 cm d'épaisseur). Ils sont actuellement recouverts de velours bleu et le plat supérieur est orné d'une peinture du XVᵉ siècle représentant deux saints. Les plats eux-mêmes semblent dater du XIIᵉ siècle et avoir été créés en même temps que le livre. Le fait qu'ils nous soient parvenus et qu'ils aient fait l'objet de rénovations nous rappelle que des livres tels que ceux-ci étaient utilisés non seulement lors de lectures mais aussi lors de processions et de présentations comme ils le sont encore aujourd'hui dans beaucoup de traditions catholiques. Un témoin de la procession organisée par l'archevêque Egbert de Trèves (actif 977-993) à Saint-Euchaire, à la sortie de Trèves, écrit qu'elle incluait des « croix et des bougies, des encensoirs et des textes [ou livres] des Évangiles recouverts de pierres précieuses » *(Crucibus, & cereis, thuribulis quoque textibusque Evangelii gemmatis)*[4]. L'Évangéliaire Egerton est d'ailleurs associé à Trèves, en particulier à l'abbaye de Saint-Maximin : le manuscrit « était depuis longtemps un objet d'admiration et d'envie pour ceux qui visitaient la bibliothèque de l'autrefois fameuse abbaye de Saint-Maximin », nous apprend l'entrée qui lui est consacrée dans le catalogue Sotheby's publié lors de la vente de mai 1840 où il fut acheté pour le compte de la nation. La somme de 23 livres et 2 shillings déboursée à l'occasion le fut grâce à un fonds transmis en 1829 par Francis Henry Egerton, 8ᵉ comte de Bridgewater (1756-1829).

BIBLIOGRAPHIE

Wilhelm Köhler, « Die Karolingischen Miniaturen », *in Zweiten Bericht über die Denkmäler Deutscher Kunst*, Berlin, 1912, p. 51-77 (p. 62).

D. H. Turner, *Romanesque Illuminated Manuscripts in the British Museum*, Londres, 1966, p. 19-20, pl. 11.

Janet Backhouse, *The Illuminated Page: Ten Centuries of Manuscript Painting in the British Library*, Londres, 1997, nº 23.

Christoph Stiegemann et Matthias Wemhoff (dir.), *Canossa 1077: Erschütterung der Welt*, 2 vol., Munich, 2006, II, nº 399.

17.4 | L'Ascension, avec le Christ montant au Paradis flanqué d'anges et, en dessous, la Vierge Marie et les Apôtres, ceux du premier rang tenant des livres, lecture pour l'Ascension, Marc, XVI, 12, fº 33v.

NOTES

1 Voir Un évangéliaire syriaque, nº 25, et le Quatrième Évangéliaire de la Sainte-Chapelle, nº 29.

2 À comparer avec le Psautier de Winchester, ill. 20.5.

3 J. A. Herbert, *Illuminated Manuscripts*, Londres, 1911, p. 153.

4 Jean Bolland (éd.), *Historia inventionis S. Celsi, Acta Sanctorum*, 3 février [1658], 396-404 (*Bibliotheca Hagiographa Latina*, 1720-1721).

18

LES ÉVANGILES BURNEY

Un tétraévangelion impérial

Quatre Évangiles, en grec. Constantinople, xe siècle (écriture) et deuxième quart du xiie siècle (portraits).

- 220 × 170 mm
- 214 fos
- Burney 19

Les *tetraevangelia* (tétraévangiles) étaient les livres byzantins les plus répandus. Il s'agit de volumes présentant les quatre Évangiles séparément et dans l'ordre, mais aussi en une unité de quatre parties sous une même couverture. Parmi les quelque deux mille qui nous sont parvenus, celui-ci témoigne du rôle que la capitale impériale de Constantinople a toujours joué dans la production de livres d'une grande qualité artistique.

Les tétraévangiles les plus luxueux sont embellis de portraits des Évangélistes délicatement peints. Dans cet exemplaire, les pages d'*incipit* sont précédées d'un portrait en pleine page d'une grande vigueur : les couleurs appliquées en épaisseur et les traits modelés avec force confèrent aux portraits une intensité émotionnelle remarquable. Chaque personnage est peint sur un fond doré sur lequel on peut lire son nom. Saint Matthieu, saint Luc et saint Marc (ill. 18.1, 18.2, 18.4) sont représentés en écrivains. Ils tiennent une plume et du parchemin et sont assis devant un meuble bas sur et dans lequel se trouve du matériel d'écriture – encrier et couteau. Sur chaque meuble, un lutrin repose sur un support en forme de poisson. Le lutrin accueille un livre dont l'Évangéliste copie le texte. Derrière chaque Évangéliste se dresse un bâtiment haut donnant une certaine emphase au personnage. Alors que saint Matthieu et saint Luc semblent concentrés sur leurs travaux d'écriture, saint Marc adopte une attitude contemplative inspirée de la sculpture classique et des représentations des philosophes anciens. Saint Jean (ill. 18.3) se distingue des autres Évangélistes du livre, mais aussi de ses portraits dans des manuscrits byzantins plus anciens où on le voit en général assis et seul[1] : ici, comme dans beaucoup d'Évangiles plus tardifs de la tradition orientale[2], l'enluminure le montre debout, avec un disciple. Inspiré par la main de Dieu, saint Jean dicte son texte à Procore, l'un des sept diacres nommés dans Actes, VI, 5. Le paysage rocheux contraste avec le décor urbain des autres portraits et fait référence à un endroit sur l'île de Patmos où, selon les Actes apocryphes de saint Jean attribués à Procore, l'Évangile de saint Jean a été écrit.

18.1 | Saint Matthieu se penche pour tremper sa plume dans l'encre afin de continuer à écrire, début de son Évangile, fo 1v.

DOUBLE PAGE SUIVANTE (À GAUCHE)

18.2 | Saint Luc assis écrivant, début de son Évangile, fo 101v.

DOUBLE PAGE SUIVANTE (À DROITE)

18.3 | Saint Jean debout dictant à son assistant, Procore, début de son Évangile, fo 165.

ΜΑΤΘΑΙΟϹ

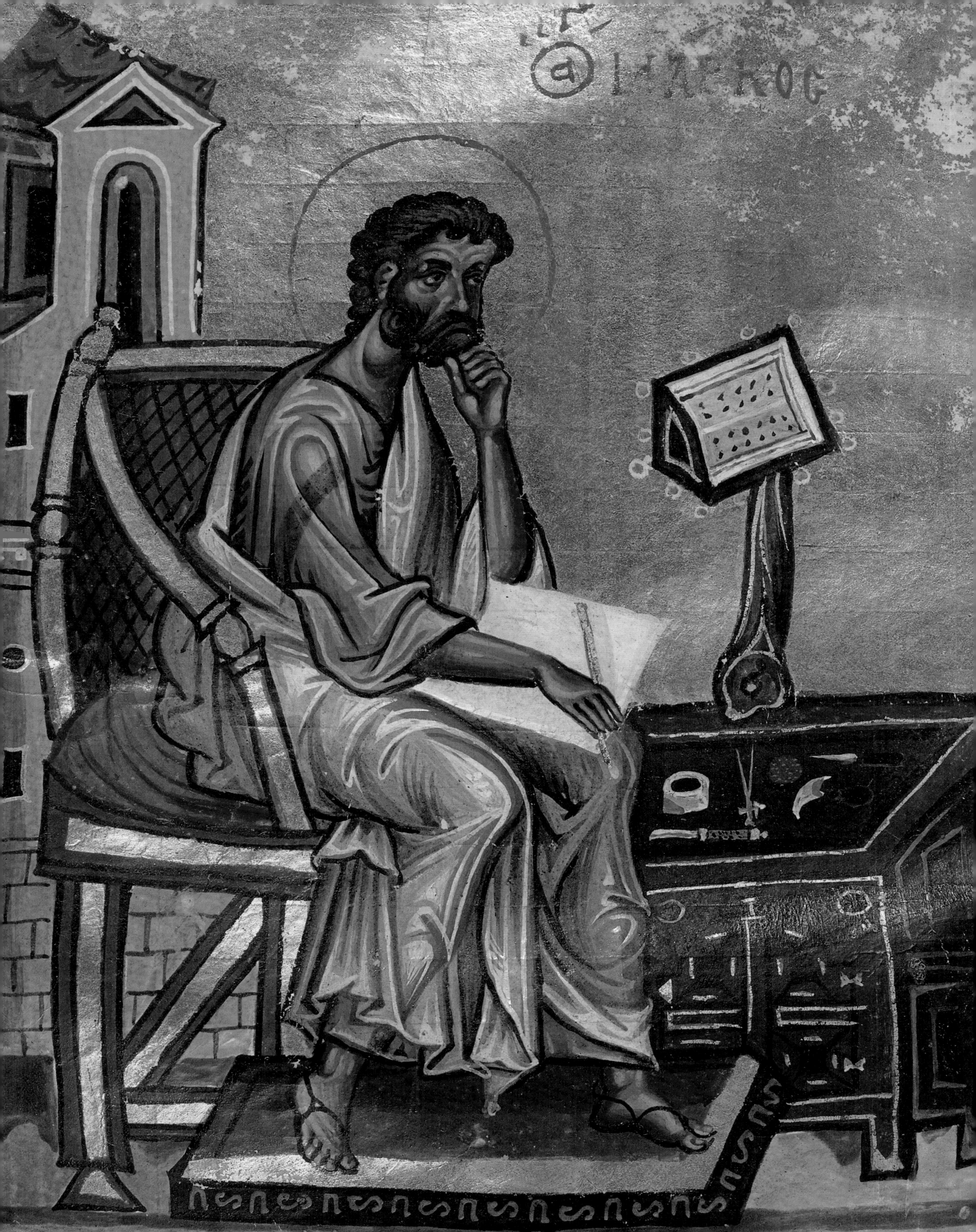

18.4 | **Saint Marc s'arrête d'écrire, pensif, début de son Évangile, f° 63v (détail).**

Dans ce récit, le séjour du saint sur l'île, auquel Apocalypse, I, 9, fait référence, dure quinze ans. Le grand âge de l'Évangéliste dans cette image comme dans nombre d'œuvres de la tradition orthodoxe[3], contraste avec la jeunesse que la plupart des œuvres occidentales lui prêtent[4].

La fine écriture manuscrite du texte biblique et la décoration des bandeaux enluminés marquant le début de chaque Évangile ont été exécutées au xe siècle mais les portraits ont été peints quelques siècles plus tard. Stylistiquement, ils sont à rapprocher de ceux que l'on trouve dans un groupe de tétraévangiles enluminés destinés à des aristocrates, arborant des motifs et des cadres similaires. Bien qu'inégales quant au niveau et au style de l'exécution, ces enluminures ont été attribuées au Maître de Kokkinobaphos, qui doit son nom à deux exemplaires des homélies écrites par Jacques, un moine du monastère de Kokkinobaphos à Constantinople[5]. Deux des tétraévangiles enluminés par ce maître sont datables du deuxième quart du XIIe siècle et sont liés historiquement à la famille impériale des Comnène, qui a régné de 1081 à 1185[6]. Le présent manuscrit se distingue du reste du groupe en ce qu'il a été assemblé en deux étapes distinctes et n'est pas pleinement le produit du XIIe siècle. Étonnamment, aucune aide au lecteur telle que numéros de chapitres ou de sections ammoniennes[7] n'a jamais été ajoutée au livre.

Des recherches menées sur son histoire plus tardive permettent de penser que ce volume était lui aussi directement lié aux Comnène. Malgré des tentatives, au XIXe siècle, d'attribuer sa provenance au palais de l'Escurial de Philippe II d'Espagne (1527-1598), nous savons maintenant qu'au milieu du XVIIIe siècle le tétraévangile faisait partie de la Biblioteca Vallicelliana à Rome[8]. À cette époque, il renfermait une inscription désormais perdue datée de 1550 et soulignant qu'il provenait de Constantin Comnène (mort en 1531)[9] qui, chassé de Grèce par les Turcs, avait fini ses jours en Italie et était enterré à Santi Apostoli à Rome. Cette inscription, faite peu de temps avant la mort à Rome en 1551 de l'héritière de Constantin, Arianita, pourrait attester de la présence de ce volume dans la ville, toujours entre les mains des Comnène. Quelque temps plus tard, aux environs de 1600, on retrouve la trace du volume composite dans l'une des collections fondatrices de la Vallicelliana, la bibliothèque de l'humaniste portugais Aquiles Estaço (1524-1581). Estaço s'était installé à Rome à la fin des années 1550 et y collectionnait des livres, peu de temps après que le volume eut quitté la bibliothèque des Comnène. Le manuscrit doit son nom actuel à l'un de ses propriétaires suivants, le collectionneur Charles Burney (1757-1817)[10].

NOTES

1 Voir le Nouveau Testament Guest-Coutts, n° 9.

2 Voir les Évangiles arméniens, n° 44.

3 Voir aussi les Évangiles grecs Harley, ill. 24.2.

4 Pour les représentations occidentales de saint Jean jeune, voir les Évangiles dorés Harley, l'Apocalypse de Silos, la Bible d'Arnstein, l'Apocalypse de Welles, la Bible en images de Holkham, la Bible de Clément VII et les Évangiles du cardinal Francesco Gonzaga, ill. 4.1, 15.1, 23.1, 31.2, 31.4, 32.3, 34.6, 43.2.

5 Cité du Vatican, BAV, ms Vat. gr. 1162, et Paris, BnF, ms grec 1208.

6 Cité du Vatican, BAV, ms urb. gr. 2, et Oxford, Christ Church, ms gr. 32.

7 Sur les sections ammoniennes, voir les Tables canoniques dorées, n° 1, et « Mille ans d'art et de beauté », p. 18.

8 Moretti, *op. cit.*

9 Pour cette inscription, voir Giuseppe Maria Bianchini (éd.), *Evangeliarium Quadruplex latinae versionis antiquae seu veteris italicae*, 2 vol., Rome, 1749, I, p. dxxix.

10 Sur la collection de Charles Burney, voir « Les origines des collections de la British Library », p. 329.

BIBLIOGRAPHIE

David Buckton (dir.), *Byzantium: Treasures of Byzantine Art and Culture from British Collections*, Londres, 1994, n° 176.

Simona Moretti, « La miniatura medievale nel Seicento e nel Settecento : fra erudizione, filologia e storia dell'arte », *Rivista di Storia della Miniatura*, 12, 2008, p. 137-148 (p. 142-143).

19

LE PSAUTIER DE MÉLISENDE

Un psautier pour une reine croisée

Entre 1099 et 1187, les rois croisés régnèrent sur Jérusalem. Perdue par l'empire byzantin au profit du calife Omar en 638, la ville fut le butin suprême de la première Croisade et retourna dans le giron des chrétiens. En 1187, elle tomba aux mains du sultan Ṣalāḥ al-Dīn Yūsuf ibn Ayyūb al-Dīn (Saladin, 1138-1193). Ce psautier est l'un des documents les plus précieux qui nous soient parvenus de la Jérusalem des croisés. Il doit son nom à la reine Mélisende (1101-1161), qui régna avec son mari, Foulques d'Anjou, de la mort de son père Baudoin II en 1131 jusqu'à la mort de Foulques en 1143, puis avec son fils Baudoin III jusqu'en 1152.

Reflétant la diversité culturelle qui prévalait dans le royaume croisé, le psautier mêle traditions orientale et occidentale. Sa mise en pages répond aux standards occidentaux d'alors en matière de livre de prières de statut exceptionnel, et il était clairement destiné à un membre de l'élite régnante latine. Ses textes, conformes aux conventions de l'église latine, sont servis par une belle écriture – ponctuée de lettrines et titres écrits à l'or – tracée parfois à l'encre rouge ou bleue. Suivant une tradition qui débuta avec le psautier Tibère (nº 13), le volume s'ouvre sur un cycle d'images reliant les Psaumes à la vie de Jésus (ill. 19.4-19.6). Vient ensuite un calendrier typiquement occidental, indiquant les fêtes de l'Église latine et décoré de signes du zodiaque. Les Psaumes sont divisés en huit sections[1], ponctuées de superbes pages d'*incipit* d'un doré éclatant. Les premières lignes de chaque psaume sont écrites en or sur fond pourpre et plusieurs des lettrines finement tracées au début des principales divisions contiennent des figures humaines et animales entourées de formes végétales sinueuses (ill. 19.2)[2]. Les créateurs de la somptueuse reliure se sont inspirés de la *Psychomachia* du poète latin Prudence (348-après 405) pour les Vices et Vertus du plat supérieur (ill. 19.1), et de la doctrine de l'Église latine des Œuvres de miséricorde corporelles pour le plat inférieur[3].

Ce psautier contient aussi des éléments de deux autres cultures présentes dans le royaume croisé, celle des chrétiens orthodoxes et monophysites et celle des musulmans. La dernière miniature du cycle

Psautier, en latin.
Jérusalem, entre 1131 et 1143.

- 215 × 145 mm
- 218 fos
- Egerton 1139

19.1 | David combat pour protéger sa brebis (I Samuel, XVII, 34-36), est oint par Samuel (I Samuel, XVI, 13), combat contre Goliath (I Samuel, XVII, 41-49), reçoit du pain et l'épée de Goliath des mains du prêtre Ahimélek (I Samuel, XXI, 1-9), s'agenouille en repentance et établit un autel pour le Seigneur (II Samuel, XXIV, 10-25 ; I Chroniques, XXI, 8-30) et joue avec des musiciens (I Chroniques, XV, 16-22) ; entre ces scènes, des représentations des Vices et Vertus, plat supérieur de la reliure (détail).

DOUBLE PAGE SUIVANTE

19.2-19.3 | Le roi David assis jouant de la harpe, partie inférieure de la lettrine « B » de *Beat[us]* (« Heureux ») du psaume 1, le texte continuant sur la page opposée, en or sur fond pourpre, fos 23v-24.

BONIT AS
FI DES
IDO LAT RIA
DA VID
LEO
URSUS
SAMU EL
UNGI TUR DAVID
BETH LE EM
HU MI LITAS
PU DICI TIA
LIBIDO
SUPER
DAVID
GO LIAS
DAVID
ABIMELEC
DO EG
FOR TITU DO
AVARITIA
LU XU RIA
EGO PECCAVI
DA VID
AL TA RE
LAR G ITAS

VIR QVI
NON ABIIT
IN CONSI
LIO IMPIO-
RVM· ET IN VIA
PECCATORVM NÕ
STETIT· ET IN
CATHEDRA P-
ESTILENTIE
NON SEDIT·

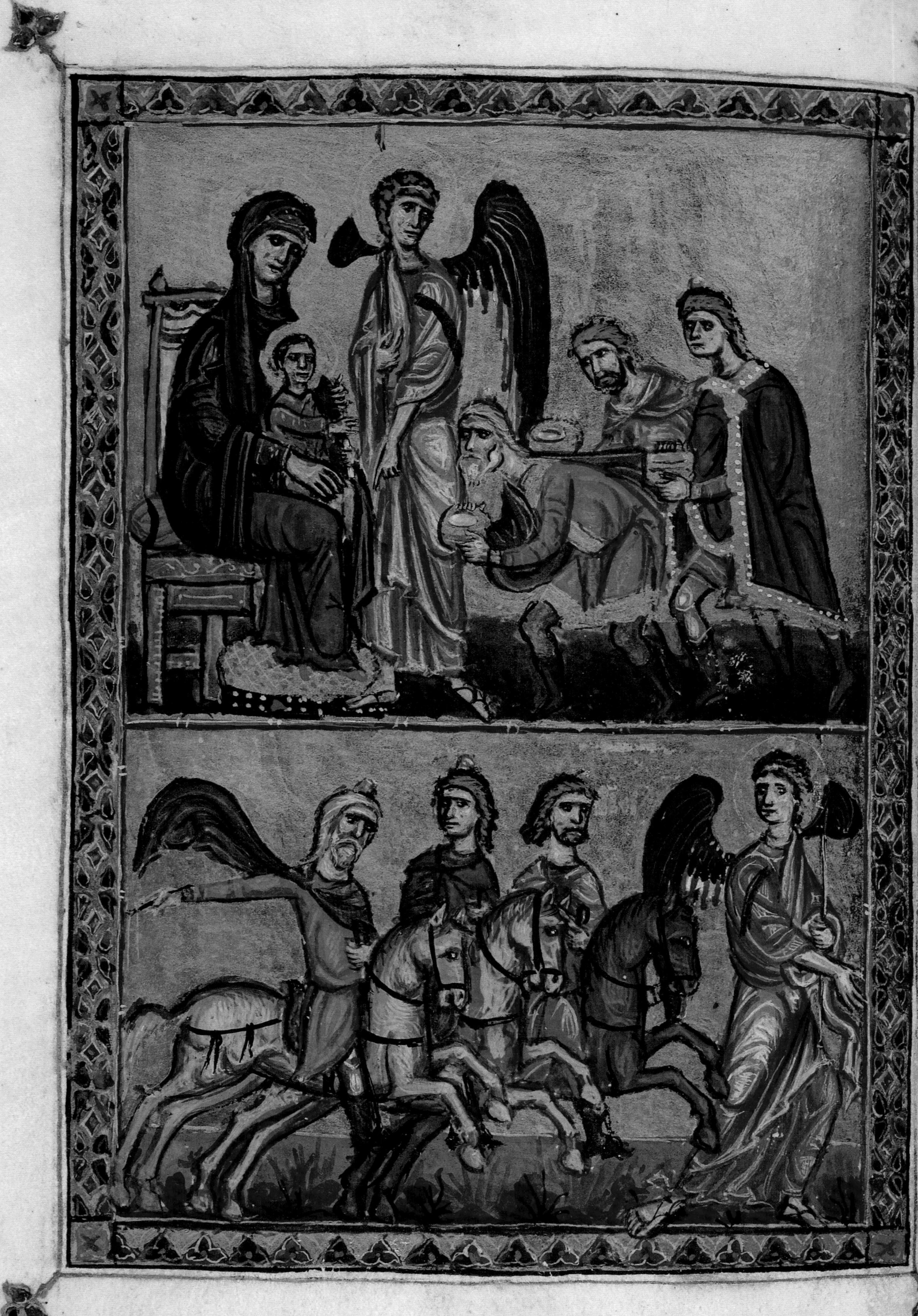

ΤΥΤΟ
ΟΥΡΝΟΝ
ΕΡΕΟϹ

préliminaire, sur laquelle l'artiste, Basilios, a apposé sa signature, est de toute évidence une image byzantine : le *Deesis*, une représentation du Christ (ici sacré et tenant un livre) flanqué de la Vierge et de saint Jean Baptiste. Dans les vingt-trois autres miniatures, l'enlumineur s'est inspiré principalement des images qui marquaient les principales fêtes du calendrier de l'église byzantine et que l'on trouve dans les manuscrits grecs des Évangiles[4]. Bien que certaines de ces images, telles l'adoration des Mages, la présentation au Temple et l'Ascension (ill. 19.4-19.6), proviennent des récits des quatre Évangélistes, d'autres, comme la dormition de la Vierge, sont issues de la doctrine de l'Église d'orient[5]. Préfigurant ce qui deviendra une convention dans l'art orthodoxe, des textes en grec sont insérés dans les images. Dans celle de la présentation, on lit sur un rouleau tenu par la prophétesse Anne que « cet enfant créa le paradis et la terre ». Un autre artiste s'est inspiré de modèles artistiques byzantins pour les images qui accompagnent les prières du rite latin à la Vierge et aux huit saints. Ajoutons que, sur le plat inférieur de la couverture, le roi interprète les œuvres de miséricorde dans un costume impérial byzantin.

Les créateurs de ce livre semblent aussi s'être inspirés de l'art islamique. Dans deux des lettrines les plus importantes, la décoration en entrelacements fait place à des formes géométriques qui semblent dériver de modèles islamiques. Et les motifs qui ornent la couverture en ivoire rappellent ceux de certains objets d'art islamiques en ivoire ou en métal.

Des chercheurs ont récemment remis en question le fait que la première propriétaire du livre ait été la reine Mélisende[6]. Mais, si nous ne possédons aucune trace écrite, certains éléments portent à croire qu'elle en était bien la destinataire. Par exemple, le copiste n'a mis en valeur dans le calendrier que trois événements historiques récents, qui tous revêtent une valeur pour la reine : la prise de Jérusalem en 1099, la mort de sa mère arménienne en 1126 ou 1127, et la mort de son père en 1131. Par ailleurs, les prières latines sont formulées au féminin. L'iconographie de la couverture en ivoire opère un lien explicite entre le roi David et ses successeurs chrétiens en tant que souverains de Jérusalem, et la reliure en soie d'époque – exceptionnelle – est décorée de plusieurs croix des croisés. Par sa splendeur même, ce psautier est incontestablement digne d'une reine.

BIBLIOGRAPHIE

Hugo Buchthal, *Miniature Painting in the Latin Kingdom of Jerusalem*, Oxford, 1957.

Helen C. Evans et William D. Wixom (dir.), *The Glory of Byzantium: Art and Culture of the Middle Byzantine Era, a.d. 843-1261*, New York, 1997, n° 259.

Barbara Zeitler, « The Distorting Mirror: Reflections on the Queen Melisende Psalter (London, B.L., Egerton 1139) », *in* Robin Cormack et Elizabeth Jeffreys (dir.), *Through the Looking Glass: Byzantium through British Eyes*, Aldershot, 2000, p. 69-83.

Jaroslav Folda, *Crusader Art in the Holy Land: From the Third Crusade to the Fall of Acre, 1187-1291*, Cambridge, 2005.

DOUBLE PAGE PRÉCÉDENTE

19.4-19.5 | Guidés par un ange, les trois Mages chevauchent vers Bethléem pour présenter leurs cadeaux à la Vierge et à l'Enfant Jésus (Matthieu, II, 9-11) ; (à droite) dans le Temple à Jérusalem, Syméon soulève l'Enfant devant Marie et Joseph pendant qu'Anne « proclam[e] les louanges de Dieu » (Luc, II, 25-38), f°s 2v-3.

CI-CONTRE

19.6 | Le Christ monte au Paradis soulevé par des anges, laissant sur terre la Vierge, flanquée de deux anges et des Apôtres, f° 11.

NOTES

1 Sur ces divisions, voir le Psautier Vespasien, n° 3.

2 Sur l'usage du pourpre, voir la Bible royale de Cantorbéry, n° 5.

3 Pour les Œuvres de miséricorde corporelles, voir la Bible Floreffe, n° 22.

4 Sur les jours de fête, voir les Évangiles grecs Harley, n° 24.

5 Sur la dormition de la Vierge, voir le Psautier de Winchester, n° 20, et les Évangiles grecs Harley, n° 24.

6 Voir, par exemple, Zeitler, *op. cit.*

20

LE PSAUTIER DE WINCHESTER

Un psautier bilingue et illustré

**Psautier, en latin et français ; Symbole des Apôtres et prières, en français.
Winchester, milieu du XIIe siècle.**

- 320 x 230 mm
- 142 fos
- Cotton MS Nero C. iv

Après la conquête normande, le français fut privilégié par l'aristocratie anglaise au détriment de l'anglais ou du latin. Il n'est donc pas surprenant que la Bible ait été très tôt traduite en français. Les Psaumes revêtant une grande importance dans l'Église médiévale, plusieurs traductions françaises en ont été menées, dont trois ou quatre versions du *Psalterium Gallicanum* de saint Jérôme[1]. L'une d'elles, rédigée en Angleterre, connue sous le nom de Psautier d'Oxford, a fait l'objet d'au moins douze manuscrits aux XIIe et XIIIe siècles[2]. Le Psautier de Winchester constitue, avec son cycle imagé impressionnant, le fleuron de ces manuscrits anglais.

Dans ce livre, le texte des Psaumes est disposé en deux colonnes, le français à gauche et le latin à droite, ce qui met en valeur la version vernaculaire (ill. 20.2). Le texte a été conçu et copié de façon à ce que les chapitres et les versets des deux versions soient alignés sur chaque page. La version française est plus interprétative que littérale : par exemple, le *vir* du premier verset n'est pas traduit par « homme » mais par « baron » *(barun)* qui ne prend pas conseil auprès de « félons » *(des feluns)*.

Comme beaucoup de psautiers de luxe, dont le Psautier Tibère (no 13) conçu lui aussi à Winchester un siècle plus tôt, ce livre est introduit par une suite d'images en pleine page dont trente-huit nous sont parvenues. Il semblerait que ces images aient été à l'origine disposées par paire. L'ordre était probablement chronologique, depuis la Création jusqu'au Jugement dernier, en passant par des scènes de la Genèse et les vies de David et de Jésus. Le bel arbre de Jessé dont les branches sont ornées d'acanthe de « style Winchester » (ill. 20.1) est représentatif des dessins délicats et des subtils aplats de couleurs qui parcourent le livre[3]. La plupart des scènes occupent au moins deux registres et sont d'une grande puissance évocatrice, en particulier celles avec des diables cornus et squameux, comme les tentations du Christ (ill. 20.3) ou la célèbre dernière image représentant un damné emprisonné dans la gueule de l'Enfer (ill. 20.6)[4].

Mais ce psautier contient également deux images – la mort de la Vierge et la Vierge au trône (ill. 20.4, 20.5) – qui diffèrent grandement

20.1 | L'arbre de Jessé, avec le roi David, la Vierge couronnée et Jésus entourés de deux prophètes, fo 9 (détail).

DOUBLE PAGE SUIVANTE (À GAUCHE)
20.2 | Initiales ornées et historiées « B » de *Beonuret* et de *Beat[us]* (« Heureux » ou « Béni »), la seconde avec le roi David écrivant et jouant de la viole, au début du psaume 1, fo 46 (détail).

DOUBLE PAGE SUIVANTE (À DROITE)
20.3 | Les tentations du Christ, fo 18.

chi ne alat el cunseil des feluns.
et en la ueie des pecheurs ne stout.
et en la chaere de pestilence ne sist.
Mais en la lei de nostre seignor la
uolunted. e en la sue lei purpen
serat par iurn e par nuit.
Eiert ensement cume le fust qued
est plantet de iuste les decurs des
ewes. ki dunrat sun fruit en son tens.
Esa fuille ne decurrat. e tute les coses
q'il unques ferad: serunt fait prospres.
Nient eissi li felun nient eissi. mais
ensement cume la puldre que li
uenz getet de la face de terre.
Enpuroec ne surdent li felun en iuise
ne li pecheor el conseil des dreituriers.

qui non abiit in consilio impiorum.
& in uia peccatorum non stetit. & in
cathedra pestilentię non sedit.
Sed in lege domini uoluntas eius.
& in lege eius meditabitur
die ac nocte.
Et erit tanquam lignum quod plantatum
est secus decursus aquarum. quod
fructum suum dabit in tempore suo
Et folium eius non defluet. & omnia
quecumque faciet prosperabuntur
Non sic impii non sic. sed tanquam
puluis quem proicit uentus a
facie terre
Ideo non resurgunt impii in iudicio
neque peccatores in consilio iustorum.

ICI LO RVVAT DEIABLES K'EIL FE
SIST DE PIERES PAIN AL DESERT:
ICI LO RVVAT DES
CENDRE DEL PINNACLE
DEL TEMPLE:

deus

des autres par leur style et leur sujet. On les qualifie parfois de « dyptique byzantin » car elles renferment des éléments comme les bandes ornées de bijoux, ou *loroi*, sur les costumes des anges flanquant la Vierge, ou encore les étendards, ou *labara*[5]. L'iconographie de la mort de la Vierge (dont la légende est : *Ici est la sumption de nostre Dame*) est inspirée des scènes de *koimesis* ou de dormition de l'art byzantin, mais elle a été enrichie d'éléments occidentaux tels que le cercueil ouvert en face du lit[6].

Parmi les éléments qui suggèrent que le livre a été exécuté à Winchester, citons les saints dont les fêtes sont indiquées sur le calendrier et qui sont intimement liées à l'histoire de la ville : les évèques Æthelwold (mort en 984) et Brinstan (?- 934), les saints qui y sont enterrés ou y ont un sanctuaire, comme Eadburh (?- 951), nonne bénédictine et fille d'Édouard l'Ancien, ou Grimbald (?- 901 ?), cofondateur selon la tradition de l'abbaye de New Minster (future abbaye de Hyde). Parmi les prières, l'une, en latin, est adressée à saint Swithun (v. 800-863), un autre évêque de Winchester et l'un des dédicataires de sa cathédrale. La prière est écrite au masculin (*ego miser peccator*, « Moi, misérable pécheur ») et fait spécifiquement référence à la maison *(in domo tua)* et à l'église (*hac eccl*[*es*]*ia*) du saint. Le calendrier mentionne aussi deux abbés de l'abbaye bourguignonne de Cluny, saint Hughes (1024-1109) et saint Maïeul (v. 910-994). En ce milieu du XIIe siècle, l'évêque de Winchester était Henri de Blois (1139-1171), jeune frère du roi d'Angleterre Étienne. Éduqué à l'abbaye de Cluny, c'était un collectionneur d'art et de reliques et l'un des hommes les plus riches d'Europe. Quand on lui attribua l'évêché de Winchester, il refusa d'abandonner la profitable abbatiale de Glastonbury et dirigea parallèlement les deux institutions jusqu'à sa mort. Il se peut que sa collection ait renfermé des icônes byzantines ou d'autres types d'imagerie qui ont pu servir de modèle ou d'inspiration pour le diptyque.

Les références clunisiennes, la prière spécifique à la cathédrale et la grande richesse d'Henri font de lui un destinataire plausible pour ce livre si luxueux, même si ses éléments vernaculaires pourraient laisser à penser qu'il voulait l'offrir à un laïc. En conséquence de quoi, le manuscrit est aussi parfois appelé Psautier de Henri de Blois[7].

BIBLIOGRAPHIE

Francis Wormald, *The Winchester Psalter*, Londres, 1973.

Kristine Haney, *The Winchester Psalter: An Iconographic Study*, Leicester, 1986.

Holger Klein, « The So-Called Byzantine Diptych in the Winchester Psalter, British Library, ms Cotton Nero C. IV », *Gesta*, n° 37, 1998, p. 26-43.

Ruth J. Dean et Maureen B. M. Boulton, *Anglo-Norman Literature: A Guide to Texts and Manuscripts*, Anglo-Norman Text Society, Occasional Publication Series, Londres, 1999, n° 445-456.

Geoff Rector, « An Illustrious Vernacular: The Psalter *en romanz* in Twelfth-Century England », *in* Jocelyn Wogan-Browne (dir.), *Language and Culture in Medieval Britain: The French of England, c. 1110-1500*, York, 2009, p. 198-206.

DOUBLE PAGE PRÉCÉDENTE

20.4-20.5 | La mort de la Vierge, avec le Christ, au centre, recevant son âme sous la forme d'une figure humaine emmaillotée et ornée d'une auréole (à gauche) ; la Vierge au trône, flanquée par des anges (à droite), fos 29, 30 (détails).

CI-CONTRE

20.6 | Un ange fermant la porte de l'Enfer, fo 39 (détail).

NOTES

1. Sur le *Psalterium Gallicanum*, voir la Bible Moutier-Grandval, n° 6.
2. Dean et Boulton, *op. cit.*
3. Pour un autre exemple de l'acanthe de Winchester, voir p. 329 l'image du Psautier Tibère, n° 13.
4. À comparer avec la gueule de l'Enfer dans le Psautier Tibère, ill. 13.1 ; sur l'origine de l'arbre de Jessé, voir le Psautier de Saint-Omer, n° 33.
5. À comparer avec les Évangiles du cardinal Francesco Gonzaga, n° 43.
6. Pour un autre exemple de la dormition, voir les Évangiles grecs Harley, ill. 24.3.
7. Wormald, *op. cit.* , p. 107.

21

LA BIBLE DE WORMS

Une bible romane géante

Bible, en latin. Frankenthal, près de Worms, v. 1148.

- 535 × 355 mm
- 301 f[os] (vol. 1), 274 f[os] (vol. 2)
- Harley MS 2803, 2804

À la fin du XIe et au XIIe siècle, de nombreux projets ambitieux de bibles élégantes, parfaitement lisibles et complètes, en un ou plusieurs tomes, furent menés dans les *scriptoria* de toute l'Europe occidentale. On appelle aujourd'hui cet ensemble « les bibles romanes de représentation » ou « bibles monumentales ». Récemment, un chercheur a écrit à leur propos qu'elles constituaient « probablement l'ensemble de bibles le plus élaboré, le plus cher et le plus beau jamais conçu[1] ». Leur taille et la lisibilité de leurs textes permettent de déduire leur rôle. Comme les bibles anglo-saxonnes et carolingiennes plus anciennes, leurs dimensions impressionnantes indiquent en effet que ces livres devaient être lus et utilisés collectivement[2], en général dans des communautés de moines ou de chanoines. La plupart des ordres médiévaux, tels les Bénédictins observant la règle de saint Benoît, imposaient des lectures quotidiennes de la Bible, et il y a de fortes chances que ces livres magnifiques aient été utilisés lors de l'*opus Dei* (« le travail de Dieu ») pendant le service quotidien à l'église ou les lectures dans la salle capitulaire ou au réfectoire.

La British Library possède plusieurs de ces manuscrits impressionnants pouvant peser, avec leur reliure médiévale, jusqu'à 18 kilogrammes. La Bible de Worms en est un des exemples germaniques. Elle contient une inscription du XVIIe siècle indiquant qu'elle a appartenu à l'abbaye augustinienne de Sainte-Marie-Madeleine à Frankenthal, située à environ dix kilomètres au sud de Worms. Frankenthal ayant été au Moyen Âge un scriptorium très important, il est possible que cette bible y ait été créée[3]. Une date, 1148 *(anno MCXLVIII)*, qui correspond probablement au début ou à l'achèvement du travail, est inscrite sur le bord de la marge inférieure du premier folio, avant que le texte même ne commence.

Comme la plupart des vulgates, les deux tomes de la Bible de Worms contiennent un appareil introductif qui se présente sous la forme de lettres de saint Jérôme[4]. Les textes de chacun des deux volumes sont par ailleurs précédés d'une représentation de saint Jérôme assis et écrivant, tel un copiste (ill. 21.1). Le premier texte est une lettre de saint Jérôme

21.1 | Saint Jérôme à son bureau, écrivant, avec un moine tonsuré qui lui tend un encrier, Harley 2803, f° 1v (détail).

INCIPIT·EPLA·SCI·
HIERONIMI·PBRI·
AD PAVLINUM·
PBRM·DE·OMNI
BVS·DIUINE·HIST
ORIE·LIBRIS:

FRATER
AMBROSIVS.
tua mihi mu
nuscula pferens
detulit. et suauis
simas litteras que a
principio amicicia
rū fidem pbate iam
fidei et ueteris amici
cie pferebant. Vera enim
illa necessitudo est· et xpi
glutino copulata· quā non
utilitas rei familiaris· n̄ psentia tantū

21.2 | La création de la Lumière (en haut) et la création d'Ève (en bas) dans la lettrine « I » de *In*, au début de la Genèse, Harley 2803, f° 6v (détail).

PAGE CI-CONTRE

21.3 | Job, couvert de plaies, provoqué par un diable, au début du livre de Job, Harley 2803, f° 288v (détail).

INCIP. LIBER. IOB:
ERAT·
IN
TERRA. HVS. HOMINE. IOB.

à l'évêque Paulin de Nole (353-431), dans laquelle il lui conseille d'étudier les Écritures avec assiduité, de vivre par elles et de méditer sur elles *(inter haec vivere, ista meditari)*[5]. Dans son portrait, saint Jérôme tient une plume et un couteau qui lui permet d'opérer des corrections ; un petit personnage tonsuré (peut-être le chanoine qui a commandé la bible) présente un encrier au saint dans lequel celui-ci peut tremper sa plume. Les premiers mots de la lettre sont lisibles : *Frater ambrosius tua m[ih]i munuscula* (Frère Ambroise [a apporté] vos petits cadeaux pour moi). À côté de cette scène se trouve l'initiale « F » de *Frater*, première lettre du texte. Elle est embellie de lumineuses feuilles d'acanthe stylisées qui s'entremêlent sur toute sa hauteur ainsi que de bandes ornementales dorées typiquement germaniques et de boucles imitant le métal.

Dans la grande lettrine « I » de *In* qui introduit le livre de la Genèse quelques pages plus loin, de fins entrelacements viennent s'ajouter à l'ornementation végétale et les illustrations s'immiscent dans la lettrine même ; le décor encadré contient le deuxième mot du texte, *principio* (début) (ill. 21.2)[6]. Deux scènes de la Genèse sont représentées : en haut de la lettre, Dieu ordonne *Fiat lux* (« Que la lumière soit »), tandis qu'en bas ses mots sont repris sur une banderole : *Non est bonu[m] homine[m] esse solum. facimus ei adiutoriu[m] simile sui* (« Il n'est pas bon que l'homme soit seul ; je lui ferai une aide semblable à lui », Genèse, II, 18). Les tons de peau sont rehaussés de vert et de rose et la peinture contient de subtils détails tels que l'incision dans les côtes d'Adam endormi d'où Ève, qui se tient derrière lui, vient d'émerger.

On retrouve l'acanthe stylisée, les boucles, les couleurs ou le modelé des tons dans les autres grandes lettrines au début de chaque livre de la Bible. La plupart présentent le créateur du livre, souvent écrivant ou tenant un parchemin contenant une citation de son texte. Job est par exemple allongé dans la lettrine qui ouvre son livre, couvert de plaies et tourmenté par un diable (ill. 21.3). Il se lamente : *pereat dies in qua nat[us] su[m et] nox in q[ua] dictu[m] e[st] c[on]cept[us] e[st] homo* (« Périssent le jour qui m'a vu naître et la nuit qui a déclaré : "Un homme vient d'être conçu !" », Job, III, 3). Dans le Nouveau Testament, les Évangélistes sont accompagnés de symboles, eux-mêmes participant au processus d'écriture : dans certains cas ils soulèvent des livres ou des encriers, soulignant ainsi l'inspiration divine des Évangiles (ill. 21.4).

BIBLIOGRAPHIE

Walter Cahn, *Romanesque Bible Illumination*, Ithaca (NY), 1982, n° 9, p. 238, pl. 146, 149, 201.

C. R. Dodwell, *The Pictorial Arts of the West, 800-1200*, New Haven, 1993, p. 282-283.

Aliza Cohen-Mushlin, *The Making of a Manuscript: The Worms Bible of 1148 (British Library, Harley 2803-2804)*, Wolfenbütteler Forschungen, 25, Wiesbaden, 1983.

Aliza Cohen-Mushlin, *A Medieval Scriptorium: Sancta Maria Magdalena de Frankendal*, Wolfenbütteler Mittelalter-Studien, 3, 2 vol., Wiesbaden, 1990 (I, p. 154-155 ; II, ill. 4-6, 20, 340, 342, 344, 345, 349, 350-354, 357, 364, 366-368).

Christopher de Hamel, *The Book: A History of the Bible*, Londres, 2001, p. 83-84.

21.4 | Saint Luc écrivant, avec le symbole d'un bœuf tenant le livre, début de son Évangile, Harley 2804, f° 199 (détail).

NOTES

1 Dorothy Shepard, « Romanesque Display Bibles », *in* Richard Marsden et E. Ann Matter (dir.), *The New Cambridge History of the Bible*, vol 2 : *From 600 to 1450*, Cambridge, 2012, p. 392-403 (p. 392).

2 À comparer avec la Bible royale de Cantorbéry, n° 5, et la Bible de Moutier-Grandval, n° 6.

3 Voir Cohen-Mushlin, *A Medieval Scriptorium*.

4 Sur l'appareil introductif, voir les Évangiles de Lindisfarne, n° 2.

5 Lettre 53, *PL*, 22, 547.

6 À comparer avec la première lettrine de la Genèse dans la Bible de Stavelot, ill. 16.2-16.3.

ntēplo oran lix
gno sicut puer.
pforam̄ acu lx
in regnū dei .
us dicit . lxi
nat.
o. lxii
lxiii
att sitacu lxiiii
unt. et fleuit sup
rūs eiectus. lxv
aptismo iohīs.
nīm uineę. lxvi
lxvii
corē habu lxviii
auid introgat.
ulatio. lxix
ad lxx
ione. lxxi
ici.
incor uideę. lxxii
lxxiii
lxxiiii
gladio. lxxv
e oliue lxxvi
n confortat.
dit. lxxvii Lucas. I.

NIAM QVIDEM:

22

LA BIBLE DE FLOREFFE

Une exégèse biblique en images

Bible, en latin.
Vallée de la Meuse, deuxième ou troisième quart du XIIe siècle.

- 475 × 330 mm
- 273 fos (vol. 1), 256 fos (vol. 2)
- Add MS 17737, 17738

Tout au long du Moyen Âge, les communautés ecclésiastiques qui s'adonnaient à des lectures collectives de la Bible en tiraient une interprétation à la fois morale et allégorique, suivant en cela les recommandations des Pères de l'Église. Dans une lettre introductive à son *Morales sur Job*, Grégoire le Grand (vers 540-604) expliquait par exemple :

> *primum quidem fundamenta historica pronimus, deinde per significationem typicam in arcem fidei fabricam mentis erigimus; ad extremum quoque per moralitatis quasi superducto aedificum colore vestimus*[1].
>
> Car nous établissons d'abord l'histoire comme le premier fondement de notre discours, ensuite, par le sens allégorique, nous élevons le bâtiment de la foi, et enfin par la moralité nous embellissons tout cet édifice spirituel comme avec des ornements et des peintures.

Les illustrations bibliques les plus sophistiquées incorporaient à cet effet un ou plusieurs outils interprétatifs. À la fin du XIe siècle et au siècle suivant, ce genre de composition exégétique qui incluait beaucoup d'inscriptions et de citations bibliques dans l'image même était particulièrement populaire dans la vallée de la Meuse (dans l'actuelle Belgique). On les retrouvait aussi bien sur les coffrets, croix et reliquaires en ferronnerie que dans les livres.

Cette grande bible en deux tomes créée à l'abbaye norbertienne de Floreffe, sur la Sambre près de Namur, est – tous matériaux confondus – un des exemples les plus élaborés et complexes de ce type de décoration. Le second tome commence par le livre de Job illustré par une magnifique peinture sur deux pages (ill. 22.2-22.6). Certaines parties de l'image illustrent directement et littéralement des versets du premier chapitre du livre. Par exemple, près du haut de la page de gauche, sept hommes

22.1 | La Crucifixion, avec un sacrifice animal (en bas), début de l'Évangile de saint Luc, Additional 17738, fo 187 (détail).

DOUBLE PAGE SUIVANTE

22.2-22.3 | Allégorie des vertus et des œuvres de miséricorde corporelles et (à droite) Transfiguration et Cène, Additional 17738, fos 3v-4 (détails).

Per proprium sanguinem introivit semel in sancta...
Tu es sacerdos in eternum secundu ordine melchis.
Placebit deo sup vitulu cornua producentem et ungulas.
Dixit pat ad servos suos. Adducite vitulum saginatum et occidite.

in quo michi complacui
Nolite timere

Omnia fac cum consilio...
Spes non confundit
PRUDE
OBEDI

22.4 | La Foi, la Charité et l'Espérance entourées des incarnations humaines des sept dons du Saint Esprit, Additional 17738, f° 3v (détail).

et trois femmes sont assis autour d'une longue table recouverte de différents plats (ill. 22.2, 22.5). Ce dîner rassemble les enfants de Job : ses sept garçons allaient « festoyer les uns chez les autres à tour de rôle, et ils faisaient inviter leurs trois sœurs à manger et à boire avec eux » (Job, I, 4). Job les faisait ensuite venir pour les purifier (Job, I, 5), comme le dit le parchemin qu'il tient dans sa main gauche dans la scène qui se trouve juste au-dessus de celle du banquet (ill. 22.2, 22.5).

Les images situées en dessous sont plus complexes à interpréter. Les trois vertus théologales (ill. 22.2, au centre) – la Foi, la Charité et l'Espérance –, entourées d'incarnations humaines des sept dons du Saint Esprit, correspondent à une interprétation morale de Job faite par saint Grégoire dans *Morales sur Job* (ill. 22.2, 22.4). Saint Grégoire expliquait que les filles de Job devaient être considérées comme les vertus théologales et ses fils comme les dons du Saint Esprit. Dans le huitième médaillon, qui contient la main droite du Seigneur pointée en direction de la figure du Christ, on lit : *Dextera Domini fecit virtutem* (« Le bras du Seigneur est fort ! », Psaumes CXVII, 16). Des rayons sont dirigés vers douze hommes assis, coiffés d'auréoles (ill. 22.2, 22.4). Cette image offre un niveau supplémentaire d'interprétation allégorique du texte biblique puisque les sept fils de Job sont assimilés aux Apôtres qui, à la Pentecôte, sont remplis de la grâce septuple[2]. Sous les Apôtres, une autre interprétation est celle de la traduction de ces dons en sept œuvres corporelles de la Miséricorde (Matthieu, XXV, 35-36, et Tobie, I, 17) : Donner à manger aux affamés et Vêtir ceux qui sont nus, sans doute combinés ici à Accueillir les étrangers et Visiter les prisonniers (ill. 22.6).

Sur la page de droite, on trouve en haut la Transfiguration – pendant laquelle le Christ flanqué de Moïse et Elie est « transfiguré » et apparaît en gloire à saint Jean, saint Pierre et saint Jacques (Matthieu, XVII, 1-9, Marc, IX, 2-8, et Luc, IX, 28-36) – et, juste au-dessous, la Cène combinée à l'épisode du Christ lavant les pieds de saint Pierre (ill. 22.3). Comme sur la page opposée, les nombreuses inscriptions fournissent une interprétation d'ordre typologique des images et de leurs relations avec le texte qui va suivre. Au-dessus des deux scènes un *titulus* (titre) explique que « ce que Moïse a dissimulé la voix des pères le révèle et ce

que les Prophètes ont recouvert Marie l'a engendré » *(Quem Moyses velat vox ecce paterna revelat. Quemq[ue] prophetia tegit est enixa Maria).* On retrouve ce niveau de complexité dans les quelques lettrines qui illustrent les Évangiles. Toutes sont allégoriques, comprennent deux ou trois registres et renferment une inscription sur un parchemin donnant la clef de leur symbolisme. Par exemple, au début de l'Évangile de saint Luc, un sacrifice d'animaux préfigure la Crucifixion (ill. 22.1). À gauche du sacrifice, un David couronné tient le verset 32 du Psaumes LXVIII : « Cela plaît au Seigneur plus qu'un taureau, plus qu'une bête ayant cornes et sabots. »

BIBLIOGRAPHIE

Gretel Chapman, « The Bible of Floreffe: Redating of a Romanesque Manuscript », *Gesta*, 10, 1971, p. 49-62.

Walter Cahn, *Romanesque Bible Illumination*, Ithaca (NY), 1982, n° 46, p. 198-199, 230, 265, pl. 154-155, 170-171.

Anne-Marie Bouché, « The Spirit in the World: The Virtues of the Floreffe Bible Frontispiece: British Library, Add. Ms. 17738, ff. 3v-4r », *in* Hourihane Colum (dir.), *Virtue & Vice: The Personifications in the Index of Christian Art*, Princeton, 2000, p. 42-65.

Susan Boynton et Diane J. Reilly (dir.), *The Practice of the Bible in the Middle Ages*, New York, 2011, p. 117-118.

NOTES

1 *PL*, 75, 713.

2 Bouché, *op. cit.*

CI-CONTRE

22.5 | Job offrant un sacrifice et (dessous) ses sept fils et trois filles autour d'un banquet (Job, I, 4), Additional 17738, f° 3v (détail).

CI-DESSOUS

22.6 | Donner à manger aux affamés, Vêtir ceux qui sont nus, Accueillir les étrangers et Visiter les prisonniers, Additional 17738, f° 3v (détail).

23

LA BIBLE D'ARNSTEIN

Une imposante bible monastique

Bible, en latin.
Arnstein, vers 1172.

- 540 × 355 mm
- 235 f[os] (vol. 1), 243 f[os] (vol. 2)
- Harley 2798, 2799

Outre leur taille et leur lisibilité, les bibles géantes romanes se distinguent souvent par la beauté de leurs ornementations. Certaines renferment également les trois traductions des Psaumes par saint Jérôme disposées en colonnes parallèles[1] : le *Psalterium Gallicanum*, le *Psalterium Romanum* et le *Psalterium Hebraicum* (cette dernière traduction, directement faite de l'hébreu, n'a jamais été utilisée dans la liturgie, ill. 23.4). Ce sont en particulier les monastères de la Meuse et du Rhin qui passèrent commande et produisirent ce genre d'ouvrages virtuoses car ils apportaient la preuve matérielle ultime de leur statut et de leur richesse[2]. Ils constituaient des « symboles de l'autorité entrepreneuriale monastique[3] ».

La Bible d'Arnstein en deux tomes, dans laquelle les trois versions des Psaumes sont illustrées, a été exécutée à l'abbaye norbertienne de Sainte-Marie et Saint-Nicolas à Arnstein, en Germanie. L'abbaye avait été fondée en 1139 par le dernier comte d'Arnstein, Ludwig III (1109-1185), qui devint frère laïc et fit don de son château au nouvel ordre établi à Prémontré dans le nord de la France en 1120. La femme de Ludwig, Guda, devenue ermite, vécut sur les terres de l'abbaye. Cette bible est très semblable à celle de Floreffe (n° 22), créée pour une autre maison norbertienne et qui contenait aussi à l'origine des annales historiques relatant les événements importants liés à l'abbaye[4]. L'entrée pour l'année 1172 indique que le livre *(liber iste)* a été copié cette année-là par un frère du nom de Lunandus, et enjoint quiconque le lira de prier pour que son âme reste en paix *(ergo legit, dicat: Anima eius requiescat in pace)*.

Comme il est d'usage dans ces grandes bibles, chaque livre s'ouvre avec une grande initiale ornée ou historiée. Plusieurs styles coexistent dans les deux volumes : les portraits des Évangélistes et l'initiale du Livre des Proverbes dans le second tome sont par exemple particulièrement élaborés – ils sont entièrement peints et sont enluminés d'or (ill. 23.1-23.3). Mais les illustrations du début de chaque Évangile ne se limitent

23.1 | Portrait de saint Jean en Évangéliste, avec les premiers mots de son texte, son symbole – l'aigle –, et le Christ faisant un signe de bénédiction et portant un livre doré, au début de l'Évangile de saint Jean, Harley 2799, f° 185v (détail).

uerbum

23.2 | Portrait de saint Marc en Évangéliste, en train d'écrire le premier mot de son texte, au début de son Évangile, Harley 2799, f° 166 (détail).

23.3 | Salomon écrivant *Parabole Salomonis*, avec les bustes (dans le sens des aiguilles d'une montre, en partant d'en haut à gauche) de la Sagesse, de la Prudence, de la Justice et du Courage, au début du Livre des Proverbes, Harley 2799, f° 57v (détail).

pas aux seules lettrines ; elles mêlent mots et images. Chaque Évangéliste est représenté dans une pose désormais familière : assis devant un lutrin, tenant une plume et souvent aussi un couteau pour les corrections, il s'attèle à la création de son Évangile. Autour de lui, du feuillage élaboré, des entrelacements et des boucles métalliques ornent les lettres du ou des premier(s) mot(s) de son texte. Par exemple, saint Marc se penche pour écrire avec sa plume d'oie *Initiu[m] eva[n]g[elii Jesu] Xri [Christi]* (« Commencement de l'Évangile de Jésus-Christ », ill. 23.2). Autour de lui, à l'intérieur du même cadre, on peut lire le premier mot, le I et le N occupant toute la hauteur de l'espace. La position de saint Jean au début de son texte est quant à elle plus centrale et la disposition de ses premiers mots plus complexe (ill. 23.1). Il puise l'inspiration de son aigle qui semble lui mettre littéralement « des mots dans la bouche » puisque l'on voit le bec de l'oiseau toucher les lèvres de son maître. Saint Jean ne regarde pas le verset qu'il a écrit (*In pri[n]cipio erat verbum, & verbu[m],* « Au commencement était le Verbe, et le Verbe [était auprès de Dieu, et le Verbe était Dieu] »). Il regarde Jésus tout en lui faisant signe et celui-ci le bénit. Le Christ tient un livre doré dans son autre main, fournissant ainsi une représentation visuelle du texte : il est mot fait chair.

L'image de Salomon illustrant le Livre des Proverbes est d'une nature tout autant exégétique (ill. 23.3). Salomon couronné est assis au centre de la lettre P et écrit, tels les Évangélistes, les premiers mots de son texte *(Parabole Salomonis)*. Il est entouré d'incarnations humaines de vertus dont les noms apparaissent sur des parchemins – *Sapientia* (Sagesse), *Prudentia* (Prudence), *Fortitudo* (Courage) et *Iusticia* (Justice) –, vertus parfaitement appropriées pour ce livre de « sagesse » biblique et illustratives de son contenu.

Les lettrines des autres parties du volume, exécutées à l'encre et au lavis, ne comportent pas de fond doré. À l'une des principales divisions des Psaumes – au Psaume CI –, les trois traductions sont disposées minutieusement de façon à commencer au même endroit de la page. À la place d'images de David, on trouve celles du Christ faisant un signe de bénédiction, de la Vierge à l'Enfant et d'un évêque tenant un bâton et un livre, ce qui reflète une interprétation christologique du texte.

23.4 | Le Christ faisant un signe de bénédiction, la Vierge et l'Enfant ainsi qu'un évêque, au début du Psaume CI, Harley 2799, fº 40 (détail).

BIBLIOGRAPHIE

Herbert Köllner, « Ein Annalenfragment und die Datierung der Arnsteiner Bibel in London », *Scriptorium: Revue internationale des études relatives aux manuscrits*, 26, 1972, p. 34-50.

Walter Cahn, *Romanesque Bible Illumination,* Ithaca (NY), 1982, p. 230, 253, nº 8, pl. 157, 162.

Bruno Krings, *Das Prämonstratenserstift Arnstein a. d. Lahn im Mittelalter (1139-1527)*, Wiesbaden, 1990.

Peter Lasko, *Ars Sacra, 800-1200*, 2e éd., New Haven, 1994, p. 229.

Janet Backhouse, *The Illuminated Page: Ten Centuries of Manuscript Painting in the British Library*, Londres, 1997, nº 41.

NOTES

[1] Sur ces versions, voir « Mille ans d'art et de beauté », p. 12-13, le Psautier Vespasien, nº 3, et le Psautier de Lothaire, nº 7.

[2] La Bible de Floreffe, nº 22, contient également un triple psautier, et il y en a deux exemples anglais – Cambridge, Trinity College, ms R.17.1, et sa copie, Paris, BnF, ms lat. 8846.

[3] C. M. Kauffmann, *Biblical Imagery in Medieval England, 700-1550*, Londres, 2003, p. 149.

[4] Maintenant à Darmstadt, Hessische Landesbibliothek, ms 4128.

suauis ē dn̄s in eternum mīa eī. & us
q; in generationē et generationē ueritas eī.
M isericordiā & iudicium: ps dauid.
cantabo tibi dn̄e: P sallam
& intelligā in uia inmaculata.
quando uenies ad me: P erambulabā
in innocentia cordis mei in medio
on pponebā ante oculō domꝰ meę:
meos rem iniustā: facientes p̄ua
ricationes odiui. N on adhesit
mihi cor prauū: declinantē a me ma
lignū n̄ cognoscebā. D etrahentē
secreto proximo suo: hūc psequebar.
superbo oculo & insaciabili corde: cū
hoc n̄ edebā. O culi mei ad fideles
terrę ut sedeant mecū: ambulans in
uia inmaculata. hic m̄ ministrabat.
on habitabit in medio domꝰ meę q̄
facit superbiā. q̄ loq̄t iniqua n̄ direx
it in conspectu oculoꝝ meoꝝ. I n matu
tino interficiebā om̄s peccatores terrę:
ut disperderē de ciuitate dn̄i om̄s
operantes iniq̄tatē: Oratio pauperis
cū anxius fuerit & corā dn̄o fuderit p̄
cē suā.
ne ex
audi
oratio
nem
meam
& cla
mor meus
ad te ueniat. N on auertas faciem
tuā a me. in q̄cūq; die tribulor
inclina ad me aurē tuā. I n quacūq;
die inuocauero te: uelocit̄ exaudi me:
ia defecerunt sicut fumus dies
mei. & ossa mea sic cremiū aruerunt.

Qm̄ suauis ē dn̄s in eternū mīa eī. &
usq; in seculum seculi ueritas eī.
M isericordiā & iudiciū. ps dauid.
cantabo t̄ dn̄e: psallam &
intelligā in uia inmaculata.
quando uenies ad me: P erambulabā
in innocentia cordis mei: in medio do
N on pponebā ante oclōs m̄ meę:
meos rem malam. facientes p̄uari
cationes odiui: & n̄ adhesit m̄ cor
D eclinantes a me malignos prauū
non cognoscebā. detrahentē adū
sus proximū suū occulte: hūc psēq̄bar.
S uperbo oculo & insaciabili corde. cū
hoc simul n̄ edebā. O culi mei sup fide
les terrę ut sedeant hi mecū. ābulans
in uia īmaculata. hic m̄ ministrabat.
N on habitabit in medio domꝰ meę q̄
facit superbiā. q̄ loq̄t̄ iniqua n̄ direxit
in conspectu oculoꝝ meoꝝ. I n matuti
nis interficiebā om̄s peccatores terrę.
ut disperdā de ciuitate dn̄i om̄s qui
operant̄ iniq̄tatē: Oratio pauperis
cū anxius fuerit & corā dn̄o effuderit
p̄cē suā.
ne ex
audi
oratio
nem
meā &
clamor
meus ad
te perueniat. N on auertas faciem
tuā a me. in quacūq; die tribulor
inclina ad me aurē tuā. I n q̄cūq;
die inuocauero te: uelocit̄ exaudi
Q uia defecerunt sic fum' dies mei. & [illegible]
ossa mea sic in frixorio confrixa sunt.

eī q̄a bonꝰ dn̄s. in sempitnū mīa eī. &
ad generationē & generationē
M isericordiā & iudi ps da
ciū cantabo t̄ dn̄e. ps
E rudiar in uia pfecta. quand
es ad me: A mbulabo in sim
tate cordis mei: in medio dom
N on pponebā corā oculis m
uerbū belial: facientē decli
ones odiui. nec adhesit mih
C or prauū recedet a me. ma
nesciam. L oquentē in absc
to contra proximū suū. hūc interficiam
S uperbū oculis & altū corde: cū h
potero. O culi mei ad fideles
ut habitent mecū. ambulans
in uia simpliciter hic m̄ ministra
N on habitabit ī medio domꝰ
ciens dolum. loquens mendaciū
bit ī conspectu oculoꝝ meoꝝ. M
dam omnes impios terrę: ut int
de ciuitate dn̄i uniuersos qui
rant̄ iniq̄tatē: Oratio paup
cū sollicitꝰ fuerit & corā dn̄o fuder
ad te ueniat. ne abscondas faci
tuā a me. I n die tribulationis
inclina ad me aurē tuā. in qua
die inuocauero te uelocit̄ exau
Q m̄ consūpti sunt sic fum' dies mei.
ossa mea quasi frixa contabu

24

LES ÉVANGILES GRECS HARLEY

Des évangiles au service de la dévotion

Quatre Évangiles, en grec.
Chypre ou Palestine,
fin du XIIe siècle.

- 225 × 165 mm
- 269 f^os
- Harley MS 1810

La plupart des manuscrits enluminés des quatre Évangiles sont illustrés avec les seuls portraits des quatre Évangélistes, mais certains contiennent un plus grand nombre d'images[1]. Dans la tradition byzantine, ces images accompagnent le texte de différentes manières : elles peuvent être disposées sur des pages séparées, dans les marges, à l'intérieur d'ornementations au début des textes ou, plus rarement, dans le corps même du texte. Qu'il s'agisse de frises ou de miniatures encadrées, ces dernières devaient être minutieusement planifiées par les créateurs des manuscrits et leur sujet choisi avec grand soin. Reflétant les répétitions que l'on trouve dans les récits des quatre Évangiles, certaines galeries d'images contiennent de multiples versions d'un même épisode[2]. D'autres, plus modestes, sont consacrées non seulement à des moments clés du récit mais aussi à des sujets qui revêtent une signification déterminante dans les croyances et le culte chrétiens.

Outre les portraits des quatre Évangélistes (ill. 24.1-24.2), le présent *tetraevangelion* contient dix-sept miniatures encadrées dont seize sont intégrées au bloc de texte et une, représentant la Nativité, située dans le bandeau introductif de l'Évangile de saint Matthieu. À l'exception de la double scène de la descente de Croix et de la lamentation, représentée dans l'Évangile de saint Luc au sein de deux bandes horizontales parallèles contenues dans un même cadre, chaque miniature n'illustre qu'un seul épisode. Et si le récit imagé avance et recule dans le temps, en suivant dans l'ordre chacun des quatre récits des Évangélistes, aucun sujet n'est répété. En règle générale, le choix du sujet n'était pas à l'époque déterminé par le texte mais par le contexte liturgique dans lequel il était utilisé. Considérées comme faisant partie intégrante du texte évangélique, les lectures prescrites à l'église les jours de fête dictaient en effet la sélection des images, qui devaient servir moins d'illustrations du texte que d'aide à la dévotion pendant le service. Une telle fonction est particulièrement évidente dans le cas de la dormition de la Vierge (ill. 24.3), qui doit plus son inspiration que son contenu au

24.1 | Saint Luc assis écrivant, au début de son Évangile, f° 139v (détail).

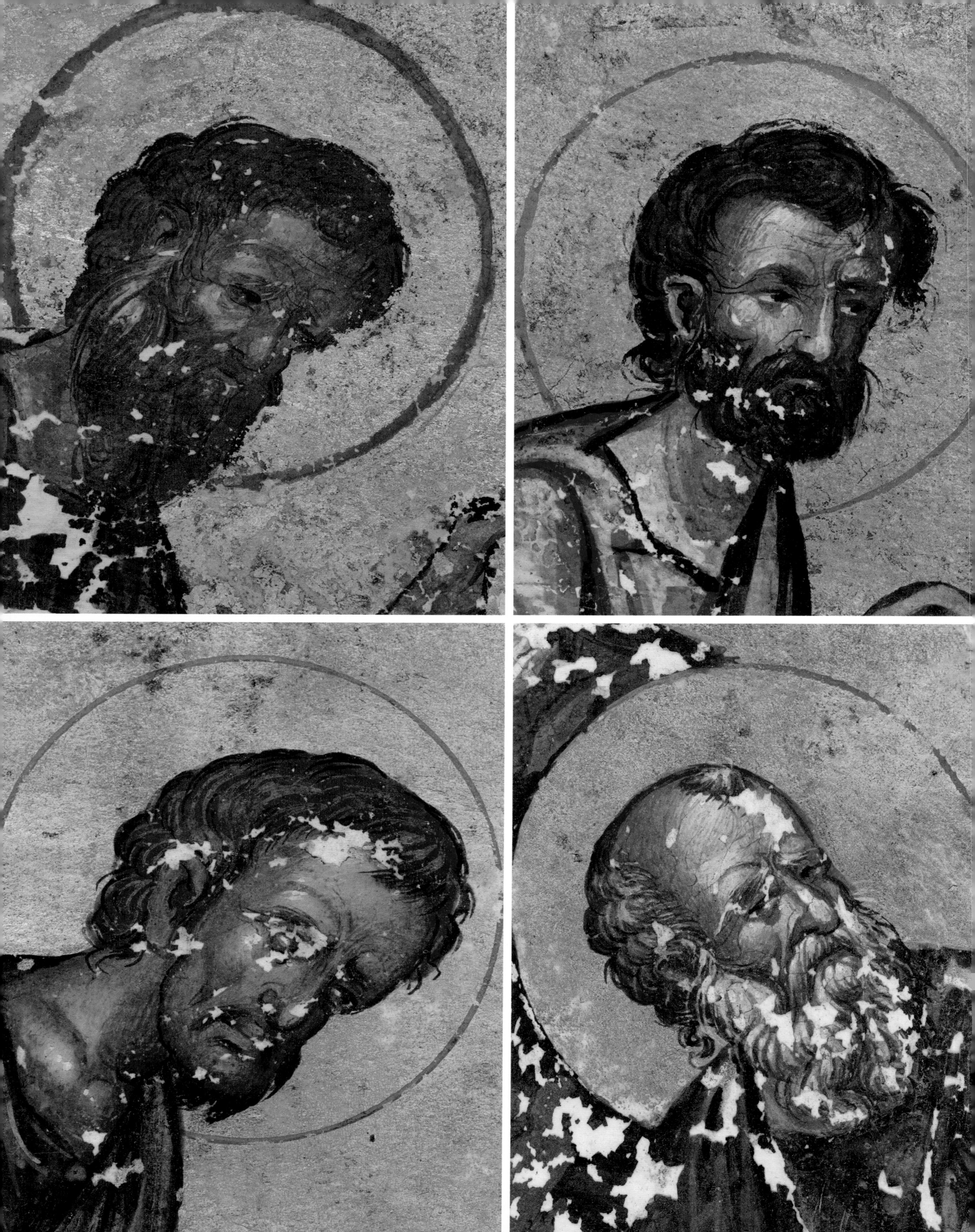

CI-CONTRE

24.2 | Têtes des quatre Évangélistes tirées de leurs portraits, au début de leurs Évangiles respectifs, f°s 25v, 93v, 139v, 211v (détails).

texte de Luc qui l'accompagne, et dans lequel une femme dit à Jésus : « Heureuse la mère qui t'a porté en elle, et dont les seins t'ont nourri[3] ! » (XI, 27). Ce passage fait partie de la lecture pendant la fête orthodoxe de la dormition de la Vierge le 15 août qui commémore la mort de la Vierge Marie, mère de Jésus. L'image même s'inspire de récits non bibliques des derniers jours de Marie ; le sujet a souvent été représenté dans d'autres types d'œuvres d'art mais il n'apparaît apparemment que dans un seul autre *tetraevangelion*[4]. Quant à la scène de la Pentecôte dans l'Évangile de saint Jean, elle est fondée sur le récit de la descente du Saint Esprit sur les Apôtres (Actes, II, 1-4). Elle n'est pas inspirée des mots des Évangélistes mais de leur utilisation lors du service du septième dimanche après Pâques, qui commémore la Pentecôte. Enfin, la représentation de l'Ascension à la fin de l'Évangile de saint Marc

À DROITE

24.3 | La Vierge Marie s'endort en compagnie des Apôtres, et son âme est emportée au Paradis par le Christ, Évangile de saint Luc, f° 174.

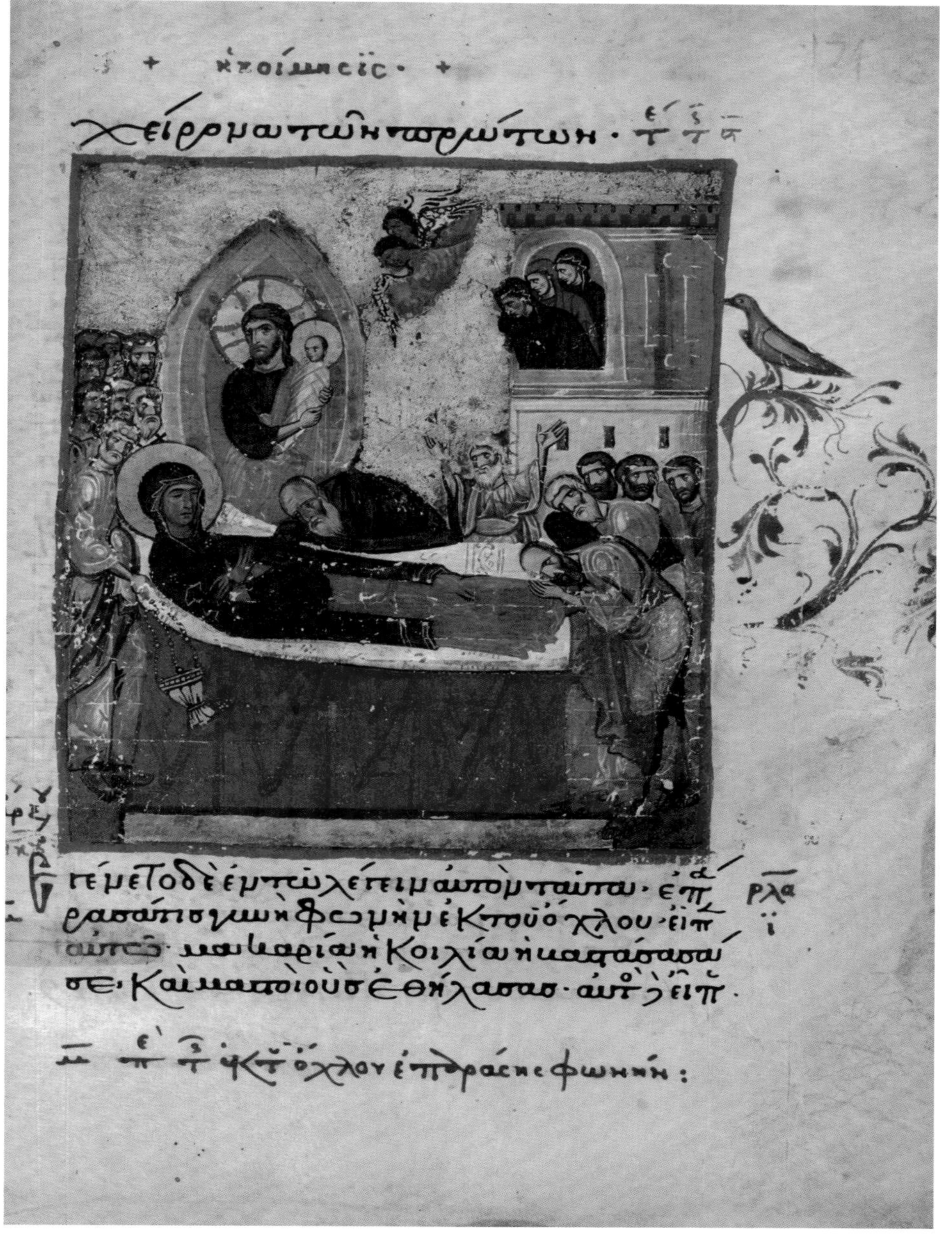

Ὁ μὲν οὖν κ̅σ̅ μετὰ τὸ λαλῆσαι αὐτοῖς
ἀνελήφθη εἰς τὸν οὐρανὸν καὶ ἐκάθι-
σεν ἐν δεξιᾷ τοῦ θ̅υ̅· ἐκεῖνοι δὲ ἐξελ

24.4 | **Le Christ monte au Ciel devant les Apôtres et la Vierge, fin de l'Évangile de saint Luc, f° 135v (détail).**

(ill. 24.4) illustre les événement du texte qui l'accompagne mais elle est avant tout conçue pour procurer au lecteur l'icône appropriée à contempler en ce jour du calendrier chrétien destiné à célébrer l'Ascension du Christ.

Des recherches récentes ont permis d'éclairer le contexte dans lequel ce manuscrit et ses enluminures ont été produits. Le volume appartient à un ensemble de manuscrits similaires, principalement des *tetraevangelia*, qui ont probablement tous été créés en périphérie de l'empire byzantin, soit en Palestine soit à Chypre. Les images intégrées y occupent, comme ici, une place proéminente, leur taille étant importante comparée au texte qu'elles accompagnent. Une étude détaillée de ce *tetraevangelion* suggère que ses enluminures figuratives étaient l'œuvre d'une équipe de deux ou trois artistes travaillant en étroite collaboration. Les images associées aux fêtes les plus importantes sont non seulement celles qui occupent le plus d'espace mais elles ont aussi été peintes par l'artiste le plus accompli. Pour la dormition de la Vierge ou encore l'Ascension, l'enlumineur a fait preuve d'innovation en conférant une grande puissance émotionnelle à ses personnages, contrairement à ses collaborateurs qui ont en grande partie négligé les détails anecdotiques et suivi aveuglément les modèles traditionnels.

Équipé des outils nécessaires au lecteur que sont les tables de concordance, les *capitula*, les numéros de section et les préfaces[5], ainsi que d'enluminures figuratives, ce manuscrit semble avoir servi son propos pendant plusieurs siècles au service de la dévotion orthodoxe. Afin de prolonger son utilité et de renforcer son attrait, des artistes ont plus tard – probablement au XIIIe ou au XIVe siècle – ajouté des représentations d'animaux, d'oiseaux et de plantes dans les marges. On peut l'observer par exemple en ouverture de l'Évangile de saint Luc et à droite de la dormition (ill. 24.1 et 24.3). Plus tard encore, sans doute au XVIe siècle, un autre artiste a retouché et parfois repeint de grandes parties des enluminures figuratives, vraisemblablement pour remplir certaines zones dans lesquelles les pigments avaient disparu ou étaient extrêmement endommagés.

NOTES

1 Voir par exemple les Évangiles d'Echternach Harley, n° 12.

2 Voir les Évangiles du Tsar Ivan Alexandre, n° 35.

3 Pour une illustration de cet épisode, voir le quatrième Évangéliaire de la Sainte-Chapelle, ill. 29.4. Pour la dormition de la Vierge, voir le Psautier de Winchester, ill. 20.4.

4 Yota, *op. cit.*, p. 126.

5 Sur les tables canoniques et les numéros de section, voir les Tables canoniques dorées, n° 1 ; sur les *capitula*, voir le Nouveau Testament Guest-Coutts, n° 9.

BIBLIOGRAPHIE

Annmarie W. Carr, *Byzantine Illumination, 1150-1250: The Study of a Provincial Tradition*, Chicago, 1987, p. 50-69, 251-252.

David Buckton (dir.), *Byzantium: Treasures of Byzantine Art and Culture from British Collections*, Londres, 1994, n° 194.

Elisabeth Yota, « le Tétraévangile Harley 1810 de la British Library : contribution à l'étude de l'illustration des tétraévangiles du Xe au XIIIe siècles », thèse de doctorat non publiée, université de Fribourg, 2001, <http://doc.rero.ch/record/7810/>, consultée le 20 avril 2015.

25

UN ÉVENGÉLIAIRE SYRIAQUE

Une mise en images syrienne des Évangiles

Évangéliaire, en syriaque. Mossoul, entre 1216 et 1220.

- 470 × 395 mm
- 264 f^os
- Additional 7170

Pendant les premiers siècles d'existence de l'Église, la chrétienté contrôlait d'une main de fer la région qui englobe aujourd'hui le nord de la Syrie et l'Irak. Ses nouveaux adeptes compilèrent alors une des premières versions vernaculaires de la Bible : elle était en syriaque, une langue araméenne largement diffusée dans cette région. La plupart des premiers copistes en syriaque n'incluaient aucune ornementation importante dans leurs copies des Écritures mais certains manuscrits plus tardifs sont inspirés des traditions byzantine et arabe dans leurs enrichissements des textes bibliques. Ils reflètent non seulement la toute puissance de l'iconographie byzantine dans l'Église d'Orient mais aussi le syncrétisme de l'art chrétien oriental, qui partageait de nombreuses techniques décoratives avec l'art islamique, en particulier après la conquête arabe de la Syrie au VIIe siècle.

Le présent manuscrit est l'un des exemples les plus admirables de la peinture livresque chrétienne syriaque. Grâce à une courte inscription du copiste nous pouvons considérer qu'il a été créé entre 1216 et 1220. Le volume contient les lectures des Évangiles prescrites par l'Église syriaque orthodoxe lors du service tout au long de l'année. Son grand format et son écriture épaisse confirment le fait que sa place était sur un lutrin[1], alors que ses délicates enluminures suggèrent qu'il était destiné à une institution religieuse ou à une église importante, qui pouvait compter sur des donateurs assez riches pour couvrir les frais d'une telle décoration. C'est un chef de village qui a semble-t-il permis par exemple au monastère de Mar Matta près de Mossoul[2] de produire un autre évangéliaire syriaque, maintenant conservé au Vatican[3]. Bien que le lectionnaire du Vatican, jumeau de celui de la British Library, ait été rédigé par un moine de Mar Matta, des chercheurs ont récemment attribué l'enluminure des deux manuscrits à des artistes laïcs rétribués de Mossoul. Le volume de Londres a été acquis dans cette ville en 1820.

Des quarante-neuf images qui nous sont parvenues parmi celles qui ont été produites pour ce volume[4], les plus grandes illustrent les principales fêtes de l'Église. Occupant chacune environ une demi-

25.1 | Le Christ entre dans Jérusalem sur un âne, accompagné de ses disciples ; certains dans la foule étalent leurs habits sur la route devant lui en signe de bienvenue tandis que d'autres grimpent sur un arbre pour mieux le voir, f° 115 (détail).

25.2 | Les trois femmes rencontrent un ange assis sur la pierre tombale devant le caveau vide de Jésus alors qu'elles apportent de l'huile pour oindre le corps de celui-ci ; sur la droite, le Christ ressuscité apparaît à Marie Madeleine, f° 160 (détail).

page, ce sont des évocations puissantes des principaux événements de la vie du Christ tels qu'ils ont été narrés par les Évangélistes. La lecture pour le Dimanche des Rameaux est par exemple illustrée d'une image très colorée qui montre le Christ entrant dans Jérusalem. Le talent de l'enlumineur pour les motifs décoratifs complexes transparaît dans toute l'image et vient renforcer l'impression d'activité débordante qui s'y déploie (ill. 25.1). En bas à droite, deux personnages agités en sous-vêtements déposent leurs tenues sous les sabots de l'âne du Christ tandis qu'au centre, deux individus similaires grimpent avec précaution sur un arbre. À gauche se trouve un bâtiment à la géométrie complexe et angulaire. Certains personnages se tiennent sur ses marches, d'autres en émergent ou sont perchés sur son toit. Le Christ et ses disciples descendent d'un pas décidé en diagonale vers Jérusalem le long

25.3 | Tandis que le Christ dîne dans la maison de Simon le Pharisien, une femme oint ses pieds avec de l'onguent précieux et les essuie avec ses cheveux, f° 106 (détail).

d'un chemin jaune tout en ondulations. Des oiseaux tournent en cercle au-dessus d'eux et des mains sont levées en signe de bienvenue.
Les couleurs, les formes et la composition même de l'image contribuent à sa richesse. Pour Pâques, l'enlumineur a créé une image offrant au contraire une impression de calme et de mystère. Il a fait fusionner deux épisodes en un : trois femmes rencontrent un ange vêtu de blanc devant la tombe vide, et l'une d'entre elles se tourne et découvre le Christ ressuscité (ill. 25.2). Contrairement à l'entrée dans Jérusalem, les figures, la végétation et l'architecture – comme figées – sont placées sur le même plan. Dans les deux illustrations, alors que les personnages et les fonds dorés relèvent de la tradition artistique chrétienne, les éléments décoratifs tels que la bordure supérieure et les arbres stylisés renvoient à des formes stylistiques islamiques.

25.4 | **Sous la direction de la main de Dieu, saint Jean (en haut) et saint Luc (en bas) écrivent les premiers mots de leurs Évangiles, f° 6 (détail).**

Outre ces grandes représentations des fêtes, de plus petites miniatures qui ne dépassent pas la largeur d'une colonne de texte illustrent de nombreux miracles du Christ ainsi que des fêtes mineures. Pour le sixième dimanche du Carême l'artiste a représenté « Notre Sauveur Jésus dans la maison de Simon le Pharisien, quand il a pardonné ses péchés à la femme pécheresse », comme le dit la légende en syriaque (ill. 25.3). Ici, le centre de l'attention semble être la table magnifiquement drapée avec les invités assis autour d'elle. Néanmoins, si l'on suit le regard de tous les convives, le nôtre se dirige tout d'abord vers le Christ puis vers une femme qu'il désigne de sa main droite : celle-ci essuie les pieds de Jésus avec ses cheveux comme le rapporte Luc (VII, 36-50). À la droite de cette femme, se confondant presque avec le motif de la nappe, se trouve la petite flasque de myrrhe avec laquelle elle a oint les pieds du Christ. Elle-même porte une auréole, ce qui symbolise le fait qu'elle a été pardonnée par le Christ et apporte un éclairage au texte de saint Luc, identifiant la femme sans nom à Marie Madeleine.

Les deux pages enluminées vers le début du livre, qui chacune représente deux Évangélistes (l'ill. 25.4 est l'une des deux), sont sans doute les plus fascinantes de l'ouvrage. Bien que leur sujet soit inspiré de l'imagerie populaire à la fois occidentale et orientale des Évangiles et qu'elles contiennent des fleurs de lys occidentales, leur style est sans conteste arabe. Outre le fait qu'on y découvre des formes décoratives répétitives qui rappellent l'art islamique de l'époque, l'enlumineur représente les auteurs des Évangiles au travail dans des environnements explicitement arabes. Seule la main de Dieu, les auréoles et les légendes en syriaque les identifient comme étant des Évangélistes.

NOTES

1 À comparer avec les bibles romanes pour lutrins : celles de Stavelot, Worms, Floreffe et Arnstein (n°s 16, 21, 22 et 23).

2 Smine, « Reconciling Ornament ».

3 Cité du Vatican, BAV, ms Vat. syr. 559. Les deux manuscrits sont presque identiques dans la thématique de leurs illustrations.

4 Additional 7170 ne comporte que 48 images ; la 49e se trouve à la Cadbury Research Library de l'université de Birmingham (Mingana ms Syr. 590).

BIBLIOGRAPHIE

Jules Leroy, *Les Manuscrits syriaques à peintures conservés dans les bibliothèques d'Europe et d'Orient : contribution à l'étude de l'iconographie des églises de langue syriaque*, 2 vol., Paris, 1964, I, p. 302-313.

Helen C. Evans et William D. Wixom, *The Glory of Byzantium: Art and Culture of the Middle Byzantine Era, a.d. 843-1261*, New York, 1997, n° 254.

Bas Snelders, *Identity and Christian-Muslim Interaction: Medieval Art of the Syrian Orthodox from the Mosul Area*, Louvain, 2010, p. 151-213.

Rima Smine, « Reconciling Ornament: Codicology and Colophon in Syriac Lectionaries British Library Add. 7170 and Vatican Syr. 559 », *Journal of the Canadian Society for Syriac Studies*, 13, 2013, p. 77-87.

Rima Smine, *The Illuminations of Syriac Lectionaries* (à paraître).

26

LA BIBLE MORALISÉE HARLEY

Une bible à l'usage de la royauté

Sous le règne de Louis VIII (1223-1226), de son épouse Blanche de Castille (morte en 1252) et de leur fils Louis IX (1226-1270), futur Saint Louis, Paris était le centre artistique de l'Europe. Parmi les créations les plus spectaculaires de l'époque se trouvent quatre bibles moralisées destinées aux membres de la famille royale et à leurs proches. Chacune contient des milliers d'images somptueusement peintes et ornées de dorures conçues pour « créer une impression de magnificence ultime[1] ». Les scènes bibliques sont « moralisées » par le biais de médaillons illustrés et de textes. Les médaillons vont par paire, l'un au-dessus de l'autre : le premier illustre un passage biblique et, le second, son interprétation symbolique ou théologique. À gauche des images se trouvent respectivement un court extrait de la Bible et une leçon explicative.

Deux des manuscrits contiennent une image d'un roi et d'une reine, ou d'un roi seul, ainsi que celle d'un artiste travaillant sur un livre avec des médaillons pareils à ceux des bibles moralisées. On pense que ces livres, désormais conservés à Vienne, étaient destinés à l'usage de Blanche et de Louis VIII (l'un est en français, l'autre traduit en latin depuis le français)[2]. Les deux autres manuscrits sont des projets plus ambitieux mais aucun n'est conservé dans son intégralité en un seul lieu : l'un se répartit entre Oxford, Paris et Londres (Harley Collection, British Library), et son jumeau principalement à Tolède, avec une petite partie à New York[3]. Ils ont sans doute été commandés par Blanche pour être offerts à son fils Louis IX et à son épouse Marguerite de Provence (1221-1295) lors de leurs noces en 1234. Le manuscrit Harley contient le livre des Maccabées et le Nouveau Testament – à lui seul illustré de plus de 1 600 images –, maintenant séparés en deux volumes.

Ces bibles moralisées sont des créations tentaculaires à la fois en termes de temps et de coût. Il semble en effet qu'elles aient été créées les unes à la suite des autres, sur une période de dix ans (entre 1225 et 1235), dans un atelier parisien. Chaque page illustrée comporte huit médaillons et fait face à une page répondant à la même composition,

Bible moralisée (livres des Macabées et Nouveau Testament), en latin. Paris, deuxième quart du XIIIe siècle.

- 400 × 275 mm
- 31 f^os^ (Harley 1526), 153 f^os^ (Harley 1527)
- Harley MS 1526, 1527

26.1 | Christ en Majesté accompagné des quatre créatures vivantes (Apocalypse, IV, 6-7), avec (en dessous) sa moralisation montrant les Évangélistes et leurs symboles, Harley 1527, f° 120v (détail).

DOUBLE PAGE SUIVANTE

26.2-26.3 | Double page d'ouverture avec seize médaillons : huit scènes bibliques suivies chacune, en dessous, de leur moralisation illustrée, chaque image étant accompagnée d'un passage biblique ou d'un commentaire (Apocalypse, IV, 6-V, 8), Harley 1527, f°s 120v-121.

Et in circuitu sedis quattuor animalia plena oculis ante et retro. Et animal primum simile leoni, et secundum animal simile vitulo, et tertium animal habens faciem quasi hominis, et quartum animal simile aquile volanti.

Per quattuor animalia significantur quattuor evangeliste. Per leonem Marcus qui loquitur de resurrectione Christi. Per vitulum Lucas qui loquitur de passione. Per hominem Matheus qui loquitur de humanitate ...

die a...
centu...
sanctus d...
omp...
qui e...
turu...

H...
bant...
re sanct...
quod m...
cent...
uan...
nent...
in om...
bus su...
raten...
dare...
fictis...
sancte...

Et in circuitu sedis quatuor animalia plena oculis ante et retro. Et animal primum simile leoni. et secundum animal simile vitulo. et tertium animal habens faciem quasi hominis. Et quartum animal simile aquile volanti.

Per quatuor animalia significantur quatuor evangeliste. per leonem marcus qui loquitur de resurrectione christi. per vitulum lucas qui loquitur de passione. per hominem matheus qui loquitur de humanitate. per aquilam iohannes qui loquitur de divinitate.

Et cum darent illa quatuor animalia gloriam et honorem et benedictionem sedenti super thronum viventi in secula seculorum procidebant xxiiii seniores ante sedentem in throno et adorabant mittentes coronas ante thronum dei.

Hoc quod procidebant ante thronum significat sanctos homines se humiliantes et de die iudicii cogitantes et victoriam quam habent de diablo non sibi sed domino attribuentes:

Et requiem non habebant die ac nocte dicentia. Sanctus sanctus sanctus dominus deus omnipotens qui erat et qui est et qui venturus est.

Hoc quod non cessabant clamare sanctus sanctus sanctus significat quod illi qui docent fidem evangelii et tenent debent in omnibus operibus suis trinitatem amendare et a sacrificiis legis moysaice abstinere.

Et vidit iohannes in dextera sedentis super thronum librum scriptum intus et foris signatum vii sigillis et vidit angelum fortem predicantem voce magna. Quis est dignus aperire librum et solvere signacula eius. Et nemo poterat in celo neque in terra neque subtus terram aperire librum.

Per angelum fortem significantur antiqui patres qui maximum desiderium habebant de adventu salvatoris. Nemo enim poterat aperire librum. neque in celo .i. angeli. neque in terra .i. homines. neque subtus terram .i. anime a corporibus separate.

tyrannorum 7 contra inferiores que ab hereticis inferuntur.

cum acceptus

Et uidit iohs in medio throni ⁊ ·iiii· animaliu͞ ⁊ in medio senioꝝ agnu͞ stante͞ quasi occisu͞: habentem cornua ·vii· ⁊ oculos ·vii· q͠ sunt sps dei.

Hoc qd agnꝰ stetit tanqua͞ occisus sig͠cat q͠ xpc passus e͞ in humanitate · deitate integra remane͞te · Septem cornua ⁊ ·vii· ocli qui sunt septe͞ sps sig͠cant · vii gras qua͞ habebat xpc et quas dat suis cont͠ temptationes que ueniunt ab anti per tributiones

accep
nu
thro
sign

⁊ d
sci
pr
ten
deli

26.4 | **Celui qui était assis sur le trône, tenant le Livre des sept sceaux (Apocalypse, V, 1-6), avec (en dessous) sa moralisation montrant la Crucifixion, Harley 1527, f° 121 (détail).**

de telle sorte que le lecteur se trouve en présence de seize images sur chaque ouverture illustrée (ill. 26.2-26.3). Qui plus est, contrairement à la tradition, les images ont été dessinées avant que les extraits bibliques ou légendes explicatives n'aient été ajoutés. Dans ces quatre exemplaires, le dos de chaque page illustrée a été laissé vide. Dans les manuscrits conservés à Londres et à Tolède on peut apercevoir sur le verso des lignes résultant d'un traçage appuyé sur le recto, ce qui confirme que ces deux sections ont été créées ensemble sur le même modèle[4].

La complexité impressionnante des images ainsi que des leçons et des textes suggère que les destinataires royaux de ces bibles moralisées les regardaient et les lisaient en compagnie de prêtres ou de chapelains personnels. Quelques images et couplages d'images sont assez faciles à interpréter. Par exemple, le Christ en Majesté, assis sur un trône, un livre fermé à la main et entouré des quatre créatures vivantes (illustration de l'Apocalypse, IV, 6-7), se trouve au-dessus d'une image des quatre Évangélistes écrivant sur des parchemins à leurs bureaux, accompagnés de leurs symboles (ill. 26.1). La leçon moralisatrice stipule seulement que « les quatre bêtes symbolisent les quatre Évangélistes » *(Per q[ua]tuor animalia signicantur q[ua]tuor evangeliste)*. Mais la plupart des commentaires symboliques ou typologiques, qu'ils soient visuels ou textuels, sont plus difficiles à comprendre. Notamment, sur la page ci-contre (ill. 26.4), l'image de « Celui assis sur le trône », en blanc, tenant le Livre des sept sceaux et entouré des Aînés et des quatre créatures vivantes, contraste avec le passage biblique qui décrit comment saint Jean a vu « un Agneau debout, comme égorgé ; ses cornes étaient au nombre de sept, ainsi que ses yeux » (Apocalypse, V, 6). Dessous, l'image de la Crucifixion montre le Christ en agneau, avec le commentaire suivant : *Hoc q[uo]d agn[us] stetit tamqua[m]occisus sig[ni] cat q[uod] Xρc [Christus] passus e[st] in huma[n]itate* (« Ici l'agneau se tenant comme immolé signifie que le Christ a souffert en prenant forme humaine »). Ces allégories complexes étant extrêmement nombreuses, la tâche qui consistait à toutes les interpréter devait être immense, ce qui explique sans doute en partie que ces bibles illustrées des plus élaborées aient été produites en petit nombre.

NOTES

1 Lowden, *The Making of the Bibles moralisées*, p. 140.

2 Vienne, NB, Cod. 1179 et 2554.

3 Oxford, Bodleian Library, ms Bodley 270b ; Paris, BnF, ms lat. 11560 ; Tolède, Tesoro del Catedral ; New York, Morgan Library, ms M.240.

4 Lowden, *op. cit.*, I, p. 119-121, 167-180.

BIBLIOGRAPHIE

Nigel Morgan, *Early Gothic Manuscripts*, vol. 4, *A Survey of Manuscripts Illuminated in the British Isles*, Londres, 1982-1988, II : *1250-1285*, 1988, p. 138.

John Lowden, *The Making of the Bibles moralisées*, vol. 1, *The Manuscripts*, University Park (PA), 2000, p. 139-187.

John Lowden, « The Apocalypse in the Early-Thirteenth-Century Bibles moralisées: A Re-Assessment », *in* Nigel Morgan (dir.), *Prophecy, Apocalypse and the Day of Doom, Proceedings of the 2000 Harlaxton Symposium*, Harlaxton Medieval Studies, 12, Donington, 2004, p. 195-217 (p. 198, 207-212, 216, pl. 20, 26-28, 31).

27

UNE APOCALYPSE

Une Apocalypse illustrée anglaise

Apocalypse (partielle), avec extraits du commentaire de Berengaudus, en latin. Londres ou Westminster, vers 1260.

- 290 × 220 mm
- 38 f^os
- Additional 35166

Le dernier livre de la Bible, le Livre de l'Apocalypse, est l'un des derniers textes à avoir été intégrés au canon biblique de l'Église occidentale, et son statut a longtemps été incertain dans la chrétienté orientale. C'est un livre prophétique – « apocalypse » vient du verbe grec ποκαλύπτω signifiant révéler – mettant en scène des événements eschatologiques que Dieu a « fait connaître à son serviteur saint Jean par l'envoi de son ange » (Apocalypse, I, 1). Dans l'occident latin, il était, après le Livre des Psaumes, le texte le plus illustré et distribué en un seul volume[1]. Environ vingt-cinq manuscrits de l'Apocalypse ont été créés en Espagne entre le IXe et le XIIe siècle[2] mais l'Angleterre et la France en produisirent davantage : plus de quatre-vingt, dont vingt-deux (parmi lesquels celui qui nous intéresse ici) datent de la seconde moitié du XIIIe siècle[3]. Les représentations saisissantes des derniers temps qui illustrent ces ouvrages sont parmi les peintures figuratives les plus puissantes et évocatrices du Moyen Âge qui nous soient parvenues. Et celles qui furent créées en Angleterre font partie des plus splendides de toutes les illustrations bibliques anglaises[4].

L'ouvrage de la British Library est un des manuscrits du XIIIe siècle appartenant au groupe d'Apocalypses dit « de Westminster », en raison de leur ressemblance stylistique avec l'art produit au palais et à l'abbaye de cette ville sous le règne de Henri III (1207-1272), et parfois appelé « style de cour ». Le premier propriétaire du manuscrit ne nous est pas connu mais la qualité des dessins, peintures et aplats délicats de couleurs est telle qu'il devait sans doute être aristocrate. L'artiste a insufflé aux personnages une impression de mouvement et d'immédiateté. Par exemple, il représente le premier cavalier de l'Apocalypse sous les traits d'un conquérant élégant et royal juché sur un cheval au galop et tirant une flèche qui atteint le cadre de l'image (Apocalypse, VI, 2, ill. 27.3). De cette façon, l'illustration donne vie au texte biblique écrit en dessous : « et voici un cheval blanc ; celui qui le montait tenait un arc, une couronne lui fut donnée, et il sortit vainqueur, pour vaincre à nouveau » *(et ecce*

27.1 | **La grande prostituée assise sur la bête (Apocalypse, XVII, 1-7), f° 20 (détail).**

DOUBLE PAGE SUIVANTE

27.2-27.3 | **Anges et vieillards vénérant l'agneau qui prend le Livre des sept sceaux des mains du Christ en Majesté entouré des symboles des quatre Évangélistes (Apocalypse, V, 5-14) ; et (en face) le premier sceau du cavalier sur un cheval blanc (Apocalypse, VI, 2), f°s 6v-7.**

Et abstulit in desertum in spiritu. et vidi mulierem sedentem super bestiam coccineam plenam nominibus blasphemie. habentem capita vii. et cornua decem. Et mulier erat circumdata purpura et cocco. et inaurata auro et lapide precioso et margaritis habens poculum aureum in manu sua plenum abhominatione. et inmunditia fornicationis eius. nomen scriptum misterium. Babilon magna mater fornicationum. et abhominationum terre.

Per desertum omnis impiorum multitudo designatur. eo quod ipsi deseruerunt dominum et ideo derelicti sunt ab eo. In desertum quidem mulier meretrix inventa est quia multitudine impiorum civitas

Diabolus itaque sanguineus est quia auctor est mortis omnium perditorum. Que bestia plena nominibus blasphemie esse dicitur eo quod ipse diabolus auctor sit omnium blasphemiarum. Quid sint autem capita vii. et cornua x. angelus in sequentibus exponit. Et mulier erat circumdata purpura et cetera. Purpura sanguine tingitur. Coccus vero sanguinis habet colorem. Suntque vestimenta regalia. per que potestas secularis designatur. Purpura quidem et coccus sanguinis speciem habet quia potestas secularis mortifera est et periculum sempiternum affert hiis qui eam amplius quam celestem gloriam amplectuntur. Possumus et per vestimenta sanguinea opera impiorum intelligere per que morte perpetua dampnabuntur. Quodque sequitur. Et inaurata auro. Per aurum sepe sapientia designatur. Mulier quidem inaurata erat

Et uenit. et accepit librum de dextera sedentis super thronum. Et cum aperuisset librum: quatuor animalia et uiginti quatuor seniores ceciderunt coram agno. habentes singuli cytharas et phialas aureas plenas adoramentorum que sunt orationes sanctorum. Et cantabant canticum nouum: dicentes. Dignus es domine deus accipe librum et aperire signacula eius. Quoniam occisus es. et redemisti nos deo in sanguine tuo. ex omni tribu et populo et nacione. Et fecisti nos deo nostro regnum et sacerdotes. et regnabunt super terram. Et uidi: et audiui uocem angelorum multorum in circuitu throni et seniorum et quatuor animalium: et erat numerus eorum milia milium dicencium uoce magna. Dignus est agnus qui occisus est accipe uirtutem et diuinitatem. et sapienciam et fortitudinem. et honorem et gloriam. et benedictionem.

Per thronum et quatuor animalia et seniores: uniuersa ecclesia cum suis doctoribus designantur. Angelum circa thronum. id est ecclesiam cingere uisi sunt: angeli sunt qui ad custodiam ecclesie a deo destinati sunt: sicut paulus apostolus loquitur dicens. Nonne omnes administratorii sunt spiritus in ministerium missi. propter eos qui hereditatem capiunt salutis. Per maximum autem numerum: eorum multitudo innumerabilis designatur.

Et uidi quod aperuisset
agnus unum de septem
signaculis. Audiui unum
ex quatuor animalibus
dicentem: Veni et uide. Et ecce equus
albus et qui sedebat super eum ha
bebat arcum, et data est ei corona:
et exiuit uincens ut uinceret.

Equus albus: iustos qui ante diluui
um fuerunt designat, qui propter inno
cenciam albi dicuntur. Sessor uero equi
dominus est: qui suis sanctis eternaliter
presidet. Per arcum autem qui procul sa
gittas a se mittit et uulnerat: uindic
ta domini potest designari, quia et pri
mos homines propter inobediencie culpam
dampnauit, et eum propter fratricidii
reatum septuplum puniuit. Per coro
nam nichilominus sicut et per equum
album: iusti qui ante diluuium fue
runt designantur. Exiuit uero uin 13
cens ut uinceret: quando statuit ut
per aquas diluuii omnis multi
tudo reproborum deleretur. Fac tibi ar
cham de lignis leuigatis. Mansi
unculas in archa facies, et bitumine
lenies intrinsecus et extrinsecus, et
sic facies eam. Trecentorum cubito
rum erit longitudo arche. Quinqua
ginta cubitorum: latitudo, et trigin
ta cubitorum altitudo illius. Ar
cha ecclesiam. Noe uero fabricator ar
che: Christum fabricatorem ecclesie
figurabat.

6. Et septimus angelus effudit phialam suam in aerem et exivit
vox magna de templo a thro-
no dicens. Factum est. Et facta sunt fulgura
et voces et tonitrua et terre motus factus est
magnus qualis numquam fuit ex quo homines
fuerunt super terram. talis terre motus sic
magnus. Et facta est civitas magna in tres
partes et civitates gentium ceciderunt. Et babilon magna venit in memoriam ante deum dare
ei calicem vini indignationis ire eius. Et omnis insula fugit et montes non sunt inventi. Et
grando magna sicut talentum descendit de celo in
homines et blasphemaverunt deum homines propter
plagam grandinis quoniam magna facta est ve-

Per septimum istum angelum predicatores
sancti qui temporibus antichristi fuerint designantur. Angelus qui phialam suam in aerem effudit.
quia predicatores sancti vanis et impiis hominibus quod
perpetua pena sint dampnandi denuntiabunt. Et exiit vox magna et cetera. Vox magna vox est predicator-
um. Per templum ecclesia intelligitur. A templo quoque
vox exiit. quia ab ecclesia vox sancte predicationis pro-
cedit. Que et a throno exisse dicitur quia ecclesia dei
thronus est dei et in illa sedens requiescit. Quod
autem hec vox dicat subdendo manifestat. Factum
est id est finis mundi instat in quo omnia que
predicta sunt a domino et a sanctis complebuntur.
Per fulgura vero miracula que per sanctos suos
facturus est deus designantur. Legimus namque
in superioribus heliam et enoch plurima signa esse
facturos. Per voces vero predicatio sanctorum. P

27.4 | **Quand la septième coupe est versée dans l'air, un tremblement de terre détruit les villes de la Terre (Apocalypse, XVI, 17-19), f° 19 (détail).**

equus albus et qui sedebat sup[er] eum habebat arcum et data est ei corona et exivit vincens ut vinceret).

Sans doute à cause de la difficulté d'interprétation du langage visionnaire du texte, les Apocalypses illustrées contiennent généralement un commentaire. Celles qui viennent d'Espagne reproduisent celui de Beatus de Liébana tandis que celles créées en Angleterre proposent des extraits d'un autre commentaire, le *Expositio super septem visiones libri Apocalypsis*[5]. L'auteur en est un dénommé Berengaudus, dont l'identité est incertaine mais qui a dû être actif au XIe ou au début du XIIe siècle[6]. Dans l'Apocalypse de la British Library, la distinction entre le texte biblique et le commentaire est immédiatement apparente car le premier est écrit à l'encre noire et le second à l'encre rouge (ill. 27.1-27.4).

Par leur taille et leur importance, les illustrations sont impressionnantes, occupant la moitié supérieure de chaque page. Les images offrent des représentations littérales de certains éléments du texte, comme celle qui représente l'agneau ayant « sept cornes et sept yeux » et acceptant le Livre des sept sceaux (Apocalypse, V, 6-7, ill. 27.2). D'autres relèvent plus de la note ou du commentaire visuel. Par exemple, le personnage qui « siège sur le trône » (Apocalypse, V, 1) est doté d'une auréole cruciforme et d'un globe en « TO » à ses pieds, ce qui l'identifie visuellement aux représentations du Christ en majesté[7]. Dans un manuscrit très similaire conservé à Los Angeles, l'extrait du commentaire pour cette image stipule que « Celui assis sur le trône » est Dieu le Père et que l'agneau est le Christ, « car l'agneau symbolise l'humanité que le Christ a endossée (commentaire de Apocalypse, V, 7-8)[8]. L'Apocalypse de la British Library propose sous l'image une autre partie du commentaire de Berengaudus relative à Apocalypse, V, 11-12, qui explique la signification d'autres figures – principalement les anges qui représentent ceux à qui Dieu a confié le soin de l'Église *(angeli sunt qui ad custodiam ecc[l]e[siae] a deo desinati sunt)* – plutôt que de celle de l'agneau. Les éléments visuels et textuels de ces deux ouvrages constituent ensemble une exégèse complexe et sélective du livre le plus visionnaire du Nouveau Testament.

NOTES

1 Morgan, « Latin and Vernacular Apocalypses », p. 417.

2 Sur ces manuscrits espagnols de l'Apocalypse, voir l'Apocalypse de Silos, n° 15.

3 Lewis, *op. cit*, p. 41.

4 C. M. Kauffmann, *Biblical Imagery in Medieval England, 700-1550*, Londres, 2003, p. 165.

5 Sur Beatus de Liébana, voir l'Apocalypse de Silos, n° 15.

6 Morgan, *Illuminating the End of Time*, p. 10.

7 À comparer avec la Bible de Stavelot, ill. 16.1, et la Bible moralisée Harley, n° 26.

8 Los Angeles, J. Paul Getty Museum, ms Ludwig III 1, PL, 17, 809, traduit *in* Morgan, *Illuminating the End of Time*, p. 41 ; à comparer avec la Bible moralisée Harley, n° 26, illustrant la même page, où Dieu le Père tient un globe similaire et apparaît directement au-dessus de la Crucifixion (ill. 26.4, médaillon du bas).

BIBLIOGRAPHIE

Peter Klein, « Introduction: The Apocalypse in Medieval Art », *in* Richard K. Emmerson et Bernard McGinn (dir.), *The Apocalypse in the Middle Ages*, Ithaca (NY), 1992, p. 159-199 (p. 189-192).

Suzanne Lewis, *Reading Images: Narrative Discourse and Reception in the Thirteenth-Century Illuminated Apocalypse*, Cambridge, 1995.

Nigel Morgan, *Illuminating the End of Time: The Getty Apocalypse Manuscript* (édition facsimilée commentée), Los Angeles, 2012.

Nigel Morgan, « Latin and Vernacular Apocalypses », *in* Richard Marsden et E. Ann Matter (dir.), *The New Cambridge History of the Bible*, vol 2. : *From 600 to 1450*, Cambridge, 2012, p. 404-426.

28

UNE BIBLE DE BOLOGNE

Splendeur italienne

Pendant la seconde moitié du XIIIe siècle, la ville de Bologne devint l'un des plus prolifiques et influents foyers de production de livres raffinés. Plusieurs générations d'enlumineurs y exercèrent leurs talents, fabriquant des centaines de bibles mais aussi de livres présentant la loi (ou Canon) et la liturgie de l'Église. Alors que les ouvrages canoniques reflétaient le statut de Bologne en tant que principal lieu européen d'étude de la loi de l'Église, les bibles devaient leur existence à la présence dans la ville de l'une des plus grandes maisons de l'ordre dominicain en Europe. Fondé par saint Dominique (1170-1221), l'ordre des Prêcheurs a en effet très vite joué un rôle clé dans l'Église pour la promotion de l'érudition et le combat contre l'hérésie. Aux côtés de l'ordre des Franciscains (fondé en 1209), il a exploité dans ce but la bible de poche parisienne, une édition en un volume de la Vulgate latine. Cette bible incluait une nouvelle sélection de textes bibliques et d'outils pour le lecteur, élaborée dans les salles de classe et les librairies parisiennes du premier quart du XIIIe siècle[1]. De telles bibles devinrent un instrument puissant dans les mains des prêcheurs itinérants. À Bologne, lieu du repos final de saint Dominique, l'influence dominante de son ordre conduisit à la production de plus de bibles de ce genre que partout ailleurs en Italie.

La présente bible, très proche des bibles de poche bien que de plus grand format, est représentative du rôle déterminant de Bologne dans la production et la dissémination de la version parisienne de la Vulgate. Comme dans les bibles de poche, les textes de l'Ancien et du Nouveau Testaments sont contenus dans un seul volume et suivent le même ordre révisé, souligné par des titres courants à l'encre alternativement bleue et rouge. Chaque livre de la Bible est précédé d'une préface et divisé en chapitres numérotés, comme les bibles modernes. Souvent attribué au commentateur Stephen Langton (vers 1150-1228), archevêque de Cantorbéry, ce système référentiel atteint sa pleine maturité dans le manuscrit bolognais où chaque chapitre commence à la ligne avec le chiffre romain correspondant tracé à l'encre rouge et bleue sur la ligne

Bible, en latin.
Bologne, vers 1280-1300.

- 385 × 250 mm
- 546 fos (en deux volumes)
- Add MS 18720/1, 18720/2

28.1 | Un dominicain debout et une figure assise lisant un parchemin, au début de la lettre de saint Jérôme à Paulin, fo 2 (détail).

DOUBLE PAGE SUIVANTE (À GAUCHE)
28.2 | Dieu crée le monde et (en bas) Adam et Ève chassés du jardin du Paradis, Caïn et Abel faisant leurs sacrifices à Dieu, Caïn tuant Abel, au début de la Genèse, fo 5 (détail).

DOUBLE PAGE SUIVANTE (À DROITE)
28.3 | La généalogie du Christ, depuis Jessé et (en bas) l'Annonciation, la Nativité et la Présentation, début de l'Évangile de saint Matthieu, fo 410 (détail).

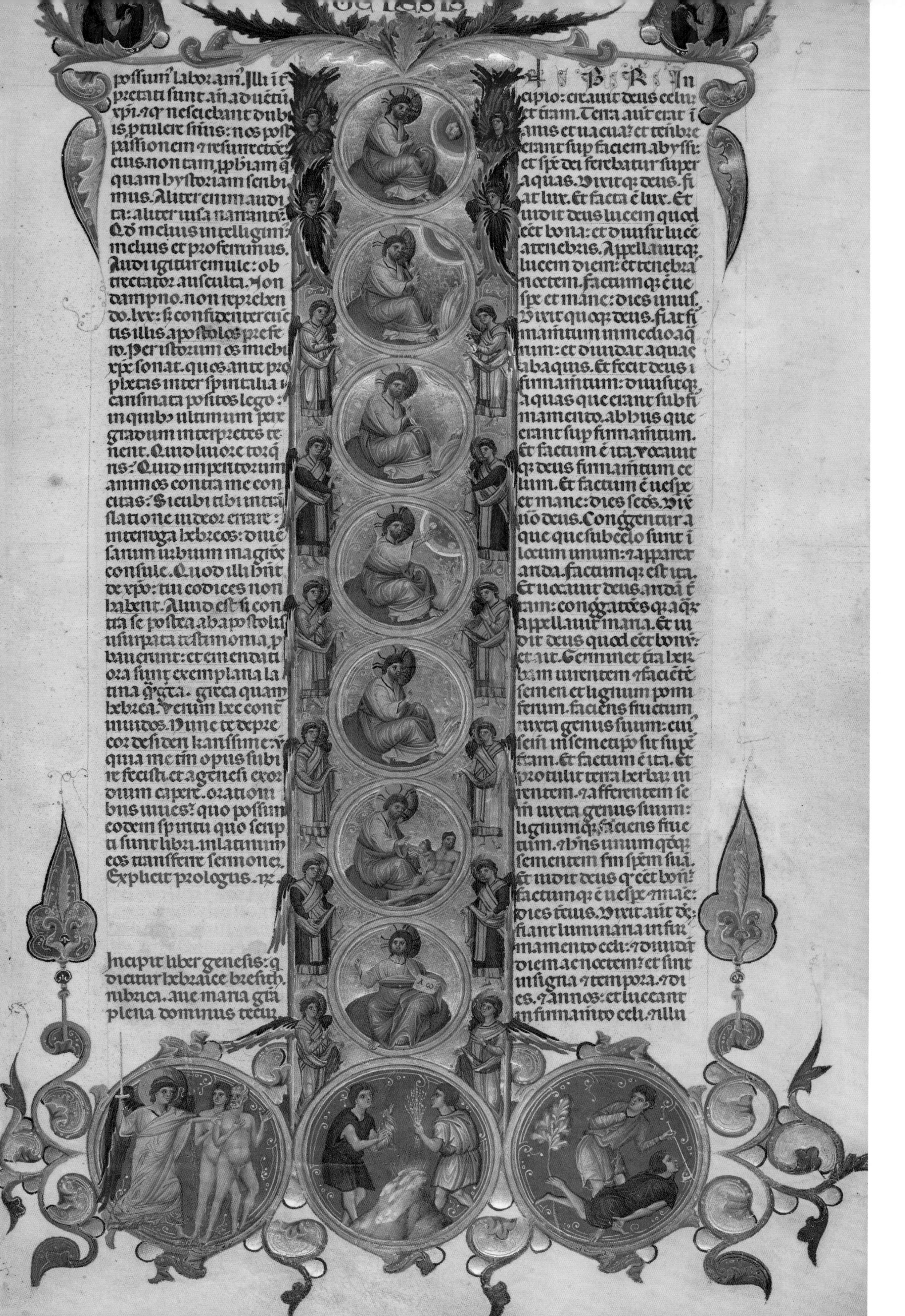

précédente. Les enluminures sont envahies d'images de religieux. Deux dominicains (dont un sur l'ill. 28.1), dans leurs chasubles blanches et capes à capuche noires, se tiennent à la gauche et à la droite de Paulin, évêque de Nole (vers 353-431). Celui-ci était le destinataire de la lettre de saint Jérôme qui recommandait une étude sérieuse de la Bible et qui finit par servir de préface à la Vulgate[2]. Des Franciscains en chasubles brunes apparaissent également en tant que destinataires de plusieurs des Épîtres pauliniennes et catholiques (ill. 28.4).

Mais, par sa taille et ses enluminures somptueuses, ce volume se distingue des bibles de poche de base. Ses créateurs, ainsi que ceux de quelques autres bibles similaires également produites à Bologne vers la fin du XIIIe siècle, s'adressaient à un public prêt à payer le prix fort pour un labeur et un talent bien supérieurs. Ils ont par exemple introduit de façon spectaculaire, au début de l'Ancien et du Nouveau Testaments, une page somptueuse sur laquelle la principale lettrine, « I », se déploie sur toute la hauteur de la page et empiète sur le texte, à droite et à gauche (ill. 28.2-28.3). On y voit un empilement de figures se détacher sur un fond extrêmement brillant créé à la feuille d'or, tandis que des médaillons historiés et habités ornent les marges supérieures et inférieures. Le début de la lettre de saint Jérôme à Paulin est marqué par une décoration végétale luxuriante, plusieurs médaillons habités et une immense lettrine « F » dans laquelle on voit le traducteur au travail[3]. Dans le reste du livre, cent trois lettrines historiées d'une qualité stylistique impressionnante ainsi que des décorations dans les marges magnifiquement exécutées marquent les débuts des préfaces et des livres bibliques. Les lettrines des livres historiques de l'Ancien Testament contiennent des scènes narratives tandis que celles du Livre des Prophètes et des Évangiles se limitent à des portraits fictifs de leurs auteurs, celles des Épîtres illustrant à la fois leurs auteurs et leurs destinataires (ill. 28.4).

Le style de ces enluminures figuratives est éclectique puisqu'il est inspiré à la fois de l'art italien et de l'art byzantin. Les nombreux anges accompagnant les jours de la création sont par exemple vêtus de costumes de cour byzantins (ill. 28.2). Les hommes accroupis lisant des parchemins disposés sur leurs genoux font quant à eux référence à des traditions encore plus anciennes (ill. 28.1). Il se peut que les enlumineurs – comme d'autres artistes bolognais de l'époque – aient dessiné certains de ces éléments directement sur des œuvres récemment créées par des artistes byzantins.

28.4 | Saint Paul confie un parchemin à un religieux dans l'initiale de sa lettre à Philémon (en haut à gauche) ; avec une épée en main, il instruit deux figures qui se tiennent dans l'initiale de sa lettre aux Hébreux (en bas à droite), f° 481 (détail).

BIBLIOGRAPHIE

Alessandro Conti, *La miniatura Bolognese: scuole e botteghe, 1270-1340*, Bologne, 1981, p. 45-47.

Larry Ayres, « Bibbie italiane e bibbie francesi: il XIII secolo », *in* Valentino Pace et Martina Bagnoli (dir.), *Il Gotico europeo in Italia*, Naples, 1994, p. 361-374 (p. 370-371).

Massimo Medica et Stefano Tumidei (dir.), *Duecento: forme e colori del Medioevo a Bologna*, Venise, 2000, n° 114.

NOTES

1 Les textes de la Bible parisienne étaient disposés dans un ordre très différent de celui de manuscrits antérieurs et de la Bible hébraïque mais très proche de celui des bibles modernes. Pour l'ordre des textes de la Bible parisienne, voir Christopher de Hamel, *The Book: A History of the Bible*, Londres, 2001, p. 120-122.

2 Sur cette lettre, voir la Bible de Worms, n° 21.

3 À comparer avec la Bible de Worms, ill. 21.1.

adiutor te roma de carcere. per supra
scriptum onesimum. Explicit
argumentum. Incipit epistola ad file
monem.
Paulus vin
ctus ihesu christi
et timothe
us frater.
philemoni
dilecto et
adiutori
nostro. et appi
e sorori ka
rissime. et ar
chippo com
militoni
nostro. et ecclesie que in domo tu
a est: gratia vobis et pax a deo patre
nostro et domino ihesu christo. Gratias
ago deo meo semper. memo
riam tui faciens in orationibus
meis. audiens karitatem tu
am et fidem quam habes in do
mino ihesu. et in omnes sanctos: ut
communicatio fidei tue evidens
fiat in agnitione omnis boni
in christo ihesu. Gaudium enim
magnum habui. et consolationem
in caritate tua: quia viscera
sanctorum requieverunt per te fra
ter. Propter quod multam fidu
ciam habens in christo ihesu impe
randi tibi. quod ad rem pertinet: propter
karitatem magis obsecro.
cum sis talis ut paulus se
nex. nunc autem et vinctus christi
ihesu. Obsecro te pro meo filio
quem genui in vinculis one
simo. qui tibi aliquando inuti
lis fuit nunc autem et tibi
et michi utilis: quem remi
si tibi. Tu autem illum ut
mea viscera suscipe. Quem
ego volueram mecum deti
nere: ut pro te michi ministra
ret in vinculis evangelii. Si
ne consilio autem tuo ni
hil volui facere: uti ne ve
lut ex necessitate bonum tu

autem aliquid nocuit tibi aut debet:
hoc michi imputa. Ego paulus scrip
si mea manu. ego reddam: ut non di
cam tibi. quod et te ipsum michi debes. I
ta frater: ego te fruar in domino: refice
viscera mea in christo. Confidens in obe
dientia tua scripsi tibi: sciens quoniam et
super id quod dico facies. Simul autem et
para michi hospitium. Nam spero per
orationes vestras donari me vobis. Salu
tat te epaphras concaptivus meus in christo
ihesu: marcus. aristarcus. demas et lu
cas. adiutores mei. Gratia domi
ni nostri ihesu christi. cum spiritu vestro: amen. Ex
plicit epistola ad filemonem.
Incipit prologus in epistolam ad he
In primis dicendum est bre
cur apostolus paulus in hac os.
epistola scribendo non servaverit
morem suum: ut vel vocabu
lum nominis sui. vel ordinis
describeret dignitatem. Hec cau
sa est quod ad eos scribens qui ex ci
rcumcisione crediderant. qua
si gentium apostolus et non hebre
orum: sciens quoque eorum
superbiam suamque humilitatem
ipse demonstrans: meritum
officii sui noluit anteferre. Na
simili modo: etiam iohannes apostolus propter
humilitatem in epistola sua n
omen suum eadem ratione non pre
tulit. Hanc ergo epistolam fertur
apostolus ad hebreos conscriptam hebraica
lingua misisse: cuius sensum et ordi
nem retinens lucas evangelista. post
excessum beati apostoli pauli greco sermone com
posuit. Explicit prologus. Incipit
epistola ad
hebreos.

Multipharia
multisque o
modis olim
deus loquens
patribus in pro
phetis: novis
sime diebus
istis locuti

29

LE QUATRIÈME ÉVANGÉLIAIRE DE LA SAINTE-CHAPELLE

Illustrer les Évangiles dans le Paris médiéval

Évangéliaire, en latin. Paris, dernier quart du XIIIe siècle.

- 310 × 200 mm
- 173 f[os]
- Additional 17341

Au XIIIe siècle, Paris devint l'un des plus importants centres urbains d'Europe. Sous le règne de Louis IX (1226-1270), la ville gagna en taille, richesse et influence[1]. La présence de la cour royale, de son administration en pleine expansion, d'un évêché puissant et d'une université florissante a sans nul doute encouragé et soutenu une scène commerciale livresque dynamique. Citons les riches libraires de la rue Neuve-Notre-Dame, les copistes et fabricants de parchemins de la rue des Écrivains et les enlumineurs de la rue Érembourg-de-Brie qui tous contribuèrent à faire de Paris le premier centre de production de livres et créèrent certains des plus beaux manuscrits enluminés d'Europe.

Vers la fin du XIIIe siècle, les enlumineurs parisiens créèrent un remarquable ensemble d'images pour ce somptueux évangéliaire. Peintes à l'intérieur de 262 initiales, elles marquent le début des lectures prescrites lors des jours de fête célébrés alors par l'Église à Paris. Certaines n'illustrent qu'une scène et sont contenues dans la boucle d'une lettre, comme saint Jean Baptiste baptisant (ill. 29.1). Mais on trouve la plupart dans les initiales « I » de *In illo Tempore* (« À cette époque »), premiers mots des textes chantés ou lus à la messe. Ces véritables « lettrines à étages », courant souvent sur toute la hauteur de la page, contiennent plusieurs scènes distinctes disposées de haut en bas. Chaque feuille de parchemin contient au moins une lettrine, et certaines en comptent deux.

Outre la Nativité et la Passion du Christ, les initiales illustrent des épisodes et des histoires tirés des Évangiles, dont des miracles et paraboles du Christ peu représentés auparavant (ill. 29.2-29.4). Si la plupart des lettrines contiennent des épisodes des lectures qui suivent, quelques-unes incluent des images plus éloignées du texte. La lecture pour la Vigile de l'Assomption de la Vierge (le 14 août), par exemple, relate la visite du Christ à la maison de Marthe et Marie (Luc, X, 38-42). La partie supérieure de la lettrine illustre ce passage mais la partie inférieure nous mène plus loin dans le récit quand, selon saint Matthieu, Marie est l'une des deux femmes qui rencontrent Jésus après sa résurrection (Matthieu,

29.1 | Saint Jean Baptiste vêtu de son simple manteau en poils de chameau parle avec le Christ (Matthieu, III, 13-15) et baptise des hommes dans le Jourdain (Marc, I, 6-8), f° 3 (détail).

...am prope est regnum
dei. Amen dico uobis:
quia non preteribit ge
neratio hec. donec o[mni]
a fiant. Celum et terra
transibunt:
uerba autem
mea: non
transient.
Fer. iiij. s[ecundum]
Mathm.
In illo T[empore]:
Dixit
ihs turbis
et discipu
lis suis. A
men dico
uobis: n[on]
surrexit i
ter natos

...baptiste usque nunc reg
num celorum uim pati
tur. et uiolenti rapi
unt illud. Omnes e
nim prophete et lex: usque
ad iohannem prophetauerunt.
Et si uultis recipere io
hannes ipse est hely
as qui uenturus est.
Qui habet aures audi
endi audiat. Fer. vj.
Initium sancti ewangelij s[ecundum]
marcum.
P
rinci
pium
euuan
gelij
ihu xpisti fi
lij dei: sicut
scriptum est

de ihu. Dnica xxvij.
S. iohem.
In illo tempore:
Cum
sublevas
set oculos
ihc et vi
disset quia
multitu
do maxi
ma ve
nit ad
eum: di
cit ad phi
lippum.
Unde e
memus
panes ut
mandu
cent hi?
Hoc autem
dicebat:

et philippus. Ducen
torum denariorum
panes non sufficiunt
eis: ut unusquisque
modicum quid acci
piat. Dicit ei unus
ex discipulis eius. An
dreas frater symonis
petri. Est puer unus
hic: qui habet quinque
panes ordeaceos et
duos pisces. Sed hec
quid sunt inter tantos?
Dicit ergo ihc. Facite
homines discumbere.
Erat autem fenum
multum in loco. Dis
cubuerunt ergo vi
ri numero quasi quin
que milia. Accepit er
go ihc panes: et cum
gratias egisset. dist

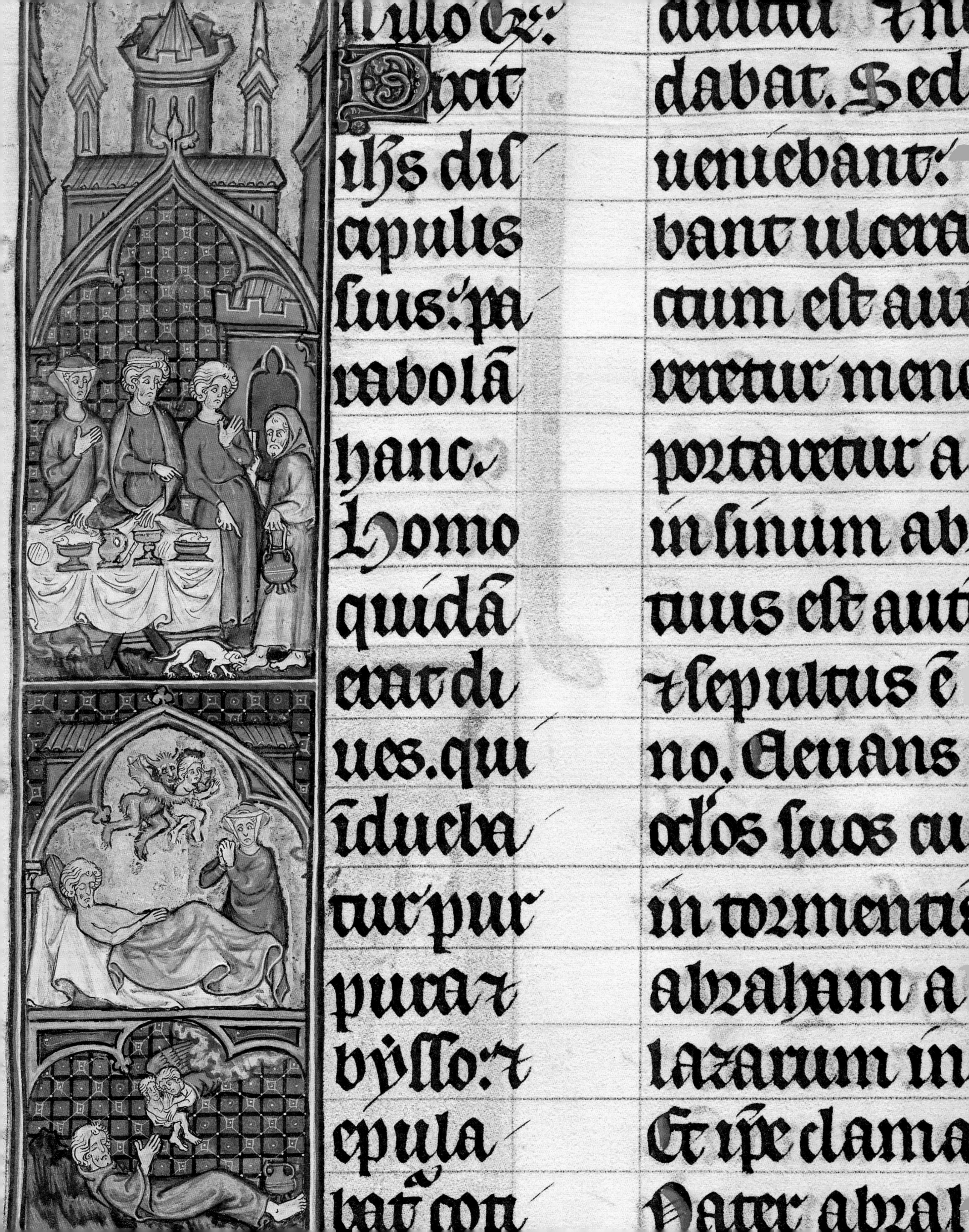

illo tē:
Dixit
ihs dis
cipulis
suis: pa
rabolā
hanc.
Homo
quidā
erat di
ues. qui
īduceba
tur pur
pura ⁊
bysso: ⁊
epula
bat co

[illegible] ⁊ nu
dabat. Sed
ueniebant:
bant ulcera
ctum est au
reretur mend
portaretur a
in sinum ab
tuus est aut
⁊ sepultus ē
no. Eleuans
oclos suos cu
in tormentis
abraham a
lazarum in
Et ipse clama
Pater abra

Cyriaci. Largi. et Sma-
ragdi. Convocatis
ihesus duodecim. In
vig. sci laurentii. ewa.
Si quis vult post me.
In die. Nisi granum.
Tyburtii et valeriani.
Nichil opertum quod non.
Ypoliti sociorumque eius.
Attendite a fermento.
In vig. assumptionis bte
virg. marie. S. lucam.
In illo tempore.
Factum
est dum
loqueretur
ihc ad tur-
bas: extol-
lens vocem
quedam
mulier de
turba. di-
xit illi. Be-
atus ven-

portavit: et ubera que
suxisti. At ille dixit.
Quinimmo: Beati qui
audiunt verbum dei:
et custodiunt illud.
In die assumptionis. Sec.
Lucam.
In illo tempore.
Intravit
ihc in quod-
dam cas-
tellum: et
mulier que-
dam mar-
tha nomine.
excepit il-
lum in
domum
suam. Et
huic erat
soror no-
mine ma-
ria: que
etiam se-

DOUBLE PAGE PRÉCÉDENTE (À GAUCHE)

29.2 | Le Christ demande à son disciple Philippe comment ils vont nourrir la foule qui est venue à lui (en haut); André désigne le garçon aux cinq pains et aux deux poissons (au centre); la foule en fait son festin et les restes sont récupérés dans des paniers (en bas) (Jean, VI, 5-13), fº 136v (détail).

DOUBLE PAGE PRÉCÉDENTE (À DROITE)

29.3 | Le riche fait un festin pendant que les pieds de Lazare sont léchés par un chien (en haut); le riche meurt et son âme est emportée par un diable (au centre) puis Lazare meurt et son âme est emportée par un ange (en bas) (Luc, XVI, 19-22), fº 35 (détail).

CI-CONTRE

29.4 | Une femme de la foule s'adresse au Christ (Luc, XI, 27-28); Marthe accueille le Christ dans sa maison (Luc, X, 38); le Christ ressuscité apparaît aux deux Marie (Matthieu, XXVIII, 8-10), fº 147v (détail).

XXVIII, 8-10, ill. 29.4). Cette scène fonctionne donc comme un commentaire visuel de l'éloge que Jésus fait de la calme dévotion de Marie, loin de l'agitation de Marthe : « Marthe, Marthe, tu te donnes du souci et tu t'agites pour bien des choses. Une seule est nécessaire. Marie a choisi la meilleure part, elle ne lui sera pas enlevée » (Luc, X, 41-42). Par ces mots, Jésus anticipait que Marie le reconnaîtrait comme le Christ ressuscité.

Pour comprendre les origines de ces illustrations, il faut revenir à la dernière décennie du règne de Louis IX, lorsque des enlumineurs parisiens produisirent ce qui est sans conteste le modèle de ce manuscrit. Conservé à la Bibliothèque nationale de France[2], ce livre adopte la même séquence de 262 lettrines historiées et ses textes et illustrations occupent à peu près les mêmes positions sur les pages. Le manuscrit de Londres est une copie remarquablement fidèle de celui de Paris, mais quelques différences viennent souligner la plus grande justesse de ce dernier. Dans l'illustration de la parabole du riche et de Lazare, la première scène en haut de la lettrine du volume londonien montre Lazare encapuchonné debout devant la porte du riche, un chien léchant les plaies de ses pieds (ill. 29.3). Dans le livre de la Bibliothèque nationale, il est assis, ce qui est plus fidèle au récit de Luc. Les enluminures diffèrent aussi stylistiquement. Dans le livre de Londres, les motifs curvilignes qui ornent les bordures des initiales sont particulièrement remarquables. Ils contiennent souvent des éléments figuratifs, comme l'évêque hybride dans la marge de la page consacrée à saint Jean Baptiste (ill. 29.1). Les figures de ce manuscrit sont par ailleurs traitées avec plus de naturalisme; on dénote également un plus grand intérêt pour l'illusionnisme spatial, comme en témoigne l'ill. 29.2 où l'on voit des hommes quitter littéralement l'initiale après avoir récupéré les restes des pains et des poissons. En cela, les artistes de ce livre préfigurent des innovateurs du XIVe siècle, tel l'enlumineur parisien Jean Pucelle (actif 1319-1334).

Avec le manuscrit parisien et deux évangéliaires encore plus anciens, ce volume a fait partie des magnifiques collections de la Sainte-Chapelle. Fondée par Louis IX afin d'abriter des reliques ayant appartenu aux empereurs byzantins, ce joyau de l'architecture médiévale a été consacré en 1248. Les chercheurs pensent que l'évangéliaire de Paris fut utilisé très tôt à la Sainte-Chapelle lors des visites royales, et que l'exemplaire de Londres a été créé pour Philippe le Bel (r. 1285-1314). Puisque, contrairement aux trois autres évangéliaires qui nous sont parvenus, celui de Londres n'a jamais reçu de reliure d'orfèvrerie, sa description, en 1349, lui attribuant une grande beauté *(pulcherrimum)*[3], reflète sans doute la réputation justifiée dont ses enluminures étaient l'objet.

NOTES

1 Voir aussi la Bible moralisée Harley, nº 26.

2 Paris, BnF, ms lat. 17326.

3 Dans l'inventaire de la Sainte-Chapelle; voir Kauffmann, *op. cit.*, p. 6, nº 18.

BIBLIOGRAPHIE

Jannic Durand et Marie-Pierre Laffitte, *Le Trésor de la Sainte-Chapelle*, Paris, 2001, nº 42.

C. M. Kauffmann, « The Sainte-Chapelle Lectionaries and the Illustration of the Parables in the Middle Ages », *Journal of the Warburg and Courtauld Institutes*, 67, 2004, p. 1-22.

30

LE PSAUTIER DE LA REINE MARIE

Un psautier illustré révolutionnaire

Psautier, en latin.
Londres ?, premier quart du XIVe siècle.

- 275 × 175 mm
- 319 f^os
- Royal 2 B. vii

En Angleterre, le goût pour les psautiers de grand format abondamment illustrés persista tout au long du XIVe siècle et ne fut jamais supplanté par celui pour les livres de prières ou d'heures plus petits et personnels. Ce Psautier de la reine Marie est l'un des manuscrits bibliques les plus amplement illustrés jamais produits puisqu'il contient plus de mille images. Les illustrations qui introduisent, commentent et ornent les Psaumes sont célèbres pour la sophistication de leurs peintures et dessins en couleurs. Le manuscrit ne doit pas son nom à son premier propriétaire mais à la reine Marie Ire (1516-1558) à qui il fut offert en 1553 – année de son accession au trône – par Baldwin Smith, un officier des douanes qui avait empêché sa sortie du territoire. Bien qu'il n'existe aucune documentation écrite ou armoirie prouvant que le commanditaire était membre de la famille royale, l'ampleur et la qualité des images tend à le faire penser. L'artiste – aussi extraordinaire que cela puisse paraître, une seule personne semble avoir été l'auteur de toutes les illustrations – est désormais connu sous le nom de « Maître de la reine Marie ».

Le psautier est l'un des sept manuscrits anglais du XIVe siècle à contenir de vastes cycles picturaux représentant l'Ancien Testament (chacun contenant d'une centaine d'images à 480) et à raviver une tradition datant du début du Moyen Âge[1]. Dans la majorité de ces manuscrits, y compris celui-ci, les images de la Genèse dominent : ici, on en compte 66 sur les 223 du cycle introductif. Certains événements tels que la chute des anges rebelles et Dieu créant les animaux (ill. 30.1 et fig. 10) ont droit à une pleine page. Mais ces grandes miniatures sont une exception : la plupart des pages contiennent deux scènes superposées dans des registres encadrés, comme celle sur laquelle se trouve la création d'Adam et Ève et Dieu interdisant de manger les fruits de l'arbre de la connaissance (ill. 30.6). Toutes ces images sont des dessins au trait à l'encre brun foncé dotés d'ombrages colorés et d'aplats de couleurs – vert, pourpre et brun. L'artiste s'est attaché à rendre les détails avec beaucoup de délicatesse. Sous les dessins encadrés sont des légendes en

30.1 | Dieu le créateur et (en bas) la chute des anges rebelles, f° 1v (détail).

DOUBLE PAGE SUIVANTE

30.2-30.3 | L'entrée dans Jérusalem, avec la Trinité dans la lettrine « D » de *Dixit*, début du psaume CIX ; (en face, dans le sens des aiguilles d'une montre depuis en haut à gauche) le Christ redonnant la vue à l'aveugle, oint par une femme, présidant la Cène et répondant aux pharisiens, avec la lapidation d'Étienne (marge inférieure), f°s 233v-234.

Coment lucifer chayit de ciel e devient diable. e grant multitude des angeles

Dixit dominus do
mino meo. sede a
dextris meis
Donec ponam i

inimicos tuos: scabellū pedum tuoꝝ.
Virgam uirtutis tue emittet dñs
ex syon: dominare in medio inimi
corum tuorum

ixit insipiens in
corde suo: non est deus.
Corrupti sunt et
abhominabiles facti

sũt ĩ iniquitatibȝ: non est qui fa
ciat bonum

Deus de celo p̄spexit super filios ho
minũ: ut videat si est intelligens

Coment deus crea adam.
Coment deu creast Eue de la coste adam.
Coment deu baillia a adam & a Eue paradys terrestre a gardir e lur defendoit le fruyt de cel arbre.

DOUBLE PAGE PRÉCÉDENTE

30.4-30.5 | Le Christ enseignant au Temple, avec le fou dans la lettrine « D » de *Dixit* en bas, au début du psaume LII ; (page opposée) l'Enfant Jésus débattant avec les copistes et les pharisiens au Temple, avec deux scènes de chasse et de fauconnerie (marge inférieure), f°s 150v-151.

CI-CONTRE

30.6 | La création d'Adam et Ève (en haut) et l'interdiction de manger les fruits de l'arbre de la connaissance (en bas), f° 3.

français souvent assez succinctes. Par exemple, sous celui montrant Dieu créant Adam et Ève (ill. 30.6), on peut lire « Coment deus crea adam » et « Coment deu creast Eve de la coste adam ».

Les principales divisions des Psaumes sont illustrées différemment puisqu'elles sont marquées par des lettrines historiées en couleurs sur fond décoré à la feuille d'or ou orné de motifs éclatants. Comme dans beaucoup de psautiers anglais, les huit divisions liturgiques sont combinées avec la règle des « trois cinquante » afin d'atteindre dix divisions, chacune étant introduite par une large initiale enluminée (celle du premier psaume étant commune aux deux systèmes)[2]. Les sujets de ces initiales se sont normalisés avec le temps et font en général référence à la vie de David, aux premières lignes du texte lui-même ou à l'en-tête ou titre du psaume. Par exemple, dans l'initiale « D » du texte du psaume LII qui commence par *Dixit insipiens in corde suo non est Deum* (« Dans son cœur, le fou déclare : « Pas de Dieu ! »), un roi assis, probablement David, accompagné de son bouffon ou de son fou, désigne Dieu apparaissant dans un nuage au-dessus d'eux (ill. 30.4).

Ce psautier propose également un cycle entièrement peint consacré à la vie du Christ. Il commence au psaume I avec l'Annonciation, la Visitation et la Nativité, se poursuit au long des prières et litanies pour se finir par les saints adorant l'image du Christ. Un cycle figuratif plus important se déploie dans les marges inférieures, ou « bas de page », sous le texte des Psaumes et des prières qui suivent. Ces illustrations sont, comme celles du cycle introductif, des dessins colorés. Elles commencent sur la deuxième page du texte des Psaumes et s'étirent sur 464 pages jusqu'à la fin des litanies. Les sujets, comme on pourrait s'y attendre dans un corpus aussi imposant, sont très variés, même si beaucoup sont regroupés. Les miracles de la Vierge sont par exemple représentés du psaume XC au psaume CVIII, immédiatement suivis d'images de saints livrés au martyre, dans l'ordre du calendrier, le premier étant saint Étienne (ill. 30.2-30.3). Puis suivent de longs cycles sur la vie de saint Thomas de Contorbéry et sainte Marie Madeleine. D'autres sujets sont plus « divers et déconnectés » comme les scènes de chasse et de fauconnerie qui apparaissent sous le début du psaume LIII (ill. 30.4-30.5)[3]. Ces dessins et peintures d'une diversité et d'une richesse impressionnantes évoquent les mondes sacré et séculier de façon très émouvante.

NOTES

1 Voir C. M. Kauffmann, *Biblical Imagery in Medieval England, 700-1550*, Londres, 2003, p. 215.

2 À comparer avec le Psautier Vespasien, n° 3, et le Psautier Tibère, n° 13.

3 Warner, *op. cit.*, p. 39.

BIBLIOGRAPHIE

George Warner, *Queen Mary's Psalter: Miniatures and Drawings by an English Artist of the 14th Century, Reproduced from Royal MS. 2 B. VII in the British Museum*, Londres, 1912.

Lucy Freeman Sandler, *Gothic Manuscripts, 1285-1385*, 2 vol., *A Survey of Manuscripts Illuminated in the British Isles*, 5, Londres, 1986, I, p. 16-19, 25, 30-34, 38 ; II, n° 56.

Kathryn A. Smith, « History, Typology and Homily: The Joseph Cycle in the Queen Mary Psalter », *Gesta*, 32, 1993, p. 147-159 (ill. 1, 5-8).

Anne Rudloff Stanton, « The Queen Mary Psalter: A Study of Affect and Audience », *Transactions of the American Philosophical Society*, nvlle coll., 91, 2001, 1-287.

31

L'APOCALYPSE DE WELLES

L'Apocalypse en français

Apocalypse, en français, commentée, reliée avec *La Lumere as lais* de Peter of Peckham. Angleterre, vers 1310.

- 400 × 300 mm
- 215 f^os
- Royal 15 D. ii

Dans la tradition anglaise de l'Apocalypse, celle de Welles se distingue par son format ; elle est en effet « exceptionnellement grande » (près du double du format A3 moderne)[1]. De fait, son format se rapproche de celui des grandes bibles romanes et, comme elles, elle fut peut-être conçue pour être présentée sur un lutrin permettant la lecture à haute voix.

La plupart des Apocalypses anglaises remontent à la seconde moitié du XIIIe siècle, mais le goût pour ce livre particulièrement visionnaire du Nouveau Testament s'est poursuivi durant le XIVe siècle. Ces livres anglais tardifs avaient originellement été rédigés en français anglo-normand plutôt qu'en latin afin d'être accessibles à un public aristocratique qui privilégiait toujours une bonne connaissance du français. Parmi les vingt-cinq Apocalypses illustrées produites en Angleterre entre 1275 et 1350, on en compte vingt rédigées en français, en vers ou en prose[2]. Le nom de ce manuscrit vient de ce qu'il figurait dans l'inventaire de 1430 des livres appartenant à Lionel de Welles, sixième Baron Welles (1406-1461).

L'attrait constant qu'ont suscité ces Apocalypses illustrées tient peut-être au fait qu'elles étaient perçues comme des « équivalent religieux » des histoires illustrées laïques, tels les romans arthuriens et autres récits de chevalerie[3]. Les combats épiques et les batailles héroïques décrits dans le texte biblique, comme la *grant bataille* menée au ciel entre saint Michel et ses anges et le *dragun e ses aungeles* (le dragon et ses anges) (Apocalypse, XII, 7, ill. 31.1) se prêtent en effet aux illustrations spectaculaires. Dans l'Apocalypse de Welles, l'utilisation de couleurs primaires vives sur des fonds à motifs et dans des compositions simplifiées donne à l'image une allure d'illustration de livre de contes, comme en atteste la bête aux sept têtes (*K[i] aveit set testes*, ill. 31.4) montant de l'abîme (*une beste mounter de la mer*).

L'illustration de l'Apocalypse de Welles est d'une très grande qualité, réunissant d'abondantes miniatures peintes relatives au texte et d'intrigantes lettrines qui figurent des têtes d'hommes et de femmes

31.1 | Au ciel, la grande bataille entre saint Michel et le dragon, Apocalypse, XII, 7, f° 154v (détail).

DOUBLE PAGE SUIVANTE

31.2-31.3 | Le Christ en majesté, entouré des vingt-quatre Anciens et, dans les angles, des quatre Vivants ; (en bas) saint Jean gravit l'échelle vers le ciel (Apocalypse, IV, 1-6) ; (page de droite) têtes d'une femme et d'un homme dans les premières lettres, f°s 117v-118.

tel taũt de iurs ki amuntunt a treis
aunz .e. demi. ke. antecrist regne. Ceo
est tuz les iurs de ceste vie. kar taũt
dure la guere au diable

E grant bataille est fet au ciel.
Michael .e. ses aungles se cõba
tent encountre le dragun .e. ses aunge
les. E. li dragun .e. ses aungeles ne li

118 · C

Apres ceste uist seint iohn.
Estes uos le us ouert du
ciel. e. la uoice premere. k. il
oi ausi cume de busine
lui dit. Muntez ca. ieo uos mustrai les
choses ke uendrunt tost apres ceste une. e.
tauntost fu en espirit. Si cum uos poez ueer
en la procheine figure sainz une del au
tre part la foille deuaunt.

Estes uos un siege mis en ciel.
e. sur le siege un seaunt. e.
li sire. ke i seiet resemblott
a regarder cum pere de iaspe
e. sardine. e. le arck du ciel fu en uiroun
le siege. ke resemblout a ueer semblaunce
cum esmeraude.

Ceo. ke. seint iohan
ueit le us ouert du ciel.
signefie. ke. lui bon prelat

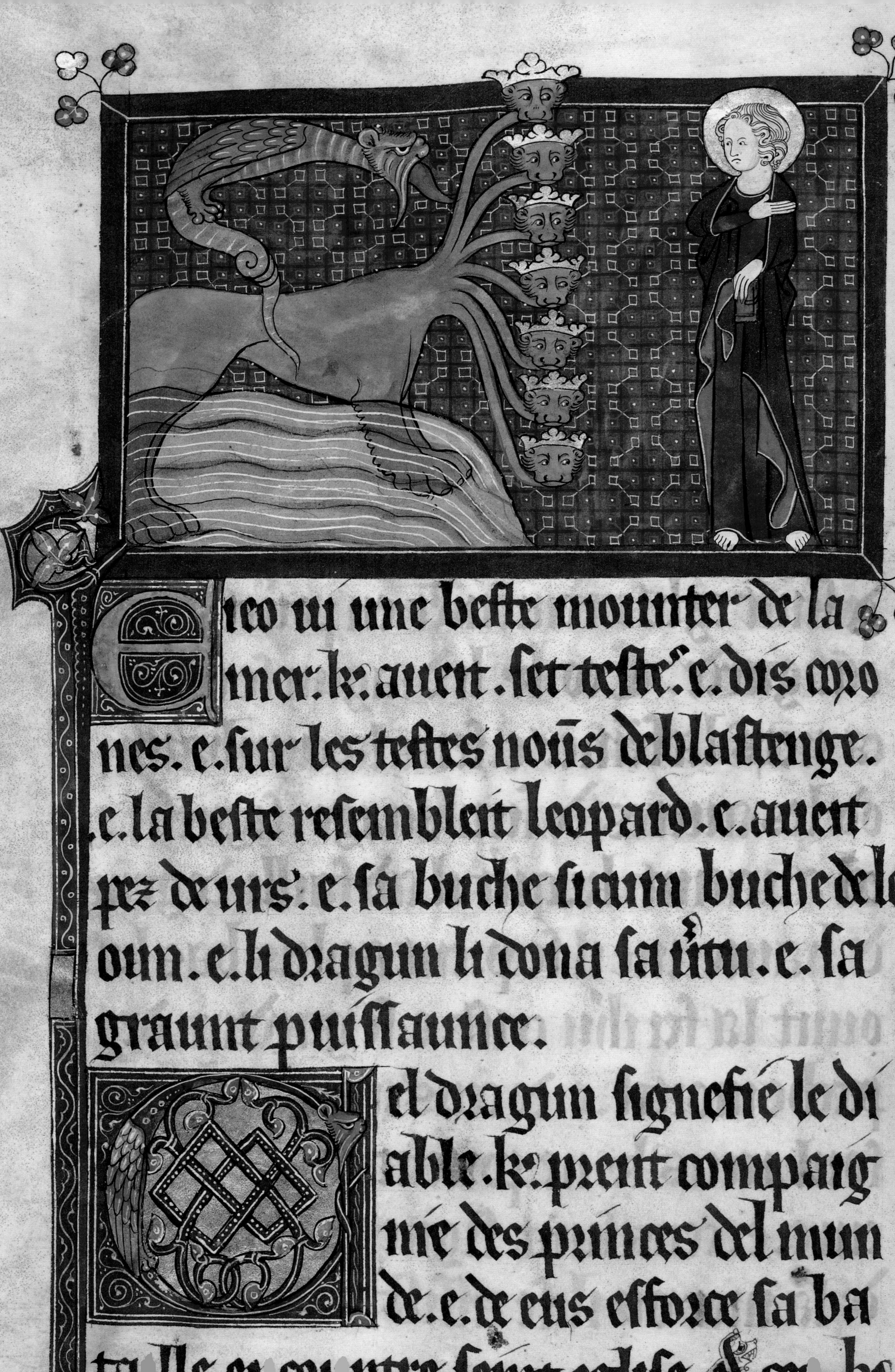

xiij.

E ieo vi une beste mounter de la mer. ke. aueit. set testes. e. dis corones. e. sur les testes nouns de blastenge. e. la beste resembleit leopard. e. aueit pez de urs. e. sa buche sicum buche de leoun. e. li dragun li dona sa vertu. e. sa graunt puissaunce.

Cel dragun signefie le diable. ke. prent compaignie des princes del munde. e. de eus efforce sa bataille encountre seinte eglise ... ke

31-4 | La Bête à sept têtes (Apocalypse, XIII, 1), f° 157v (détail).

(ill. 31.3). L'une des deux miniatures en pleine page (ill. 31.2) montre une porte qui s'ouvre sur le ciel, suivant la description du début du chapitre IV donnée sur la page en vis-à-vis : *Apres cest vist seint io[a]n. E estes vo[s] les us overt du ciel* (« Après cela, j'ai vu : et voici qu'il y avait une porte ouverte dans le ciel »). On y voit saint Jean gravir l'échelle pour rejoindre l'ange qui lui dit : « Monte jusqu'ici, et je te ferai voir ce qui doit ensuite advenir » (Apocalypse, IV, 1). Au-dessus est dépeinte sa vision du Christ en majesté sur le trône, entouré des vingt-quatre Anciens et de « quatre Vivants, ayant des yeux innombrables en avant et en arrière » (Apocalypse, IV, 2-6).

Le verset qui accompagne l'image utilise la troisième personne, contrairement à la Vulgate où le récit est à la première personne. Ce changement de voix signifie peut-être que la lecture du texte se faisait à haute voix et accompagnait l'étude des images. Suivant ce texte biblique remanié, un autre ajout attire l'attention vers l'image de la page opposée : *Si cu[m] vo[u] poez veer en la procheine figure sau[n]z une del autre part la foille devau[n]t* (« Comme vous pouvez le voir sur l'image de la feuille opposée »). On ne trouve cette instruction que dans ce manuscrit, et il a été récemment suggéré que l'adresse était destinée à la jeune femme représentée dans la lettrine, qui regarde directement l'image lorsque le livre est fermé[4]. Cette injonction peut aussi souligner la prédominance des images sur le texte dans les Apocalypses vernaculaires.

Trois des Apocalypses en français enluminées datant du début du XIVe siècle, dont celle-ci, ont été reliées avec un long manuel d'instruction religieuse écrit en couplets rimés par l'Anglais Peter of Fetcham (Peckham) (actif 1267-1276), *Lumere as lais*, ou *Lamp* [*Candle*] *for the Laity* (Lampe ou Chandelle pour les profanes). Un commentateur moderne a qualifié *Lumere* « [d']œuvre ennuyeuse, dénuée de style[5] ». Quel que soit son mérite littéraire, ce traité était destiné, comme son titre l'indique, à un lectorat profane. Le fait que cet ouvrage ait été rattaché à des Apocalypses, elles-mêmes traduites en langue vernaculaire, suggère que ces dernières avaient été conçues pour un lectorat séculier et non clérical.

NOTES

1 Sandler, « *Lumere as lais* and its Readers », 2012, p. 80-81.

2 C. M. Kauffmann, *Biblical Imagery in Medieval England, 700-1550*, Londres, 2003, p. 166.

3 Morgan, « Illuminated Apocalypses », 2005.

4 Sandler, « *Lumere as lais* and its Readers », 2012, p. 89-90.

5 Legge, *Anglo-Norman Literature*, 1963, p. 215.

BIBLIOGRAPHIE

M. Dominica Legge, *Anglo-Norman Literature and its Background*, Oxford, 1963, p. 214-218.

Nigel J. Morgan, « Illuminated Apocalypses of Mid-Thirteenth-Century England: Historical Context, Patronage and Readership », *in* David McKitterick (dir.), *The Trinity Apocalypse (Trinity College Cambridge ms R. 16.2)*, Londres, 2005, p. 3-22.

Nigel J. Morgan, « Latin and Vernacular Apocalypses », *in* Richard Marsden et E. Ann Matter (dir.), *The New Cambridge History of the Bible*, vol. 2, *From 600 to 1450*, Cambridge, Cambridge University Press, 2012, p. 404-426.

Lucy Freeman Sandler, « *The Lumere as lais* and its Readers: Pictorial Evidence from British Library ms Royal 15D ii », *in* Elina Gertsman et Jill Stevenson (dir.), *Thresholds of Medieval Visual Culture: Liminal Spaces*, Woodbridge, 2012, p. 73-94.

32

LA BIBLE EN IMAGES DE HOLKHAM

La bible en images

Bible sous forme de livre d'images, en français. Londres, vers 1320-1330.

- 285 × 210 mm
- 42 f^os
- Add MS 47682

Une scène inhabituelle introduit le livre d'images de la Bible de Holkham : un artiste assis se tourne pour regarder, par-dessus son épaule, un homme debout, vêtu de la tunique blanche, de la cape et du *capuce* (capuchon) noirs des frères dominicains (ill. 32.2)[1]. L'image est aujourd'hui très abîmée, sans doute parce que l'ouvrage est resté un temps sans reliure, mais on distingue encore les mots attribués à chaque figure, répartis en couplets rimés dans les phylactères. Le frère dominicain, dont le geste souligne le propos, engage l'artiste à « bien faire et nettement, car [son travail] sera montré à des personnes importantes » (*Ore feres been e nettement kar mustre serra a riche gent*). L'artiste répond : « Je le ferai certainement et si Dieu me laisse en vie, vous ne verrez jamais un autre livre comme celui-ci » (*Si frai voyre e Deux me doynt vivre Nonkes ne veyses un autretel livere*). Près de huit siècles après, cette revendication par l'artiste du caractère unique de son travail reste vraie : la Bible en images de Holkham est unique par la façon dont elle associe les scènes bibliques de l'Ancien et du Nouveau Testaments, les textes explicatifs rimés en français et les phylactères contenant les propos échangés. Comme l'a remarqué un spécialiste moderne, « c'est une étrange et belle chose[2] ».

Le manuscrit appartenait à la collection des ducs de Leicester, de Holkham Hall, dans le Suffolk, jusqu'à son achat par l'État en 1952. Il représente trois livres de la Bible : celui de la Genèse à Noé (f°s 2-9), l'Évangile, auquel s'ajoutent les versions apocryphes de la vie du Christ (f°s 10-38) et l'Apocalypse (f°s 39-42v). Les images finement détaillées sont prédominantes par rapport au texte et furent achevées avant celui-ci – contrairement à l'ordre d'exécution habituel des livres au Moyen Âge[3]. L'espace laissé en réserve pour les légendes est relativement petit par rapport à la taille des images[4] ; les mots débordent souvent maladroitement dans les marges latérales ou en bas de page et entourent irrégulièrement les illustrations, qui empiètent sur les blocs de texte, comme dans l'image représentant l'Arbre de la connaissance dans l'épisode de la Chute et de l'expulsion du Paradis (ill. 32.1).

32.1 | La chute et l'expulsion d'Adam et Ève du Paradis terrestre, f° 4.

Eue tot au deble disaunt. Cet pomer icy le fruit portaunt.
Si cũ vous veez icy pret. En meme
la gise et adã fet. Caunt deux estoit
en cel monde. E ont adã et eue lesse.
Vint le deable et a eue dit. Ke est
ceo q deus vus defendist. le fruit q est
en ce pomer. Est tute sa force et son poer.
Pren la pomme si la mãgez. E cant
ke il feet vus sarez. Eue de
sen estoit tro feble. E
meintenant ele crut le
deble. Ele pst la pou
me et la mordist. E adã
de la mein la prist. Un
aungel tu meintenaũt. Ou une
vint
espee
mat. Hors
de pdis
les alla bu
ter. Lur
vie en se
cle labu
rer.

CI-DESSUS

32.2 | Conversation entre un frère [dominicain] et l'artiste, au début de l'ouvrage, f° 1 (détail).

CI-CONTRE

32.3 | Saint Jean et l'Aigle, son symbole ; (au-dessous) le diable et le Christ ; l'Annonciation, f° 11v.

Seyn Jan Egle.
Quide tu les almes

weyst
Coment un angel aparuth a pastureus ou ioye muth. Gla in excelsis chantant. E dist alez lo
er li tut pussant. veer la signe de grant pouer. aler tot ne feres targer. li un al hautre grant poer
mettoyt. p dire le chant a le angel chantoyt. li un dist Glum glo ceo ne est rien. Allums la
nous la saverums been.
Coment les pastureus de lur cheuerie. ffeseyent ioye a la virge marie. E le chant q le
angel out chaunte. En le honour de la naturite. Songen al le veid one steuene
Also þe angel song þat cam fro heuene.
Te deum & Gloria. la contenance veyez
cia.

32.4 | L'annonce faite aux bergers ; (dessous) les bergers adorant l'enfant Jésus, f° 13.

La plupart des légendes sont rédigées en français anglo-normand, versifié dans la première partie du manuscrit. Ces couplets rimés évoquent le dialogue des mystères médiévaux, qui reprenaient certains de ces sujets en mettant plus particulièrement l'accent sur l'enfance du Christ et la Passion[5]. Parfois, comme dans l'image d'ouverture avec le frère dominicain et l'artiste, les légendes deviennent des phylactères de dialogue. Un autre exemple apparaît au début du cycle de l'Évangile (ill. 32.3), où l'Annonciation est précédée d'un dialogue inaccoutumé entre le Christ et le diable, annonçant les événements à venir :

Satanas, quey pense tu fere ?
Quide tu les almes tutes a tey trere ?
I[l] ne ira pas lungement issy :
Le tens est venu qu ieo en ara merci.

Satan, que cherches-tu à faire ?
Veux-tu attirer toutes les âmes à toi ?
Cela ne durera pas longtemps :
Le temps est venu pour moi de me montrer miséricordieux[6].

Comme dans les miracles, certains vers parmi les plus familiers sont en latin plutôt qu'en français. Ainsi de la salutation de Gabriel à la Vierge : *Ave Maria gr[ati]a plen[a]* [sic] *d[omi]n[u]s tecu[m]* (« Salut Marie, pleine de grâce, le Seigneur soit avec vous »), et de la réponse, écrites en rouge (ill. 32.3). Le livre utilise aussi le moyen anglais (ill. 32.4) : le texte raconte qu'à l'annonce de la naissance du Christ, les bergers jouèrent de la cornemuse et « reprirent d'une seule voix le chant des anges venu du ciel » (*Songen alle wid one stevene Also þe angel song þat cam fro hevene*), tandis que les phylactères reproduise le *Gloria* en latin. Cette dimension polyglotte reflète la réalité du trilinguisme de l'Angleterre médiévale. Comme c'est le cas d'autres ouvrages vernaculaires versifiés où les images dominent, la Bible en images de Holkham pouvait être présenté, lu, exposé ou révélé (*serra mustre*) par un membre du clergé à un auditoire important ou influent, ou à des personnages puissants (*riche gent*), comme indiqué dans l'image initiale.

Bibliographie

William Hassal (dir.),*The Hocklam Bible Picture Book*, Londres, 1954.

F. P. Pickering (dir.), *The Anglo-Norman Text of the Holkham Bible Picture Book*, Anglo-Norman Texts, 23, Oxford, 1971.

C. M. Kauffmann, *Biblical Imagery in Medieval England, 700-1550*, Londres, 2003, p. 225, 231-242.

Michelle Brown, commentaire de *The Holkham Bible Picture Book: A Facsimile*, Londres, 2007.

John Lowden, « The Holkham Bible Picture Book and the *Bible moralisée* », *in* James H. Marrow, Richard A. Linenthal et William Noel (dir.), *The Medieval Book: Glosses from Friends and Colleagues of Christopher de Hamel*, Houten, 2010, p. 75-83.

Notes

1 Sur les frères dominicains, voir la Bible de Bologne, n° 28.

2 M. Dominica Legge, *Anglo-Norman Literature and its Background*, Oxford, 1963, p. 241.

3 Comme dans la Bible moralisée Harley, n° 26.

4 À comparer avec l'Apocalypse anglaise, n° 27, où les espaces dévolus au texte biblique et à l'illustration se répartissent à égalité.

5 Voir l'analyse *in* Kauffmann, *op. cit.*

6 Traduit en anglais par Brown, *op. cit.*, p. 44 : *Satan, What do you think you're up to ? / Do you seek to draw all souls to you ? / It will not long be so : / The time has come for me to show mercy.*

33

LE PSAUTIER DE SAINT-OMER

De somptueuses images marginales

Psautier, en latin. Norfolk, vers 1330 (ajouts ultérieurs).

- 335 × 225 mm
- 175 f[os]
- Yates Thompson 14

Ce psautier, réalisé pour un chevalier de la famille Saint-Omer, originaire de Mulbarton, à quelque dix kilomètres au sud-ouest de Norwich, est considéré comme « [l']un des derniers chefs-d'œuvre de l'enluminure d'East Anglia[1] ». Les quatre ouvertures principales, achevées durant le deuxième quart du XIVe siècle, donnent une idée de la richesse et de la complexité de l'ornementation prévue pour décorer toutes les sections liturgiques du psautier (les autres ornementations ne furent pas achevées avant le siècle suivant). Chacune de ces ouvertures est incroyablement détaillée, particulièrement en ce qui concerne l'imagerie marginale qui remplit la page de scènes variées. Ce manuscrit figure au nombre des quelques exceptionnels psautiers anglais datant du début du XIVe siècle, associés à des commanditaires d'East Anglia (parmi eux, on peut citer les psautiers de Gorleston et de Douai, qui incluent tous deux une dédicace à l'église de Saint-Andrew, à Gorleston, près de Yarmouth, écrite à l'encre d'or, ainsi que le psautier Macclesfield, découvert il y a une dizaine d'années dans la bibliothèque des ducs de Macclesfield au château de Shirburn[2]). Les peintures de ces livres, au style anglais reconnaissable, témoignent de l'intérêt persistant des Anglais pour les psautiers à une époque où les livres d'heures gagnaient en popularité, devenant des livres de dévotion recherchés dans d'autres régions d'Europe du nord[3].

La page d'ouverture, *Beatus*, qui orne et illustre le début des Psaumes, offre un exemple de l'extraordinaire complexité ornementale de l'ouvrage (ill. 33.1, 33.3). Des figures délicates, des animaux et des feuillages magnifiquement peints entourent le texte. L'intérieur de la lettre historiée « B » est en soi remarquablement détaillé : y figure un Jessé endormi dont le torse donne naissance à une branche qui fleurit en médaillons ronds (*roundels*), dans lesquels sont représentés David et sa harpe, Salomon tenant une épée et, en haut, l'enfant Jésus couronnant la Vierge (ill. 33.1)[4]. De chaque côté sont figurés des patriarches (à droite, un Moïse à cornes avec les Tables de la Loi), les Prophètes tenant

33.1 | L'arbre de Jessé dans la lettre « B »[*eatus*], au début des psaumes, f° 7 (détail).

dra pestilencie non sedit.
Sed in lege domini voluntas eius

des rouleaux, et des anges accompagnés de musiciens jouant de leurs instruments dans les parties les plus éloignées de la lettre ornée. L'iconographie de l'arbre de Jessé dérive de la prophétie d'Isaïe : « un rameau sortira de la souche de Jessé, père de David, un rejeton jaillira de ses racines » (*egredietur virga de radice Iesse et flos de radice eius ascendet*, Isaïe, XI, 1), où *virga*, le rameau, est interprété comme une référence à *virgo*, la Vierge. L'inclusion de l'arbre de Jessé dans les Psaumes est un choix exégétique intéressant car cette image apparaît de façon caractéristique dans l'évangile selon saint Matthieu, qui commence par la généalogie du Christ, comme dans la Bible de Bologne (voir ill. 28.3). Dans le contexte élargi de l'interprétation christologique des Psaumes[5], cette façon de représenter David en Psalmiste accompagné de musiciens apparaît comme nouvelle dans les psautiers d'East Anglia.

De même, les neuf grands médaillons qui introduisent, en bas à gauche, le récit qui se poursuit jusqu'à la marge extérieure droite, donnent un résumé de l'histoire biblique telle que la décrit la Genèse, de la Création à l'ivresse de Noé (ill. 33.5). Toutefois, ces scènes sont encore renforcées par d'autres, plus petites et très denses, disposées tout autour et montrant une profusion de détails évocateurs. L'abondance des images est exemplaire de ce qu'un chercheur a appelé « un tout nouveau système d'enluminures où une illustration narrative dense est repoussée dans la marge inférieure[6] ».

Les figures du bienfaiteur et de sa femme sont intégrées dans ces illustrations marginales. Elles apparaissent au centre de la marge inférieure, au-dessus de l'axe central que forme l'Arbre de la connaissance encadré de part et d'autre par des représentations de l'Interdiction divine et de la Chute. Les armoiries sur l'écusson de l'homme et son vêtement sont ceux de Saint-Omer, et il s'agit donc peut-être de Sir William de Saint-Omer (mort après 1347). On peut imaginer Sir William et sa femme ouvrant leur psautier et se regardant agenouillés, levant les yeux vers le récit écrit des actes de l'homme bénit, parmi différents rappels visuels de la création et de la rédemption de l'homme.

Ce raffinement iconographique apparaît dans les lettrines et les marges des autres enluminures originales. Par exemple, le « D »[*ixit*] initial du psaume CIX (« Le Seigneur dit à mon Seigneur ») montre une image du Christ désignant ses blessures lors du Jugement dernier, tandis que les anges soufflent dans leurs trompettes et que les morts ressuscités sortent des tombeaux (ill. 33.2). Pour ce psaume, les médaillons marginaux dépeignent la Passion et ses événements ultérieurs – de la trahison des apôtres dans l'angle en bas à gauche à la Pentecôte en haut à droite –, interprétant la seconde occurrence du mot « Seigneur » comme une référence au Christ. Ainsi, au sein et autour des principales sections du psautier de Saint-Omer, la plupart des images commentent visuellement le texte, reliant typologiquement les psaumes au Nouveau Testament.

33.2 | Le Jugement dernier dans la lettre « D »[*ixit*] et dans les marges (à partir de l'angle en bas à gauche), la Trahison, la Flagellation, le Christ portant la croix, la Crucifixion, la Mise au tombeau, la Résurrection, les trois femmes au tombeau, l'Ascension, la Pentecôte, au début du psaume CIX, fº 120.

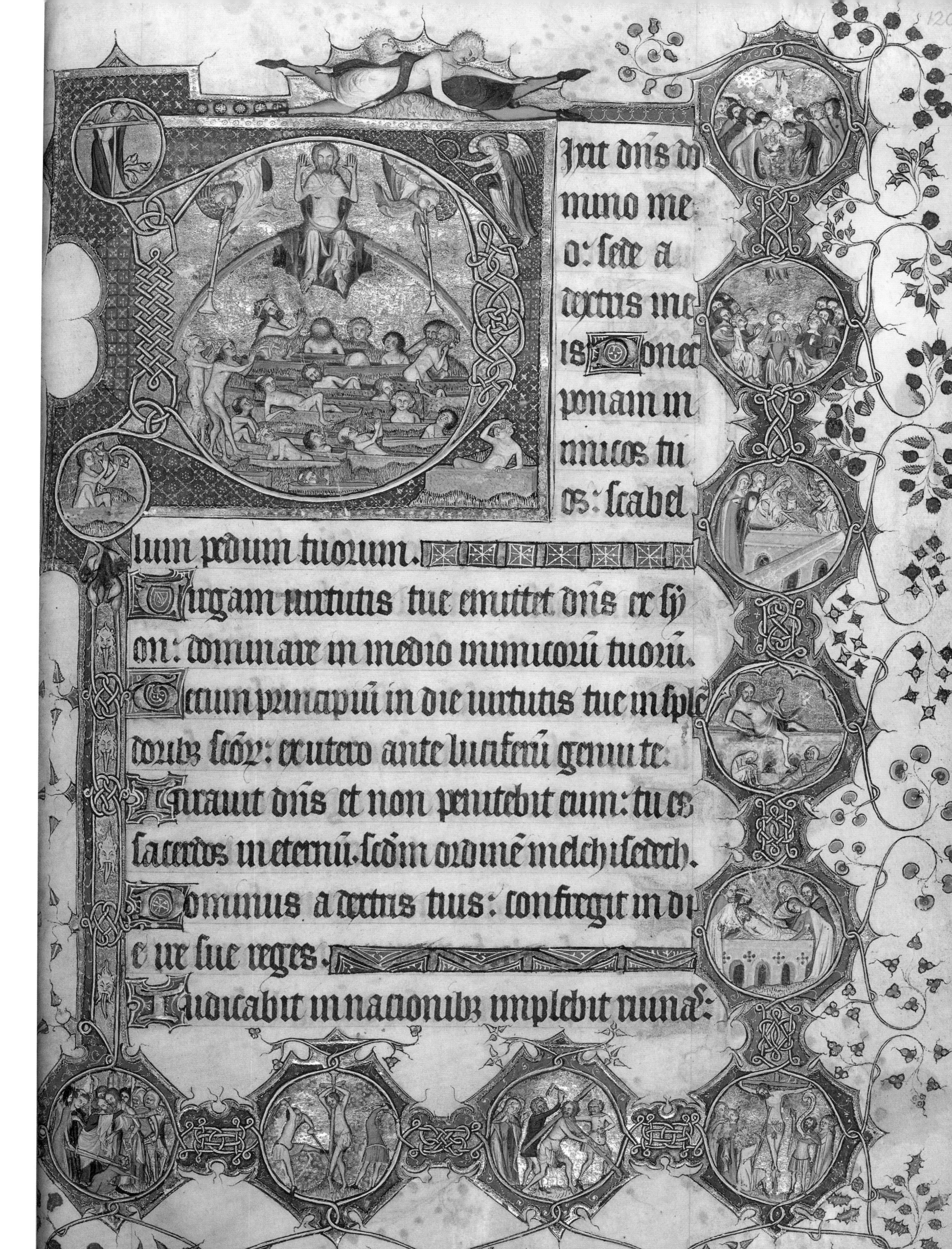

120

ixit dn̄s do
mino meo: sede a
dextris me
is. Donec
ponam in
imicos tu
os: scabel
lum pedum tuorum.

Virgam virtutis tue emittet dn̄s ex sy
on: dominare in medio inimicorū tuorū.

Tecum principiū in die virtutis tue in sple
doribꝫ scōꝝ: ex utero ante luciferū genui te.

Iuravit dn̄s et non penitebit eum: tu es
sacerdos in eternū. scd̄m ordinē melchisedech.

Dominus a dextris tuis: confregit in di
e ire sue reges.

Iudicabit in nacionibꝫ implebit ruinas:

33.3 | Dans les médaillons,
de gauche à droite : la Création,
la Chute des anges rebelles,
la création d'Ève ; Adam labourant,
Ève filant, les offrandes de Cain
et Abel et le meurtre d'Abel ;
le meurtre de Cain par Lamech
et la mort de Jabal, au début
des Psaumes, f° 7 (détail).

BIBLIOGRAPHIE

Lucy Freeman Sandler, « A Survey of Manuscripts Illuminated in the British Isles », 5, *in Gothic Manuscripts, 1285-1385*, 2 vol., Londres, 1986, n° 104.

C. M. Kauffmann, *Biblical Imagery in Medieval England, 700-1500*, Londres, 2003, p. 212-214.

Stella Panayotova, « The St Omer Psalter », *in* Scot McKendrick, John Lowden et Kathleen Doyle, *Royal Manuscripts: The Genius of Illumination*, Londres, 2011, n° 33.

NOTES

[1] Richard Marks et Nigel Morgan, *The Golden Age of English Manuscript Painting, 1200-1500*, Londres, 1981, p. 80.

[2] Addendum 49622 ; Douai, Bibliothèque municipale, ms 171 ; Cambridge, Fitzwilliam Museum, ms I-2005.

[3] Voir également le Psautier de la reine Marie, n° 30.

[4] Pour un autre exemple de l'arbre de Jessé, voir le Psautier de Winchester, ill. 20.1.

[5] À comparer au David en Psalmiste du Psautier Vespasien, ill. 3.1 ; au Psautier de Lothaire, ill. 7.2 ; au Psautier de Melisende, ill. 19.2.

[6] Kauffmann, *op. cit.*, 2003, p. 212.

34

UNE BIBLE DE CLÉMENT VII

Une bible papale

Bible, en latin.
Naples, vers 1330-1340
(avec ajouts ultérieurs).

- 360 × 245 mm
- 507 f[os]
- Addendum 47 672

Au XIVe siècle, Naples était un centre artistique majeur. Durant le règne de Robert de Genève (1309-1343), la ville attira des peintres renommés tels Pietro Cavallini (1250-v. 1330), de Rome, Simone Martini (1284-1344), de Sienne, et Giotto (1266-1337), de Florence. C'est là que fut réalisée, pour un commanditaire inconnu, cette bible richement illustrée. Son dernier propriétaire, le premier antipape Clément VII (r. 1378-1394), y fit apposer ses armoiries alors qu'il se trouvait en Avignon (ill. 34.1).

La bible de Clément VII témoigne de la florissante et riche culture apportée par les Angevins à Naples et par les papes en Avignon. Appelé, du fait de sa beauté, *Biblia pulcra* dès son entrée dans la collection papale en 1340, cet exemplaire de la Vulgate latine émerveille par le nombre considérable de ses enluminures. À chaque page, l'or et les couleurs somptueuses viennent embellir l'élégance scripturaire du texte, le ponctuant de lettrines peintes et l'encadrant de bordures sur lesquelles s'épanouit un feuillage luxuriant – motif semble-t-il dérivé de modèles antérieurs venus de Salerne. Une lettrine historiée englobant plusieurs scènes structure les parties importantes du texte au début de la plupart des livres bibliques. Des miniatures marginales marquent le début de chacun d'eux et, dans plusieurs, notamment le livre de Daniel, les Actes des apôtres et l'Apocalypse, le récit se poursuit sur les pages suivantes (ill. 34.1-34.7). Tandis que les premières enluminures marginales du volume prennent la forme de médaillons, comme dans les bibles bolognaises antérieures[1], celles qui suivent sont quadrangulaires.

Bien que relativement petites, la plupart de ces enluminures – tant dans les lettrines que dans les marges – sont d'une exceptionnelle richesse par le détail de leurs figurations et leur puissance d'évocation. Par exemple, les sept enluminures du début du livre de Ruth se concentrent sur des événements clés des premiers et derniers chapitres (ill. 34.1). Afin de relater l'histoire aussi complètement que possible, l'enlumineur dépeint parfois des scènes consécutives à l'intérieur du même cadre. Ainsi, pour éviter tout malentendu dans l'interprétation de la cinquième image

34.1 | Dans la lettre « I » (*n*) : Naomi, Elimelech et leurs deux fils en route vers Moab ; l'enterrement d'Elimelech ; les fils de Naomi épousent Ruth et Orpah ; l'enterrement des fils de Naomi (Ruth, I, 1-5). Dans la marge inférieure : Naomi dit au revoir à Orpah qui s'en retourne tandis que Ruth et Naomi partent pour Bethléem (Ruth, I, 6-19) ; les armoiries de Clément VII ; Booz épouse Ruth ; Ruth donne naissance à Obed (Ruth, IV, 9-17) au début du livre de Ruth, f° 93 (détail).

tores singulas. et pgite in terrã beniamĩ.
Cumq; uenerint patres ear ac fratres. et
adu'sum uos queri ceperint atq; iurgari.
dicemus eis. Misere mini eor. nõ enim ra
puerunt eas iure bellantium atq; uicto
rum. s; rogantibus ut acciperent nõ dedistis.
et a ura pte peccatum est. Feceruntq;
filij beniamin ut sibi fuerat ĩpatum: et
iuxta numerũ suũ rapuerunt sibi de his
que ducebant choros. uxores singulas.
Abieruntq; in possessionem suam: edifica
tes urbes. et habitantes in eis. Filij q°q;
isrl: reuersi sunt p tribus et familias in tab
nacula sua. In diebus illis nõ erat rex in isrl.
s; unusquisq; qd sibi rectum uidebatur: h
faciebat. Explicit lib iudic. Incip liber

IN DIEBVS. ruth.
unius iudicis qñ iudice
preerant. facta est fame
in terra: abijtq; hõ de beth
leem iuda. ut pegrinaretur
in regione moabitide cũ
uxore sua. ac duob' lib's.
Et ipse uocabat' elimelech.
et uxor ei' noemi: et duo
filij eius. unus maalõ: et alt'
chelion. ephratei de beth
leem iuda. Ingressiq; re
gionem moabitidem mo
rabantur ibi. Et mortu'
ẽ abimelech marit' noe
mi: remãsitq; ipsa cũ filijs.

expectare uelitis donec crescant: et annos
impleant pubertatis: ante eritis uetule
quam nubatis. Nolite queso filie mi fa
cere hoc. quia uestra angustia me magis pre
mit: et egressa ẽ manus dñi contra me.
Eleuata igitur uoce: rursum flere ceperũt.
Orpha osculata ẽ socrum ac reuersa. ruth
adhesit socrui sue. Cui dixit noemi. En re
uersa ẽ cognata tua ad populum suũ et
ad deos suos: uade et tu cum ea. Que rũdit.
Ne aduerseris michi: ut relinquã te et abeã.
Quocumq; perrexeris pgam. Ubi morata
fueris: et ego pariter morabor. Popls tuus
populus meus. et deus tuus deus ms. Que
te morientem terra susceperit ĩ ea moriar:
ibiq; locum accipiam sepulture. Hec m
faciat deus et hec addat: si nõ sola mors
me et te separauerit. Uidens ergo noemi
qd obstinato ruth animo decreuisset secũ p
gere. aduersari noluit: nec ultra ad suos
reditum psuadere. Profecteq; sũt simul:
et uenerunt in bethleem. Quibus urbẽ in
gressis: uelox apud cunctos fama percre
buit. Dicebantq; mulieres. Hec est illa
noemi. Quibus ait. Ne uocetis me noemi
id ẽ pulchrã: s; uocate me mara hoc est
amarã: quia ualde me amaritudine re
pleuit omnipotens. Egressa sũ plena: et
uacuam reduxit me dominus. Cur igitur
uocatis me noemi quã humiliauit do
min'. et afflixit omnipotens. Uenit ego
noemi cum ruth moabitide nuru sua r

complectetur natos tuos usque dum venio et predica illis misericordiam quoniam exuberant fontes mei et gratia mea non deficiet. Ego esdras preceptum accepi a domino in monte oreb ut irem ad israel. ad quos cum venirem reprobaverunt me et respuerunt mandatum domini. Ideo vobis dico gentes que auditis et intelligitis. Expectate pastorem vestrum requiem eternitatis dabit vobis quoniam in proximo est ille qui in fine seculi adveniet. Parati estote ad premia regni quia lux perpetua lucebit vobis per eternitatem temporis. Fugite umbram seculi huius. Accipite iocunditatem glorie vestre. ego testor palam salvatorem meum commendatum domini accipite. et iocundamini gratias agentes ei qui vos ad celestia regna vocavit. Surgite et state et videte numerum signatorum in convivio domini. Qui se de umbra seculi transtulistis splendidas tunicas accepistis a domino. Recipe syon numerum tuum et conclude candidatos tuos qui legem domini compleverunt. Filiorum tuorum quos optabas plenus est numerus. Roga imperium domini ut sanctificetur populus tuus qui vocatus est ab initio. Ego esdras vidi in monte syon turbam magnam quam numerare non potui et omnes canticis collaudabant dominum. Et in medio eorum erat iuvenis statura celsus eminentior omnibus illis. et singulis eorum capitibus imponebat coronas et magis exaltabantur. Ego autem miraculo tenebar. Tunc interrogavi angelum et dixi. Qui sunt hi domine. Qui respondens dixit mihi. Hi sunt qui mortalem tunicam deposuerunt et immortalem

desiderio vestro. non tamen meo studio. Arguunt enim nos hebreorum studia et imputant nobis contra suum canonem latinis auribus ista transferre. Sed melius esse iudicans phariseorum displicere iudicio et episcoporum iussionibus deservire institi ut potui. Et quia vicina est chaldeorum lingua sermoni hebraico utriusque lingue peritissimum loquacem repperiens unius diei laborem arripui et quicquid michi ille ebraicis verbis expressit hoc ego accito notario sermonibus latinis exposui. Orationibus vestris mercedem huius operis compensabo cum gratum vobis didicero me quod iubere estis dignati complesse. Explicit prologus. Incipit liber tobie.

TOBIAS ex tribu et civitate neptalim que est in superioribus galilee super naasson post viam que ducit ad occidentem in sinistro habens civitatem sephet. cum captus esset in diebus salmanassar regis assyriorum in captivitate tamen positus viam veritatis non deseruit ita ut omnia que habere poterat cotidie concaptivis fratribus qui erant ex eius genere impertiret. Cumque esset iunior omnibus in tribu neptalim nichil tamen puerile gessit in opere. Denique cum irent omnes ad vitulos

CI-CONTRE

34.2 | Dans la lettre « T » *(obias)*, l'aveuglement de Tobith (Tobie, II, 10-11). Dans la marge inférieure : Tobie, accompagné de Raphaël, quitte son père et sa mère (Tobie, V, 22-28) ; il attrape un énorme poisson (Tobie, VI, 1-4) ; rentre chez lui avec sa femme, Sarah, et Raphaël, et guérit Tobith de sa cécité (Tobie, XI, 10-18), début du Livre de Tobie, f° 187 (détail).

EN HAUT

34.3 | Isaïe voit le trône de Dieu (Isaïe, VI, 1-3), reçoit de Dieu un énorme livre (Isaïe, VIII, 1) et prévoit la naissance du Christ (Isaïe, VII, 14 ; IX, 6-7 ; XI, 1-2), f° 267 (détail).

CI-DESSUS

34.4 | Daniel interprète la vision de l'arbre de Nabuchodonosor qui procure un abri et nourrit diverses créatures (Daniel, IV, 4-26), f° 332v (détail).

DOUBLE PAGE SUIVANTE

34.5 | Un ange montre à saint Jean la chute de Babylone et de sa reine ; la déploration de cette chute par les rois et les marchands réunis dans un bateau ; l'ange jette une énorme pierre sans la mer (Apocalypse, XVIII, 1-24), f° 472 (détail).

opa eius. In poculo quo miscuit uobis
miscete illi duplum. Qñtum glorificauit
se ⁊ in deliciis fuit: tñ date illi tormentum
et luctum. Quia in corde suo dicit. Sedeo
ut regina et uidua non sum. ⁊ luctum
non uidebo. ⁊ ideo in una die uenient
plage eius. mors. ⁊ luctus. ⁊ fames. et i
gni comburetur. quia fortis ē d̄s qui iu
dicabit illam. Et flebunt ⁊ plangent se
sup illam reges terre qui cum illa for
nicati sunt ⁊ in deliciis uixerunt. cum
uiderint fumū incendii eius longe stan

a. et misit in mare dicens.
tu mittetur babilon illa ci
gna et ultra iam non inue
t uox citharedor et musicor
anentium et tuba non au
ea amplius. et omnis ar
erit in ea quia ars non in
in ea amplius. et uox mo
dietur amplius. et lux lu
lucebit in ea amplius.
onsi et sponse non audiet
te amplius. Quia merca

(à gauche de l'écusson) il différencie Orpah, Naomi et Ruth en peignant leur vêtement toujours de la même couleur. De même, les quatre scènes tirées du début du Livre de Tobie sont soigneusement structurées (ill. 34.2). Le début de l'histoire, l'aveuglement de Tobith, est décrit dans la lettrine ornée du début du texte. Dans la marge inférieure, les scènes du départ de Tobie et de son retour avec l'ange Raphaël encadrent la scène dans laquelle Tobie attrape le poisson qui guérira la cécité de son père.

Les visions d'Isaïe, de Nabuchodonosor et de saint Jean possèdent la même force d'évocation grâce à la finesse de représentation des détails et à la puissance d'émerveillement des scènes (ill. 34.3, 34.5). Le fond d'un bleu intense et la grande luminosité des couleurs soulignent la nature visionnaire des paroles d'Isaïe, tandis qu'une attention fine au réalisme des détails donne de la substance aux sujets (ill. 34.3). Dominant l'une des onze enluminures du livre de Daniel (ill. 34.4), l'arbre du rêve de Nabuchodonosor s'affirme avec une magnifique mais sombre présence. La suite des vingt images pour l'Apocalypse est la plus spectaculaire. Dans chacun de ces petits formats, l'artiste accumule de très nombreux personnages et réussit à évoquer la plupart des images complexes de la vision de saint Jean (ill. 34.6-34.7). Bien que l'on ne connaisse aucune autre enluminure de l'auteur de ces chefs-d'œuvre miniatures, il est généralement admis qu'ils reflètent le style de Pietro

34.6 | Dans cette vision, saint Jean (en bas de l'image) voit l'Agneau, adoré par les Anciens, les quatre Vivants et une myriade d'anges, prenant le Livre scellé de Dieu assis sur le Trône (Apocalypse, V, 6-14) et (à droite) l'Agneau, adoré par les Anciens, ouvre le livre et rompt les sceaux libérant les quatre Cavaliers de l'Apocalypse et les âmes de ceux qui sont morts pour leur foi (Apocalypse, VI, 1-10), f° 469 (détail).

34.7 | **Saint Jean voit la Jérusalem céleste « ornée de toutes sortes de pierres précieuses » (Apocalypse, XXI, 9-27), f° 473 (détail).**

Cavallini, dont un exceptionnel Jugement dernier se trouve toujours *in situ* dans l'église Sainte-Cécile-du-Trastevere à Rome.

La Bible de Clément VII a appartenu aux collections papales durant plusieurs décennies. Confisquée par Benoît XII (r. 1334-1342) en 1340 après le décès de Raymond de Gramat, abbé de Monte Cassino, l'ouvrage est resté en Avignon jusqu'à ce que Benoît XIII (r. 1394-1422) se retire dans le sud, à Peñiscola, sur la côte est de l'Espagne, au début du XVe siècle. Par la suite, la bible semble être restée en Aragon, Clément VIII (r. 1423-1429) l'ayant offerte au roi Alfonso V (r. 1416-1458). Alors que la bible se trouvait en Avignon, une des enluminures fut remplacée par une nouvelle, insérée vers la fin du livre de l'Apocalypse – soit du temps de Clément VII soit de celui de Benoît XIII (ill. 34.5). On sait que la perte et le remplacement des pages enluminées se sont poursuivis jusqu'au XVIe siècle, attestant de l'usage et de la valeur attachée à cette bible durant encore au moins un siècle.

BIBLIOGRAPHIE

Andreas Bräm, *Neapolitanische Bilderbibeln des Trecento: Anjou-Buchmalerei von Robert dam Weisen bis zu Johanna I*, 2 vol., Wiesbaden, 2007, p. 106-108, 406-407.

Cathleen A. Fleck, *The Clement Bible at the Medieval Courts of Naples and Avignon: A Story of Papal Power, Royal Prestige and Patronage*, Farnham, 2010.

NOTE

1 Voir une Bible de Bologne, n° 28.

35

LES ÉVANGILES DU TSAR IVAN ALEXANDRE

Une démarcation slavone de la splendeur byzantine

Les quatre évangiles, en slavon bulgare. Turnovo ?, 1355-1356

- 335 × 240 mm
- 286 f[os]
- Add 39627

Le règne d'Ivan Alexandre (1331-1371) marque un sommet de l'histoire culturelle de la Bulgarie, et son exemplaire des Évangiles traduits en slavon est l'un des témoignages les plus éclatants de l'art médiéval bulgare qui nous soient parvenus. Ceux qui fabriquèrent cet ouvrage, et qui travaillaient probablement à Turnovo, la capitale du tsar, se sont inspirés de la longue tradition des livres byzantins et de pratiques slavones plus récentes. Ils conçurent l'ouvrage comme un élément du renouveau de la culture chrétienne dans les Balkans, alors que le pouvoir de l'empereur byzantin déclinait et que celui des Turcs ottomans s'accroissait. Selon son scripteur, Simeon, le volume ne fut pas simplement créé « pour la beauté extérieure de l'ornementation [...] mais avant tout pour exprimer le Mot divin intérieur, la révélation et la vision sacrée ». Il comprend encore 367 somptueuses « images génitrices de vie du Seigneur et de son glorieux disciple Jésus ». Jadis protégé par une reliure aux plats recouverts d'argent, le manuscrit était sans doute exposé durant les offices religieux des grandes fêtes auxquelles assistaient le tsar et sa famille, et il était destiné à commémorer leur mémoire après leur mort.

En ouverture du volume, une imposante image en double page, conçue dans la tradition des portraits impériaux byzantins, reflète à la fois les influences artistiques de son créateur et les ambitions du tsar. Elle montre le tsar Ivan Alexandre et sa famille recevant la bénédiction de Dieu. Sur la page de droite (ill. 35.1), le tsar est représenté en tenue d'apparat en compagnie de sa femme Théodora, juive convertie, et de leurs deux fils, Ivan Shisman (r. 1371-1395) et Ivan Asen (mort en 1388 ?). Sur la page de gauche, on voit les trois filles du tsar, dont l'aînée, Kera Thamara, est debout près de son époux le despote Constantin. Ivan Alexandre est aussi présenté en compagnie des quatre Évangélistes à la fin de leurs écrits respectifs (ill. 35.2), et entre Abraham et la Vierge Marie dans un grand Jugement dernier venant illustrer le récit donné par saint Marc de la prophétie de Jésus aux disciples (ill. 35.3). Ces portraits viennent conforter la conjonction des rôles séculier et religieux du tsar.

35.1 | Le tsar Ivan Alexandre, sa femme et ses deux fils, bénits par Dieu, f° 3.

DOUBLE PAGE SUIVANTE (À GAUCHE)

35.2 | Les apôtres et la Vierge Marie sont témoins de l'Ascension du Christ ; le tsar Ivan Alexandre reçoit la bénédiction de saint Marc ; à la fin de l'Évangile selon saint Marc, f° 134v.

DOUBLE PAGE SUIVANTE (À DROITE)

35.3 | Le Jugement dernier avec le tsar Ivan Alexandre entre le patriarche Abraham et la Vierge Marie (en bas à gauche), Évangile selon saint Marc, f° 124.

+ Ѳеѡра въ Ха Ба вѣрнаа
и новопросвѣщеннаа
црца и самодръжица
въсѣмь
блъгаромь
и гръкомь:
+ Іѡанъ Алеѯандръ
въ Ха Ба вѣренъ црь
и самодръжецъ
всѣмь блъгаромъ
и гръкомъ
Іѡ Шишманъ
црь снъ
великаго цря Іѡ
Алеѯандра
Іѡ Асѣнь
црь
снъ
цревь

НАНЕДѪЖНЫѦРѪКЫВЪЗЛОЖѪТЪ.И

ЗДРАВИБѪДѪТЪ· ГЬЖЕІСПОГЛАНИ

ЮГОЖЕКЪНИМЪ· ВЪЗНЕСЕСѦНАНЕ

БЕСА.ИСѢДЕѾДЕСНѪѬБА· ОНИЖЕИ

ШЕДШЕПРОПОВѢДААХѪ

ВЬСѪДОУ· ГОУПОСПѢШЬ

СТВОУѪЩОУ· ИСЛОВОУТВРЬ

ЖДАѪЩОУ· ПОСЛѢСТВОУѪ

ЩИМИЗНАМЕНИИ.АМИН:

и́ли ѡ́ часѣ · никтоже не вѣсть · ни агге-
ли иже сѫть на н҃бсехъ · ни с҃нъ тъ-
кмо ѿ҃цъ · блюдѣте сѧ и бдите · и мо-
лите сѧ · не вѣсте бо когда врѣмѧ прі-
идеть :

ЕУАГГЕЛЇЕ СТОЕ ѾМАТѲЕА

КНИГА РОДЪСТВА ІУ ХВА· СНА
ДВА· СНА АВРААМЛЪ· АВРАА
МЪ РОДИ ІСААКА· ІСААКЖЕ РОДИ
ІАКОВА·

Поздѣ же бывшоу. прииде чл҃къ богатъ т҃лн
ѿ аримаѳеѧ. имѧнемь іосифъ. иже
и тъ оучилъ сѧ бѣ оу іс҃а. съи пристѫпи
къ пилатоу. проси тѣла іс҃ва. тогда
пилатъ повелѣ дати тѣло іс҃во. и при т҃лѳ
емъ тѣло іосифъ. обвитъ е плаща
ницеѭ чистоѭ. и положи е въ новѣмь
своемь гробѣ. иже исѣче въ камени.

Le texte biblique du volume est tout aussi somptueusement orné. Introduisant chaque Évangile, une grande enluminure représente l'Évangéliste et les prophètes (ill. 35.4). Au sein du texte, plusieurs centaines d'enluminures miniatures illustrent la vie et les enseignements du Christ tels que relatés dans la séquence, en mettant l'accent sur l'enfance, les miracles, les paraboles et la Passion. S'agissant de quatre recensions parallèles et compte tenu de la quantité d'enluminures, nombre d'épisodes sont illustrés plusieurs fois. La plupart de ces scènes sont incluses dans un bandeau horizontal relativement étroit, mais certaines se répartissent sur deux ou trois de ces bandeaux superposés dans la page (ill. 35.3, 35.5) ou sont insérées dans un petit cadre à l'intérieur du bloc de texte. Les plus élaborées, comme celle concernant la généalogie du Christ dans saint Mathieu (ill. 35.6), témoignent du soin apporté par les créateurs du livre à la composition de chaque page.

Mais ces choix ne sont pas l'invention des scripteurs et des artistes qui réalisèrent l'ouvrage ; ceux-ci se sont en effet inspirés des enluminures d'un manuscrit byzantin (perdu) tout aussi extraordinaire. Les miniatures, par leur format en frise et le choix de leurs sujets, se rapprochent d'un remarquable manuscrit des Évangiles datant du XIVe siècle, aujourd'hui à Paris, qui avait été fabriqué au monastère Studios de Constantinople, sans doute pour l'empereur Isaac Ier Comnenus (r. 1057-1059). Seule une autre copie byzantine contemporaine des Évangiles, aujourd'hui conservée à la bibliothèque Laurentienne de Florence, montre une suite similaire de près de trois cents miniatures en frise. Les portraits séparés du tsar dans ce volume rappellent ceux de l'abbé dans les évangiles du monastère Studios. Le portrait de famille en ouverture a pu être inspiré par celui de la famille impériale au début du manuscrit byzantin perdu. Des manuscrits ultérieurs d'Évangiles en slavon intégrant ce type de portraits et de miniatures en frise témoignent de la persistance du respect pour ce type de recueils au XVIIe siècle.

Après la mort du tsar, l'empire bulgare se désintégra et, en 1393, Turnovo tomba aux mains des Turcs. Peu après, il semble que le manuscrit des Évangiles qui avait appartenu au tsar ait traversé le Danube jusqu'en Moldavie et qu'il ait été acheté par le prince Alexandre (r. 1402-1432). Plus tard, sans doute au début du XVIIe siècle, l'ouvrage se retrouva au monastère Saint-Paul du mont Athos, dans le nord de la Grèce. C'est là que Robert Curzon (1810-1973) le vit en 1837 au cours de ses voyages en Méditerranée orientale, et qu'il parvint à l'acquérir en souvenir de sa visite.

DOUBLE PAGE PRÉCÉDENTE (À GAUCHE)

35.4 | Saint Mathieu assis tenant son évangile (au centre) avec les Anciens et les chérubins (au-dessus) et Abraham et Isaac (en bas), au début de l'Évangile selon saint Mathieu, f° 6.

DOUBLE PAGE PRÉCÉDENTE (À DROITE)

35.5 | Le Christ en croix, moqué par la foule, sa blessure causée par un coup de lance saigne (en bas), et au moment de sa mort (en haut), avec les morts ressuscités qui sortent des tombeaux après le tremblement de terre, Évangile de saint Mathieu, f° 84.

CI-CONTRE

35.6 | La généalogie du Christ, avec Judas et ses frères (en haut), le roi David (au centre), le roi Salomon et les rois d'Israël (en bas), f° 7.

BIBLIOGRAPHIE

Bogdan D. Filov, *Miniaturite na Londonskoto Evangelie na Tsar Ivan Aleksandra / Les Miniatures de l'Évangile du roi Ivan Alexandre à Londres*, Sofia, 1934.

Ekaterina Dimitrova, *The Gospels of Tsar Ivan Alexander*, Londres, 1994.

Helen C. Evans (dir.), *Byzantium: Faith and Power (1261-1557)*, New York, n° 27.

NOTES

[1] Paris, BnF, ms grec 74.

[2] Florence, Biblioteca Medicea Laurenziana, ms Plut. 6. 23.

Д҃вдь же ц҃рь роди соломѡна ѿ оу

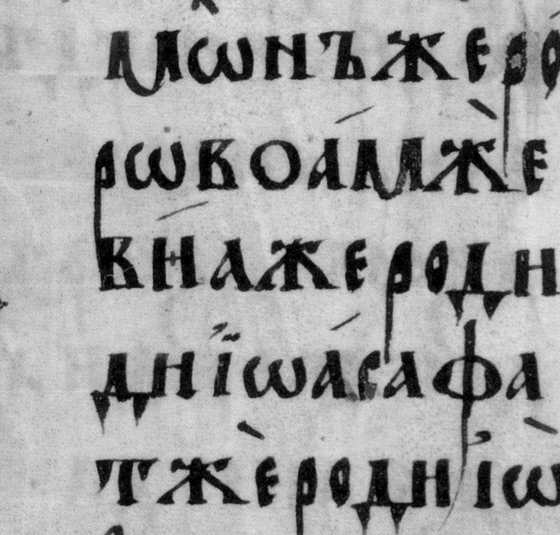

риина · соломѡнъ же ро
ди ровоама · рѡвоамъ же
роди авиа · авиа же роди
аса · асъ же ро ди іѡсафа
та · іѡсафатъ же роди іѡара
ма · іѡарамъ же роди озию · ози
а же іѡаѳама · іѡаѳамъ же роди
ахаза · ахазъ же роди езекию · езе
киа же роди манасию ·

36

UNE BIBLE HISTORIALE DE CHARLES V

La Bible comme récit

Bible historiale complétée moyenne (de la Genèse à l'Apocalypse), en français. Paris, 1357.

- 390 × 295 mm
- 264 f^os^ (vol. 1), 242 f^os^ (vol. 2)
- Royal 17 E. vii (2 vol.)

De toutes les bibles médiévales en langue française, la Bible historiale fut la plus fréquemment copiée. Plus d'une centaine[1] d'exemplaires de ce type de bible nous sont parvenus ; aux XIVe et XVe siècles, ces volumes, destinés à des aristocrates laïcs, rendaient accessibles les travaux d'érudition de l'université de Paris des deux siècles précédents. La Bible historiale se présentait ouvertement comme une traduction de l'*Historia scholastica* de Pierre Comestor (Pierre le Mangeur, mort en 1178), commentaire sur la signification littérale du récit biblique inspiré de l'enseignement universitaire de Comestor. Deux versions de cette traduction furent compilées entre 1291 et 1297 par le chanoine d'Artois Guyart des Moulins. Toutefois, l'examen des copies qui nous sont parvenues montre que le texte de la Bible historiale est devenu plus complexe au cours du XIVe siècle. Le volume anonyme de la Bible du XIIIe siècle, complété peu avant 1274, s'est révélé d'une importance majeure pour la Bible historiale complétée – pour reprendre le nom que les spécialistes donnent aux versions ultérieures de l'ouvrage. Comprenant des traductions complètes de l'Ancien et du Nouveau Testaments et fondée sur la Vulgate utilisée par l'université de Paris et les libraires des années 1230, la Bible du XIIIe siècle a permis aux compilateurs de la Bible historiale de remplacer les paraphrases par des traductions exhaustives, et de compléter ainsi le corpus biblique limité de Comestor. Pas moins de 90 exemplaires, parmi la centaine de Bibles historiales conservées, montrent ce type de révisions.

Ce manuscrit est un exemple majeur de Bible historiale complétée moyenne. Dans le premier volume, au texte de Guyart s'ajoutent les traductions intégrales du Livre de Job et du Psautier ; dans le second volume sont reproduits le Livre de la sagesse, les Prophètes majeurs et mineurs, le Livre des Macchabées I et II et l'intégralité du Nouveau Testament – tous repris de la Bible du XIIIe siècle. En dépit de ces changements radicaux, les textes d'ouverture reprennent la préface de Guyart de 1297 et sa traduction de la préface de Comestor, toutes deux

36.1 | La Trinité et les quatre Évangélistes, au début de la préface de Guyart des Moulins, vol. 1, f° 1 (détail).

DOUBLE PAGE SUIVANTE (À GAUCHE)
36.2 | Pierre le Mangeur écrivant son texte (à gauche) et le présentant à Guillaume, archevêque de Sens (à droite), vol. 1, f° 2v (détail).

DOUBLE PAGE SUIVANTE (À DROITE)
36.3 | (dans le sens inverse des aiguilles d'une montre) Le roi Salomon instruit son fils Roboam ; il ordonne la mort de l'enfant que deux femmes se disputent ; il juge trois hommes ; leur ordonne de tirer sur le cadavre de leur père, au début des Proverbes, vol. 2, f° 1 (détail).

Ci commence la Bible
hystoriaus. ou les hystoires
escolastres. Cest li prohemes
de celui qui mist ce livre de la
tin en francois.

Pource que
li dyables
qui chascu͂
iour en pe
chie destour
be et enord
dist les cu
ers des hommes par oyseuse
et par mil las qui la tendus
pour nous prendre. et en
trer en nos cuers. Com cil
qui onques ne cesse de gue
rier comment il nous puisse
mener a pechie pour nos ames
traire en son puant enfer.
avecques lui. Est il mestiers
a nous clers et prestres de
sainte eglise. qui devons es
tre lumiere du monde. que
nous apres nos heures & nos
oroisons entendons a aucu
ne bonne euvre faire. si que
li peres des vanites. Quant
il nous vient assaillir ne
nous truisse oyseus par quoy
il ait achoison de legierement
entrer en nos cuers. Et nous
face cheoir par pechie. Pre
mierement par pensee. Et
apres par euvre. Si devons
sur toute riens fuir oyseuse.
Et entendre touziours a fai
re aucune bonne euvre qui
a dieu plaise. et au dyable
soit contraire et ennuieuse.
Et pource que li dyables qui
maintes foiz ma fait pechier

ge a larcevesque de senz pour
son ouvrage corrigier se mestier
en eust.

A honnorable pere
et son chier seigneur
Guillaume par
la grace de dieu ar
cevesque de sens.
Pierres sers inutiles prestres
doiens de aire en artois. bonne vie
et bonne fin. La cause pourquoy
ie entrepris le travail de cest ou
vrage fu la grant instance de la
requeste et de la proiere mes com
paignons. liquel comme il
eussent hystoire de la sainte es
cripture qui trop estoit breves et
neant exposee. me contraindrent
par force de prieres a ceste euvre
entreprendre. a laquelle il peus
sent avoir recours pour la suite
de lystoire attaindre. Si lai
en telle maniere ales avant
que ie nay riens lessie de la ve
rite des diz et des faiz des peres
ne riens de nouvel ni ay adiou
ste. encore soient nouvelles cho
ses plaisans a oir et a assouag
oreilles. Or ay ie tout comen
cie ceste euvre a la description
du monde que moyses fist de
nostre premier pere adam. et ai me
ne le ruissel des hystoires iusques
a la ascention nostre seigneur. et les
se a plus sages de moy a expos
la parfondeur des misteres. li
quel pucent et les choses a au
cunes raconter. et nouvelles
sont. Et dedenz des hystoires
des peres. ai ie ente et mis ius
des hystoires des paiens. qui
dedenz ceste euvre sont mises.
et qui appartiennent a la rai
son des temps des hystoires des
peres devant diz. et les ay a de
denz entees. aussi com li ruissel
qui ist dune riviere. et raem
plist toutes les fosses quil treu
ve au dehors de la riviere. et po
de ne lesse mie la riviere son droit
cours. Mais pource que ie man
nais grefie et rude a mestier
de hymne. ai ie grace de la hymne
a vous biau pere pour ceste eu
vre corrigier. par quoy nos cor
rections li doint par la volente
de dieu resplendeur. avec aucto
rite prinablete. Et en toutes
choses est diex benois.

En ceste maniere ie guiars
sire euvre de cest tresfait
doien prestre translatai a laide
de dieu a la tresgrant instance
de nos prieres pour faire la ie s
psonnes entendre. les hystoire
des escriptures anciennes. pu
is apres quil avient mon pere de
senz pour exposer len aucune a
aprendre en lordenance du
rommans. Car vraiement de
la verite ne sui ie de riens issus
ne volentiers ni adiouste. ainz
ay poursui cest saint mestres
en hystoires en toutes les cho
ses qui en rommans doivent es
tre. par raison translatees. Si
pri a touz clers entendans es
criptures. qui cest ouvrage li
sont que sil y treuvent a corrig
que la hymne de leur senz. vueille
hymer mon rude engin et corri
gier. Et doit on savoir que iay
translate les livres hystoriaux
de la bible selonc le texte de la bi
ble. et selonc hystoires les esco
lastres si com devant est dit.
Si ay escript le texte de la bible
premierement de grosse lettre. et
puis apres en ordres les hystoi
res de plus deliee lettre. a. por
et quant il y a pou a exposer
par hystoires. ie les ay mises
en gloses et ay poursui mon
ouvrage en ceste maniere iusques
en la fin. A mon commencement
soit la grace du saint esperit.
et laide de la benoite vierge ma
rie Amen. Cest li prohemes
du mestre en hystoires de la cre
ation du ciel empire. et des qua
tre elemens. et de la premiere
confusion du monde selonc
la bible.

En palais de roy
et de empereur
appartient .iij.
mansions. Ce
est assavoir.
Auditoire ou
quel il fait ses iugemens. Et
donne a chascun son droit.
Chambre en laquelle il re
pose. Et cenaille ou salle en
laquelle il donne ses mengiers.
En ceste maniere vous empe
reres qui commande aux vens

Icommencent les parabo
les salemon filz du roy david.

Les pa
raboles
salemō
filz david
roys de
ihrusalē
a savoir
sapience
et discipline a entendre para
bole de prudence. et a recevoir
enseignement de doctrine.
et iustice et iugement en loy
aute. et droiture. Que leur soit
donnez aus petis. Cest a dire
aux humbles. Et que science
soit donnee aux joennes. Et
lentendement a ceulx qui en
ont mestier. Le sage sera plus
sage par oir. Et celui qui entent
bien en sara mieux gouverner
soy et autres. Et apprendra pa
raboles et interpretations. et
les figures. et les paraboles
des sages. et la paour nostre seig
neur. Cest commencement de
sapience. Li sot despisent sapi
ence et doctrine. Mon filz oy
la discipline de ton pere. et ne
lesse mie la loy de ta mere. que
grace soit adioustee et mise.
sur ton chief. et fermail dor a
ton col. Mon filz se li pecheur ta
lentent ne les croy mie. Cest
a dire se losengiers te losengent
ne les croy mie que il ne te
decoivent. Se il te dient vien
o nous. Metons agues pour
sanc. repounons las pour
contre la iustice pour le preudome
Engloutissons comme enfer
tout vif. Et tout entier com
me descendant en la fosse. Nous
trouverons toute precieuse
substance. Et emplirons nos
maisons de despueilles. Met
sort o nous touz. Nous avons
une seule bourse. Mon filz ne
va pas o eulz. Mes deffent ton
pie de leur sentes. Car certes leur
pies queurent en mal. Et
se hastent a espandre sanc.
La roys est pour neant getee

am. Ozyas
Joathas en
engendra
engendra ma
es engendra
A genera
tion de ihu
crist estoit
en tel mani
ere. Come
marie me

DOUBLE PAGE PRÉCÉDENTE

36.4 | Saint Matthieu en collecteur des impôts est assis à son bureau, sur lequel les pièces d'or s'entassent, trois Juifs s'approchent (à gauche) ; la Nativité (à droite), au début de l'Évangile de Matthieu, vol. 2, f° 134 (détail).

CI-CONTRE (EN HAUT)

36.5 | Abraham à cheval combat les autres rois, Genèse, vol. 1, f° 17 (détail).

CI-CONTRE (EN BAS)

36.6 | La colombe tenant un rameau d'olivier revient vers l'arche où se trouvent Noë, sa famille et les animaux, Genèse, vol. 1, f° 11v (détail).

accompagnées d'une représentation de l'auteur concerné (ill. 36.2). Neuf autres manuscrits réalisés à Paris au milieu du XIVe siècle contiennent une version similaire du texte de la Bible moyenne.

Cette Bible est richement illustrée. Au sein d'un ensemble de 90 images, deux pages somptueuses comportent une illustration qui remplit les deux tiers de l'espace réservé au texte, et une large bordure enluminée avec des enroulements de lierre (ill. 36.1, 36.3). Ces deux pages s'ornent par ailleurs de portraits en buste, d'oiseaux, et de bas de page représentant des singes qui jouent à côté d'un lion. L'ouverture des Évangiles est mise en valeur par une miniature sur deux colonnes représentant saint Matthieu en collecteur d'impôts, à laquelle s'ajoutent un portrait plus conventionnel de l'Évangéliste et une Nativité (ill.36.4). Dans leur quasi-totalité, ces petites illustrations, accompagnées de volutes de lierre, marquent le début d'un nouveau livre biblique, sauf dans le cas du Livre de la Genèse, agrémenté de vingt-quatre miniatures, et du Psautier, où les miniatures distinguent les huit sections traditionnelles[2]. Bien que stylisées et reprenant des modèles convenus, les élégantes figures sont naturalistes et pour la plupart vêtues à la façon du XIVe siècle – transformant ainsi Salomon en roi médiéval (ill. 36.3) et Abraham en chevalier (ill. 36.5). Les animaux sont tout aussi identifiables (ill. 36.3-36.6). Toutes les illustrations sont subtilement rendues en semi-grisaille : les drapés des figures sont exécutés en nuances de noir, et seuls la chair, les cheveux, le décor succinct, la nature et les fonds utilisent d'autres couleurs, dont l'or en quantité. Chaque scène est contenue dans un quadrilobe défini par trois bandes de couleur, chacun étant lui-même placé dans un quadrilatère dont les espaces interstitiels sont remplis d'un feuillage doré épais. L'esthétique d'ensemble renvoie à une opulence sciemment maîtrisée.

Bien que ces volumes ne portent aucune marque de propriété contemporaine de leur création, ils ont pu être fabriqués pour Charles V (r. 1364-1380) avant qu'il ne devienne roi. L'enlumineur, connu comme Maître de la Bible de Jean de Sy, a certainement travaillé pour Charles V et pour son père, Jean le Bon (r. 1350-1364). On sait aussi que Charles V a possédé plusieurs exemplaires de la Bible historiale et qu'il relisait intégralement la bible chaque année. Ayant dû céder la Bible historiale de son père aux Anglais après la bataille de Poitiers, en septembre 1356[3], il se peut qu'il ait fait réaliser ce manuscrit l'année suivante pour remplacer le livre perdu dans la bibliothèque royale française.

NOTES

1 Voir les *Bibles historiales* de Charles de France et d'Édouard IV, nos 40 et 42.

2 Sur ces sections, voir le Psautier Vespasien, no 3.

3 Aujourd'hui Royal 19 D. ii.

BIBLIOGRAPHIE

Margaret T. Gibson, *The Bible in the Latin West*, Notre Dame (IN), 1993, no 21.

John Lowden, « *Bible historiale:* Genesis to the Apocalypse », *in* Scot McKendrick, John Lowden et Kathleen Doyle, *Royal Manuscripts: The Genius of Illumination*, Londres, 2011, no 22.

Guy de Lobrichon, « The Story of a Success: The *Bible historiale* in French (1295-ca. 1500) », *in* Eyal Poleg et Laura Light (dir.), *Form and Function in the Late Medieval Bible*, Leyde, 2013, p. 307-331 (p. 319).

37

LA BIBLE HISTORIÉE DE PADOUE

L'Ancien Testament en images

Bibbia istoriata (de l'Exode à Joshua), en italien.
Padoue, vers 1390-1400

- 325 × 230 mm
- 80 f[os]
- Add 15277

En terme d'abondance d'images bibliques, peu de manuscrits peuvent rivaliser avec cette Bible historiée de Padoue. Aujourd'hui partagé entre Londres et Rovigo[1], l'ouvrage réunit près de neuf cents illustrations du Pentateuque – les cinq premiers livres de la Bible – et des livres de Josua et de Ruth. Près de trois cents images sont consacrées à la Genèse et deux cents au Livre des Nombres. À supposer que le manuscrit original ait également inclus le Livre des Juges (ce qui est plausible car les Octateuques ne sont pas rares), il aurait pu rassembler près de mille images. Quant à l'ampleur de la narration picturale, rien ne surpasse cette bible parmi toutes les œuvres produites à Padoue au XIVe siècle dans le sillage des célèbres fresques de Giotto pour la chapelle Scrovegni.

La partie du manuscrit conservée à Londres, représentative de l'ensemble du volume, illustre les épisodes allant de l'Exode au Livre de Josua. Les images dominent, le texte étant clairement considéré comme secondaire dans la composition[2]. Cinq pages sont presque entièrement dédiées à une image unique : trois dans l'Exode, qui illustrent successivement l'Arche d'alliance, la Menorah (chandelier à sept branches) du temple et le grand prêtre Aaron (ill. 37.1), les deux autres marquant les débuts respectifs du Lévitique et du Livre des Nombres, avec des représentations presque identiques du tabernacle. Toutes les deux pages ou presque, quatre – parfois trois – images encadrées séparément occupent la majeure partie du parchemin (ill. 37.2-37.4). Des légendes d'une ou de plusieurs lignes rédigées dans un dialecte de Vénétie figurent au-dessus et au-dessous des images. Ces légendes commencent toutes par *Como*… (« Comment… »), et se concentrent strictement sur le récit. Les images et les légendes sont reliées par une suite de numéros en chiffres romains tracés à l'encre rouge, la numérotation reprenant à un au début de chaque livre biblique. Dans les images, les personnages principaux sont identifiés par leur nom inscrit en écriture cursive plutôt que dans le caractère plus formel utilisé dans les légendes. Les seuls textes continus du volume sont les deux pages

37.1 | **Le Grand Prêtre Aaron en vêtements liturgiques (Exode, XXVIII, 4, XXXI, 10, XXXV, 19, XXXIX, 41), f° 17v.**

El capitolo de questo Aaron summo sacerdoto si e scritto a doe carte oltra questa.

quatro coverte del tabernaculo. La p[...]

fo de pelle de molton fate rosse. e la quarta fo de pelle de molton fate laçure. e per fare tute le vestimēte sacerdotale e tute le altre cosse necessarie al sacrifitio ali quale dui homini Dio si de tanta scientia e tanto intellecto che li sape fare de oreuexaria e de marangonia e de ogni altra arte tuto quello che se lu oge a questo fato intriegamentre.

Como Beselehel e Oliab so compagno lavora de oreuexaria le cosse necessarie al sacrifitio e a lar[...]

del tabernaculo

perdue morto e la mia ue forma ta vita. Responde Balaham, eo pecca e no saueua che tu stessi contra de mi.

el te despiaxe che no ge uaga e retornero in drio. Respoxe lo agnolo ua via cum quisti e guarda no parlare
altro seno quello che te comandero che tu debi dire.)
Como Balaham ua via cum li ambassadore al Re Balach per consentimento del Agnolo.)
Como el re Balach aldo indo che Balaham uegniua da ello ge uene in contra infina ale confine del so ter
en e si ge disse per que caxon no si tu uegnu tosto da mi. abiandote manda li ambassadore te pensaui tu
forsi mo che no te possesse pagare dela toa uia. Responde Balaham ecco che sum qua. No te pensare che

possa altro dire seno le parole che dio me metera in la mia bocha. Finite queste parole li andaua de compagn

vn parenta da laltro e che le possession romagna continuamentre in la soa propria tribu e questi si e li c
damenti e li ciroteu che uole mesier domenedio.

Como queste cinque serore. Maala thersa Egla Melcha Noa le quale tute cinque serore fo fiole de salp
ad del tribo de Manasse fiolo de Joseph se marida tute cinque in vn tratto e qui si uen spoxa e si tolse cu
homini del tribu e del parenta de Manasse del quale parenta si era sta so pare salphaad sico che le posse
le quale grera tocha per heredita de so pare salphaad no andesse in altro tribo ne in altro parenta cha m
parenta.

346

noa | melcha | Egla | tersa | maala

DOUBLE PAGE PRÉCÉDENTE (À GAUCHE)

37.2 | La construction de l'Arche d'alliance et du tabernacle (Exode, XXXVII, 1-XXXI, 5) : Moïse et Aaron choisissent Bezaleel et Aholibah pour réaliser l'Arche et le tabernacle; Bezaleel et Aholibah fabriquent les récipients liturgiques de l'Arche, ils préparent le bois pour le tabernacle, ils tissent le rideau qui voilera l'Arche et le tabernacle, fº 15v (détail).

DOUBLE PAGE PRÉCÉDENTE (À DROITE)

37.3 | Balaam rencontre l'Ange du Seigneur, il rend visite à Moab sur son âne, il est reçu par le roi Balak, Balak lui montre les fils d'Israël depuis les hauteurs de Baal-Sefone, Livre des Nombres, 22-23, fº 50 (détail).

CI-CONTRE

37.4 | Moïse rend son jugement sur le mariage des cinq filles de Zelophehad (en haut à gauche), les filles de Zelophehad sont fiancées et mariées à leurs cousins (en haut à droite et en bas), Livre des Nombres, XXXVI, 1-12, fº 56 (détail).

de longues légendes des trois illustrations en pleine page de l'Exode et les seize pages d'extraits de la Bible relatifs aux Dix Commandements : treize pages à la fin du Lévitique et trois à la fin du Livre des Nombres.

Bien qu'on puisse reconnaître leurs styles, les auteurs des illustrations abordent leurs sujets de façon similaire. Tous deux suivent les légendes et se concentrent sur le récit dans une approche littérale du texte biblique, peignant dans une facture naturaliste des personnages souvent vêtus de façon contemporaine. Ainsi, plusieurs miniatures – comme celle qui représente les artisans fabriquant le tabernacle (ill. 37.2) – s'apparentent à des vignettes détaillées sur la vie italienne du temps. Conçues pour un public spécifique, ces illustrations venaient sans doute renforcer la proximité avec le lecteur, établie par les légendes en langue vulgaire. Les personnages sont monumentaux, et leur puissance physique soulignée par de volumineux vêtements qui les enveloppent des pieds à la tête. Presque tous les acteurs du récit biblique sont représentés dans un avant-plan sans profondeur : leurs pieds touchent presque le bord inférieur des miniatures et leurs têtes s'échelonnent selon une ou deux bandes horizontales dans la partie haute de l'image. L'architecture et les intérieurs donnent un cadre aux événements plus qu'ils ne créent un espace. Afin d'aider la lecture des images, les protagonistes sont toujours vêtus de la même façon : ainsi de Bezaleel et Aholibah fabriquant le tabernacle (ill. 37.2), et de Balaam, le prophète des Madianites (ill. 37.3)[3]. La comparaison avec les peintures murales et les fresques de Padoue des années 1370, telles celles réalisées par Altichiero pour la chapelle Saint-Jean de la basilique Saint-Antoine, suggère que les auteurs de cette Bible historiée avaient assimilé les leçons des récentes œuvres monumentales créées dans cette ville. Par ailleurs, ils ont pu s'inspirer de cycles picturaux antérieurs, possiblement des premiers manuscrits chrétiens, ou ont pu être influencés par les gloses bibliques juives.

La profusion des illustrations et l'usage d'une langue vernaculaire permettent de rapprocher ce manuscrit d'autres livres remarquables produits à Padoue au tournant des XIVe et XVe siècles et destinés à un lectorat laïc. Par exemple, un herbier en italien, très abondamment illustré – également conservé à la British Library – et portant les armoiries de la famille Carrare alors régnante[4]. On ne trouve en revanche aucune marque de propriété ancienne sur cette Bible historiée.

NOTES

1 Rovigo, Biblioteca dell'Accademia dei Concordi, Silvestri MS 212.

2 À comparer à la Bible en images de Holkham, nº 32.

3 Cette convention est aussi utilisée dans la Bible de Clément VII, nº 34.

4 Egerton, 2020.

BIBLIOGRAPHIE

Giordana Canova Mariani (dir.), *La Miniatura a Padova dal Medioevo al Settecento*, Modène, 1999, nº 59, p. 465-470.

38

LA *BIBLIA PAUPERUM* DE GEORGE III

L'Ancien Testament révélé par le Nouveau

***Biblia pauperum*, en latin.**
La Haye, v. 1395-1400.

- 175 × 385 mm
- 31 f^os^
- King's 5

La foi chrétienne reconnut promptement l'inspiration divine des Écritures juives, déclarant hérétique Marcion qui voulut la nier au IIe siècle. De bonne heure, on vit dans l'Ancien Testament l'annonce du Nouveau, et dans le Nouveau la révélation, l'explication, de l'Ancien – selon la formule célèbre de saint Augustin : « Dans l'Ancien le Nouveau est caché, et dans le Nouveau l'Ancien est révélé » (« *In Vetere Novum lat[et], et in Novo Vetus pat[et]* »)[1].

La *Biblia pauperum* est l'exemple le plus abouti de cette approche typologique. Décrite comme « l'un des plus fins commentaires bibliques médiévaux sur le plan intellectuel, associant de manière remarquable texte et image[2] », cette œuvre complexe trouve son origine dans la France du XIIIe siècle et l'étude dominicaine de la Bible[3]. En trente à quarante images légendées, elle enseignait au lecteur du bas Moyen Âge en quoi l'Ancien Testament préfigurait la vie du Christ, et se trouvait en retour éclairé par le récit qu'en faisait le Nouveau. Plus de quatre-vingts manuscrits, ainsi que quelques xylographies et incunables, témoignent aujourd'hui encore de l'immense popularité de cet ouvrage destiné, malgré son appellation de « Bible des pauvres », à l'élite des laïcs et clercs lettrés.

Le présent manuscrit doit son appellation d'usage à son passage par la bibliothèque du roi d'Angleterre George III (r. 1760-1820). C'est la plus opulente de toutes les copies connues de la *Biblia pauperum*, et aussi l'un des « manuscrits illustrés les plus profondément novateurs qu'ait produits le Moyen Âge tardif[4] ». Probablement réalisés à La Haye dans l'entourage cultivé d'Albert de Bavière (Albert de Wittelsbach, comte de Hollande et duc de Hainaut, 1336-1404), ses trente et un feuillets propulsent la *Biblia pauperum* à un niveau de génie artistique sans précédent. Ses grandes lignes perpétuent certes la tradition du genre. Au centre de chaque page, une scène du Nouveau Testament est cantonnée par quatre portraits en buste d'*auctoritates* de l'Ancien, tels le roi David ou les prophètes (ill. 38.1-38.4). Ceux-ci brandissent

38.1 | **Judas trahissant le Christ, f° 12 (détail).**

Auctoritates
Ezech
Jherem
David
ioab
nephande
te traditor iste. verba gerens

38.2 | Judas trahissant le Christ, entre ses deux antétypes vétérotestamentaires : Joab tuant Abner (II Rois, III, 27) et Tryphon trompant la confiance de Jonathan (I Maccabées, XII, 39-45), f° 12.

38.3 | Pilate se lavant les mains devant le Christ, entre ses deux antétypes vétérotestamentaires : la reine Jézabel faisant exécuter les prophètes du Seigneur (I Rois, XVIII, 13) et le roi Darius (identifié par erreur dans la légende à Nabuchodonosor) poussant Daniel dans la fosse aux lions (Daniel, VI, 16), f° 13.

Causa tua quasi impii iudicata est.
Auctoritates
Job
Amos
Ve qui dicitis malum bonum et bonum malum.
Accipere personam impii in iudicio non est bonum.
O fera crux istū dāpnat
sic impia xp̄m. Est fe
ra plebs ausa dāp
nare istum sine cā.
Gens hec audelis
saias
Salomō.

38.4 | **Pilate se lavant les mains devant le Christ, f° 13 (détail).**

des rouleaux déployés en phylactères, portant des citations ou paraphrases du texte vétérotestamentaire. Au pied de la miniature, des vers latins expriment en termes sibyllins le lien entre l'épisode décrit et l'Ancien Testament. De part et d'autre, deux scènes de l'Ancien Testament s'accompagnent d'autres inscriptions résumant chaque épisode et son lien avec le Nouveau (ill. 38.2, 38.3). Or si cette succession de « triptyques » est coutumière, le manuscrit innove dans la manière dont il les dispose. Au lieu de procéder, comme il était d'usage, par doubles pages contenant chacune deux de ces « triptyques », ou bien les superposant pour en accommoder quatre, les concepteurs du présent manuscrit inventèrent un livre unique en son genre. Bien que la reliure moderne les présente déployés, les feuillets, beaucoup plus larges que hauts, étaient pliés en trois, de sorte que les deux pages latérales se refermaient sur celle du milieu – à la manière d'un véritable triptyque. Le pli de gauche était cousu (on voit les trous de couture sur les ill. 38.2 et 38.3). Dispositif éminemment symbolique, puisqu'il fallait déplier les deux volets consacrés à l'Ancien Testament pour révéler l'évocation du Nouveau.

Le douzième folio est centré sur le baiser de Judas (ill. 38.2). Pierre se projette hors du cadre pour trancher de son glaive l'oreille de Malchus (ill. 38.1-38.2). Aux quatre angles, les bustes d'Ézéchiel, de Jérémie, d'Habacuc et de David sont identifiés par leurs noms, et brandissent des textes reprenant le thème central de la trahison. David montre ainsi le verset 10 de son psaume XL : « Même l'ami, qui avait ma confiance... » Les vers latins inscrits sous l'image éclairent le lien entre l'épisode évangélique et les deux scènes vétérotestamentaires qui le flanquent, elles aussi consacrées à la trahison. Les inscriptions qui les accompagnent en identifient les protagonistes : Joab et Tryphon, antétypes de Judas (c'est-à-dire ses préfigurations, à la différence du terme « antitype »). Au feuillet suivant, Pilate se lave les mains du sort réservé à Jésus (ill. 38.3). Ce sont ici Job, Amos, Isaïe et Salomon qui brandissent des textes fustigeant le pervertissement d'une justice qui « change le droit en poison » (Amos, V, 7). Selon les inscriptions associées, les deux miniatures latérales mettent en scène des antétypes des juifs dont la malveillance mena le Christ sur la croix : Jézabel, qui voulut supprimer les prophètes du Seigneur, et les Babyloniens, qui forcèrent le roi Darius à jeter Daniel dans la fosse aux lions.

NOTES

1 *Quaestiones in Heptateuchum*, II, 73, PL, XXXIV, col 623.

2 Christopher de Hamel, *La Bible. Une histoire du Livre*, Paris, 2002, p. 158 (trad. par Nordine Haddad).

3 Sur les dominicains, voir la Bible de Bologne, n° 28.

4 Marrow, *op. cit.* (1996), p. 114.

BIBLIOGRAPHIE

James H. Marrow *et al.*, *The Golden Age of Dutch Manuscript Painting*, New York, 1990, n° 2.

Janet Backhouse, James H. Marrow et Gerhard Schmidt (éd.), *Biblia pauperum: King's MS 5, British Library, London*, 2 vol. (I, *Facsimile*, II, *Commentary in English, French and German*), Lucerne, 1993-1994.

James H. Marrow, « Art and Experience in Dutch Manuscript Illumination around 1400: Transcending the Boundaries », *Journal of the Walters Art Gallery*, LIV, 1996, p. 101-117 (p. 108-115).

39

LA GRANDE BIBLE

Une « bible géante » tardive

Bible, en latin.
Londres, v. 1410-1413.

- 630 × 430 mm
- 350 f^os
- Royal MS 1 E IX

Un livre dont les pages dépassent le demi-mètre de hauteur ne peut être qu'un monument dressé à la prouesse de ses créateurs et aux extravagantes ambitions de ses commanditaires. C'est le cas des « bibles géantes », un type de manuscrit dont bien peu d'exemplaires nous sont parvenus. Au sein des collections de la British Library, aucun autre ouvrage ne rivalise de hauteur avec le présent volume, qui surpasse de dix à quinze centimètres les plus grands manuscrits anglo-saxons, carolingiens et romans[1] : seule la Bible de Stavelot (nº 16) s'en approche. Dans d'autres fonds, on ne peut guère le comparer qu'aux remarquables « bibles atlantiques » issues de l'Italie du XIe siècle, ainsi nommées en référence au géant mythologique Atlas, que Zeus condamna à porter le monde sur ses épaules.

Mais cette bible enluminée ne se distingue pas que par ses dimensions. Décrite par un auteur récent comme contenant « la dernière grande séquence biblique de l'illustration de livre anglaise du Moyen Âge[2] », elle ouvre chacun des livres de l'Ancien et du Nouveau Testaments par une initiale historiée, où la lettre elle-même fournit le cadre d'une image simulant l'espace à trois dimensions plutôt qu'elle ne s'offre réellement à la lecture. Au début du Livre de Jonas, la barre horizontale de la lettre « E » est sévèrement amputée pour permettre à l'artiste de compiler deux épisodes successifs en une seule image (ill. 39.1). En de rares occasions, on voit l'espace fictif de la miniature s'affranchir du cadre pour interagir avec l'initiale : ainsi, en ouverture du Livre de Ruth, la protagoniste occupée aux champs est-elle désignée de la main par son époux Booz, dont le bras chevauche en diagonale la lettre « I » (ill. 39.2).

Outre ces miniatures bibliques, cinquante-huit initiales représentent saint Jérôme, Père de l'Église et traducteur de la Bible[3]. Chacune marque l'ouverture d'un des prologues que Jérôme accola aux livres bibliques. On le voit le plus souvent en érudit entouré des livres de son cabinet, hommage à son œuvre d'auteur des prologues et de traducteur de la Vulgate (ill. 39.3), et coiffé du *galero*, ce couvre-chef des cardinaux

39.1 | Jonas précipité hors d'un navire et avalé par une baleine, qui le recrache sur le rivage aux portes d'une ville, au début du Livre de Jonas, fº 232v (détail).

Et ascendit in ioppen et inuenit nauen

qui, depuis le XIIIe siècle, était la référence traditionnelle – bien qu'anachronique – à son rôle moteur dans l'Église des premiers temps[4]. Bon nombre d'images le montrent en compagnie d'un homme bien plus jeune (ill. 39.4). Comme en témoignent notamment les scènes où Jérôme donne un livre à son compagnon, cette iconographie semble destinée à insister sur la notion de transmission de la Bible, et sans doute à tisser par-delà les siècles un lien entre le texte sacré et le propriétaire désigné du manuscrit. L'attrayante diversité des traitements réservés à ce motif, témoin du génie des artistes, reflète aussi cette fonction de raviver sans relâche la relation du lecteur au texte.

39.2 | Ruth glanant dans les champs derrière les moissonneurs, et Booz la désignant à un serviteur, au début du Livre de Ruth, f° 62v (détail).

Une autre singularité du manuscrit est l'inclusion de l'Évangile apocryphe de Nicodème, placé entre celui de saint Jean et les Actes des Apôtres. Bien qu'ici intitulé « Traité de la Passion du Christ selon Nicodème » *(Tractatus passionis Christi secundum Nichodemum)* et non « Évangile », ce texte semble avoir joui d'un statut équivalent

39.3 | Saint Jérôme assis à son étude parmi les livres, au début de son prologue à I Chroniques, f° 94v (détail).

à celui des vingt-sept livres canoniques du Nouveau Testament. Largement disséminé et lu à l'époque médiévale, le récit qu'il fait du procès, de la mort et de la résurrection de Jésus dérive des quatre Évangiles canoniques en les agrémentant de quelques épisodes additionnels. L'un de ceux-ci est illustré dans l'initiale d'ouverture (ill. 39.6) : on y voit le messager mandé par Pilate pour lui ramener le Christ et qui, « le reconnaissant, l'adora, et étendit son manteau [...] à terre » (« *agnoscens eum, adoravit, et fasciale [...] expandit in terra* »). Ici encore, le lecteur est invité à tisser un lien affectif avec le récit biblique, en s'identifiant au messager qui vénère le Christ.

Bien que l'identité et le nombre des enlumineurs impliqués dans sa réalisation continuent de faire débat, on s'accorde aujourd'hui à penser que le livre fut produit au début des années 1410 par des artistes actifs à Londres, mais d'origine néerlandaise, ou au moins formés aux Pays-Bas. Comme ils le firent dans bien d'autres manuscrits de luxe

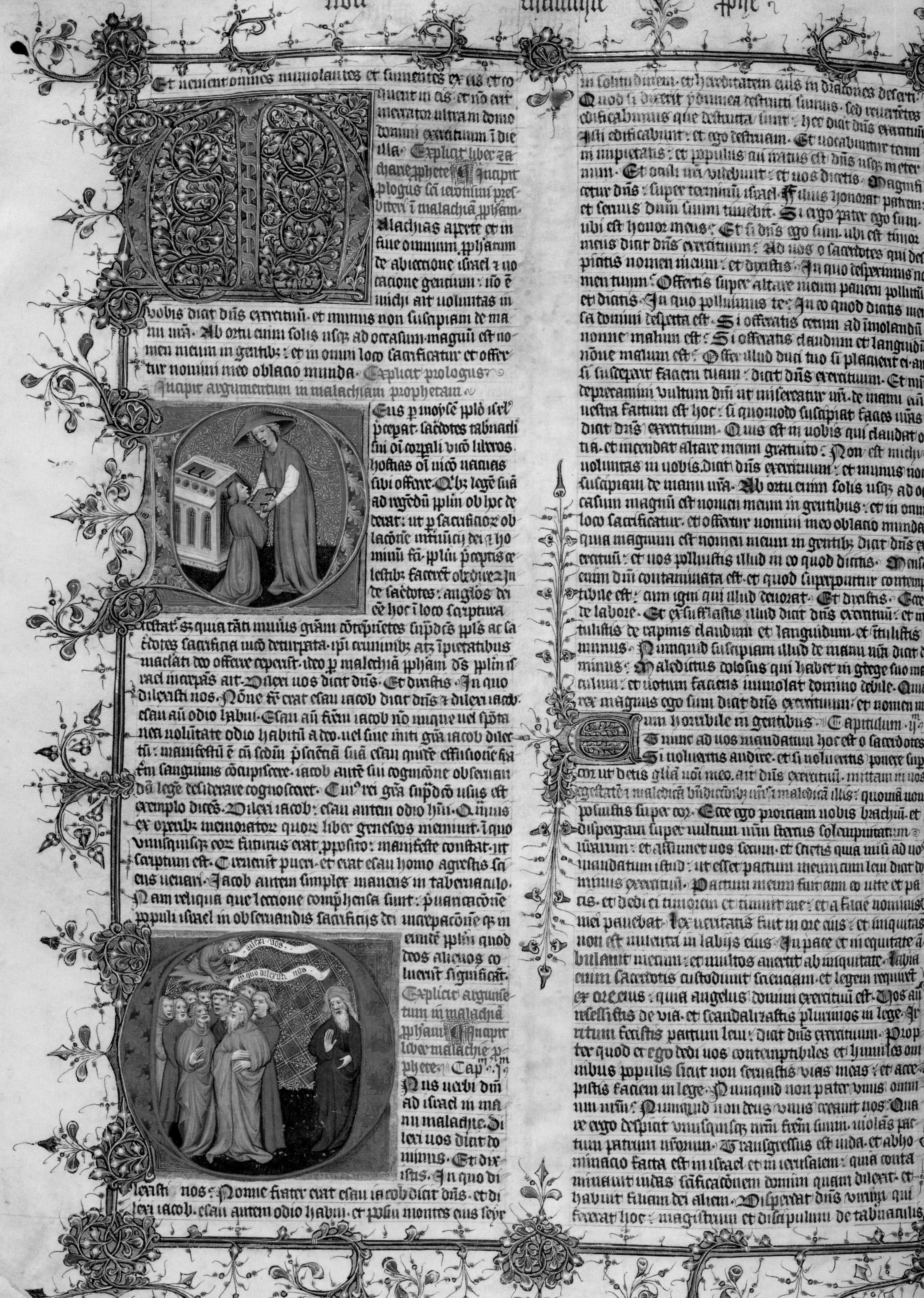

Et venient omnes immolantes et sumentes ex eis et co-
quent in eis: et nõ erit
mercator ultra in domo
domini exercituum ĩ die
illa. Explicit liber za-
charie pphete. Incipit
plogus sci ieronimi pres-
biteri ĩ malachiã pphetam.

Malachias aperte et in
fine omnium pphãrum
de abiectione israel ꝛ vo-
catione gentium. nõ ẽ
michi ait voluntas in
vobis dicit dñs exercituũ. et munus non suscipiam de manu vrã. Ab ortu enim solis usqꝫ ad occasum magnũ est nomen meum in gentibꝫ: et in omni loco sacrificatur et offertur nomini meo oblacio munda. Explicit prologus.

Incipit argumentum in malachiam prophetam.

Deus p moysẽ pplõ isrl'
pcepat. sacdotes tabnacli
sui oĩ corpali vicõ liberos
hostias oĩ vicõ carentes
sibi offerre. Qꝛ legẽ suã
ad regendũ pplm ob hoc de-
derat: ut p sacrificia ob-
lacõne munificꝫ dei ꝛ ho-
minũ fa- pplm pceptis ce-
lestibꝫ faceret obediẽ. Jude sacdotes: angelos dei
eẽ hoc ĩ loco scriptura
testat: sꝫ quia tãti muniis gñam cõtempnētes supbes ppls ac sacdotes sacrificia vicõ deturpata. ipi crimĩbꝫ atꝫ ĩpietatibus
maculati deo offerre ceperũt. ideo p malachiã pphãm ds pplm israel increpãs ait. Dilexi vos dicit dñs. Et dixistis. In quo
dilexisti nos. Nõne fr̃ erat esau iacob dicit dñs ꝛ dilexi iacob.
esau aũt odio habui. Esau aũt frẽm iacob nõ umque vel spõta-
nea voluntate odio habitũ a deo. vel sine initi gña iacob dilec-
tũ: manifestũ ẽ cũ scdm pscienã suã esau quẽ effusione fra-
trñ sanguinis cõcupiscere. iacob autẽ sui cognomine obseruan-
dã legẽ desiderare cognosceret. Cuĩ rei gñam sup dcõ usus est
exemplo dicẽs. Dilexi iacob: esau autem odio hũi. Quinis
ex opribꝫ memoratõr quoꝝ liber geneseos meminit. ĩ quo
unusquisqꝫ eoꝝ futurus erat, pposito: manifeste constat. ut
scriptum est. Creverunt pueri. et erat esau homo agrestis sciens venari. Iacob autem simplex manens in tabernaculo.
Nam reliqua que lectione comphensa sunt: pvaricacõne
populi israel in obseruandis sacrificiis dei increpacõne qꝫ in
eunte ẽ pplm quod
deos alienos co-
luerit significat.
Explicit argume-
tum in malachiã
pphãm. Incipit
liber malachie p-
phete. Capm. i.

Onus verbi dñi
ad israel in ma-
nu malachie. Di-
lexi vos dicit do-
minus. Et dix-
istis. In quo di-
lexisti nos: Nonne frater erat esau iacob dicit dñs. et dilexi iacob. esau autem odio habui. et posui montes eius seyr

in solitudinem. et hereditatem eius in dracones deserti.
Quod si dixerit ydumea destructi sumus. sed revertentes
edificabimus que destructa sunt: hec dicit dñs exercituũ.
Isti edificabunt: et ego destruam. Et vocabuntur termi-
ni impietatis: et populus cui iratus est dñs usqꝫ in eternum. Et oculi vri videbunt: et vos dicetis. Magnifi-
cetur dñs super terminũ israel. Filius honorat patrem:
et servus dñm suum timebit. Si ergo pater ego sum:
ubi est honor meus: Et si dñs ego sum. ubi est timor
meus dicit dñs exercituum: Ad vos o sacerdotes qui des-
picitis nomen meum: et dixistis. In quo despeximus nomen tuum: Offertis super altare meum panem pollutũ:
et dicitis. In quo polluimus te: In eo quod dicitis mensa domini despecta est. Si offeratis cecum ad imolandũ
nonne malum est: Si offeratis claudum et languidũ
nõne malum est: Offer illud duci tuo si placuerit ei. aut
si susceperit faciem tuam: dicit dñs exercituum. Et nũc
deprecamini vultum dñi ut misereatur vri. de manu eñ
vestra factum est hoc. si quomodo suscipiat facies vrãs
dicit dñs exercituum. Quis est in vobis qui claudat os-
tia. et incendat altare meum gratuito: Non est michi
voluntas in vobis. dicit dñs exercituum: et munus non
suscipiam de manu vrã. Ab ortu enim solis usqꝫ ad occasum magnũ est nomen meum in gentibus: et in omni
loco sacrificatur. et offertur nomini meo oblacio munda.
Quia magnum est nomen meum in gentibꝫ dicit dñs exercituũ: et vos polluistis illud in eo quod dicitis. Mensa
enim dñi contaminata est. et quod superponitur contemp-
tibile est: cum igni qui illud devorat. Et dixistis. Ecce
de labore. Et exsufflastis illud dicit dñs exercituũ: et intulistis de rapinis claudum et languidum. et intulistis
munus. Numquid suscipiam illud de manu vrã dicit dominus: Maledictus dolosus qui habet in grege suo mas-
culum: et votum faciens immolat domino debile. Quia
rex magnus ego sum dicit dñs exercituum: et nomen meum horribile in gentibus. Capitulum ii.

Et nunc ad vos mandatum hoc est o sacerdotes.
Si nolueritis audire. et si nolueritis ponere sup
cor ut detis gliã nõi meo. ait dñs exercituũ. mittam in vos
egestatem ꝛ maledicã bñdiccõibꝫ vrĩs ꝛ maledicã illis: quoniã non
posuistis super cor. Ecce ego proiciam vobis brachiũ. et
dispergam super vultum vrm stercus sollempnitatum
vrarum: et assumet vos secum. et scietis quia misi ad vos
mandatum istud: ut esset pactum meum cum levi dicit dominus exercituũ. Pactum meum fuit cum eo vite et pacis. et dedi ei timorem et timuit me: et a facie nominis
mei pavebat. Lex veritatis fuit in ore eius: et iniquitas
non est inventa in labiis eius. In pace et in equitate am-
bulavit mecum: et multos avertit ab iniquitate. Labia
enim sacerdotis custodiunt scienciam. et legem requirent
ex ore eius: quia angelus domini exercituũ est. Vos aũt
recessistis de via. et scandalizastis plurimos in lege. Ir-
ritum fecistis pactum levi: dicit dñs exercituum. Propter quod et ego dedi vos contemptibiles et humiles omnibus populis sicut non servastis vias meas: et accepistis faciem in lege. Numquid non pater unus omnium vrm: Numquid non deus unus creavit nos: Qua-
re ergo despicit unusquisqꝫ vrm fratrem suum. violãs pactum patrum nrorum. Transgressus est iuda. et abho-
minacio facta est in israel et in iherusalem: quia conta-
minavit iudas sanctificacõnem domini quam dilexit. et
habuit filiam dei alieni. Disperdat dñs virum qui
fecerit hoc. magistrum et discipulum de tabernaculis

DOUBLE PAGE PRÉCÉDENTE

39.4-39.5 | Saint Jérôme offrant son livre à un jeune homme agenouillé, Malachie adressant aux juifs les reproches de Dieu, Jérôme assis à son étude, et Alexandre le Grand affrontant le roi perse Darius, au début de Malachie et I Maccabées et de leurs prologues, f°s 239v-240.

CI-CONTRE

39.6 | Le Christ apparaissant devant Pilate, et un jeune messager étend un manteau d'hermine à ses pieds, au début de l'Évangile de Nicodème, f° 282 (détail).

contemporains, ces émigrés insufflèrent à leurs images un intérêt vibrant pour la description naturaliste de la figure humaine et de l'espace environant. Des recherches récentes ont identifié cette bible à l'unique livre décrit individuellement dans le testament d'Henri V (r. 1413-1422). Cette *magna Biblia* (« grande bible ») est mentionnée dans le document comme héritée du père du roi, Henri IV (r. 1399-1413), et léguée à son fils, le futur Henri VI (r. 1422-1461, 1470-1471). Les monarques anglais suivants devaient acquérir plusieurs copies de la Bible historiale, où un choix de textes bibliques traduits en français s'accompagnait de commentaires écrits dans la même langue[5]. La Grande Bible, par contraste, offrait à son royal lectorat un rapport direct avec la vénérable Vulgate latine. Son format démesuré suggère qu'elle devait être entreposée sur un grand lutrin, peut-être placé dans un cabinet d'étude plutôt qu'une chapelle.

BIBLIOGRAPHIE

Jenny Stratford, « The Royal Library in England before the Reign of Edward IV », *in* Nicholas Rogers (dir.), *England in the Fifteenth Century. Proceedings of the 1992 Harlaxton Symposium*, Stamford, 1994, p. 187-197 (p. 194).

Kathleen L. Scott, *Later Gothic Manuscripts, 1390-1490* (*A Survey of Manuscripts Illuminated in the British Isles*, vol. VI), Londres, 1996, II, n° 26.

Joanna Frońska, « The Great Bible », *in* Scot McKendrick, John Lowden et Kathleen Doyle (dir.), *Royal Manuscripts: The Genius of Illumination*, Londres, 2011, n° 23.

NOTES

1 Voir les bibles de Cantorbéry, de Moutier-Grandval, de Stavelot, de Worms, de Floreffe et d'Arnstein, n°s 5, 6, 16, 21, 22 et 23.

2 Scott, *op. cit.*, p. 105.

3 Sur saint Jérôme, voir les Psautiers Vespasien et de Lothaire et la Bible de Worms, n°s 3, 7 et 21, et « Mille ans d'art et de beauté », p. 12-13.

4 À comparer avec le Psautier de Lothaire, ill. 7.3.

5 Voir aussi la Bible historiale de Charles V et celle d'Édouard IV, n°s 36 et 42.

40

LA BIBLE HISTORIALE DE CHARLES DE FRANCE

La sagesse par la Bible

Grande Bible historiale complétée à prologues (de la Genèse à l'Apocalypse), en français. Paris, v. 1420.

- 460 × 330 mm
- 296 f^os^ (vol. 1), 251 f^os^ (vol. 2)
- Add MS 18856, 18857

Les copies conservées de la Bible historiale contiennent certains des plus vastes cycles d'imagerie chrétienne de la fin du Moyen Âge[1]. Les plus richement illustrées sont celles de la Grande Bible historiale complétée à prologues. Cette version, la plus développée de toutes, ajoute aux précédentes la traduction française de I et II Chroniques, I et II Esdras, et Néhémie (ill. 40.3), mais aussi divers prologues également en français, œuvres de figures comme Jean de Blois, chapelain du duc Jean Ier de Berry (1340-1416).

Le présent manuscrit est une copie particulièrement exquise de ce texte biblique somptueux entre tous. Produits à Paris par certains des grands maîtres du livre du premier quart du XVe siècle, ses deux énormes volumes ne contiennent pas moins de 141 illustrations. Le texte sacré y est présenté selon le format en usage pour les livres destinés aux bibliothèques de la noblesse française de l'époque. À cet égard, l'ouvrage s'apparente davantage aux copies contemporaines d'autres textes en langue vernaculaire qu'aux livres pieux rédigés en latin. Ses illustrations sont exemplaires de la production des artistes professionnels qui alimentaient ce marché laïc en livres de bibliothèque : dans un contexte somme toute conventionnel, l'iconographie se fait parfois novatrice et complexe. La présentation en deux volumes était de rigueur pour le texte complet – si prolixe – de la Bible historiale.

Le premier volume s'ouvre sur une extraordinaire page entièrement illustrée, glorieuse introduction à l'une des préfaces de la Bible historiale de Guyart des Moulins (ill. 40.1). Un commentaire visuel d'une richesse de significations et d'une sapience théologique rares remplace ici l'image conventionnelle de la Trinité ou de Dieu entre les Évangélistes qui ouvre tant de copies de la Bible historiale. La composition tripartite évoque la Trinité sans la représenter. Une architecture aux allures d'église s'ouvre par trois portes dénommées de gauche à droite *Spes*, *Caritas* et *Fides* : Espoir, Charité et Foi. Dans l'aile gauche, Moïse – reconnaissable à ses traditionnelles cornes[2] – délivre aux Hébreux la Loi matérialisée

40.1 | La Sagesse, Moïse et saint Pierre prêchant, Évangélistes (pied de page), scènes de la vie de la Vierge (marge gauche) et du Christ (marge droite), gloire divine et deux prophètes (haut de page), au début d'une des préfaces de la Grande Bible historiale, Add MS 18856, f° 3 (détail).

spes
fides
caritas
De la creation du ciel empirre et des quatre
elemens et de la premiere confusion du mode
le ou salle en la quelle il donne ses mes
giers.
N palais de roy et de
empereur appartient
a avoir trois man
sions. Cest assavoir
auditoire ou consi
toire ou quel il fait
ses jugemens et don
ne a chascun so droit.
Chambre en la quel
le il repose. Et cenail
N ceste maniere
nre empereres
qui commande
aus vens et a la
mer et a le monde
pour auditoire ou
quel toutes choses
sont faites a son
commandement
et a la voulente de

par les deux tablettes posées sur l'autel. Près de lui, le décor marginal s'épanouit en deux médaillons accueillant de bas en haut l'Annonciation et l'Assomption de la Vierge. De l'autre côté, un apôtre (probablement Pierre) prêche parmi les fidèles ; l'autel qui le domine porte un livre et un calice, symboles du Verbe et du sang du Christ sacrifié. Ici, les médaillons marginaux abritent de haut en bas l'Ascension et la Pentecôte. Dans l'espace central, une autre assemblée recueille l'enseignement d'une troisième figure, cette fois-ci féminine : couronnée et ailée, elle tient un livre sur son sein. À gauche, ce sont souverains et dirigeants, tant séculiers que spirituels ; à droite, un évêque et des docteurs de l'Église. Présenté comme une page dans la page, un long texte latin dévoile le contenu du prêche de la femme ailée. On y lit des passages du livre deutérocanonique de l'Ecclésiastique (XXIV, 5-6

CI-CONTRE

40.2 | **La Trinité, cantonnée par les quatre Évangélistes, au début de l'Évangile selon Matthieu, Add MS 18857, f° 148 (détail).**

CI-DESSUS

40.3 | **Le roi Cyrus ordonnant la reconstruction du Temple de Jérusalem, au début de I Esdras, Add MS 18856, f° 207 (détail).**

La liguee iudas tendra sa tente a tout son ost par devers orient si sera le prince naason le filz a-
minadab et fu la some de tous les combatans de toute ceste liguee .lxxiiij. mil. et .vjc. dencoste iudas tendi
les tentes devers orient aussi la liguee ysachar et fu leur princes achanachel le filz suar et la some des combatans de ceste liguee fu .liiij.m et .iiijc. dencoste ysachar tendi ses tentes devers orient la liguee zabulon si fu le princes heliable filz helon et la some des combatans de ceste liguee fu .lvij.m et .iiijc. ainsi furent es helerges iudas
devers orient .C.iiij.m et .vj.m qui aloient premerain par leurs compaignies devers midi tendi ses tentes la liguee
ruben et fu leur prince heliseur filz sedeur et la some des combatans de ceste liguee fu .xlvj.m et .v.c dencoste ruben
tendi ses tentes devers midi aussi la liguee symeon si fu leur prince salamihel le filz suri sadday et la some des
combatans de ceste liguee fu .lix.m et .iij.c dencoste symeon tendi ses tentes la liguee gad si fu leur prince heliasaph le

40.4 | Les douze tribus d'Israël se rassemblant pour être recensées par Moïse et Aaron, au début du Livre des Nombres, Add MS 18856, f° 78 (détail).

et 8), des Proverbes (VIII, 34 et 14-15), et d'un des monuments de la pensée paléochrétienne, le *De consolatione philosophiae* de Boèce (livre IV, mètre 1)[3]. Ce sont là par excellence des écrits sapientiaux, livres de sagesse – vertu dont la femme ailée est donc la personnification. La composition est physiquement et symboliquement dominée par Dieu, que flanquent la Vierge et saint Jean Baptiste parmi les anges. L'autorité de l'ensemble est attestée par les deux prophètes qui apparaissent parmi les rinceaux de la marge de tête, et par les quatre Évangélistes figurés en pied de page : deux dans de grandes initiales, les deux autres dans des médaillons marginaux (l'ill. 40.1 ne les montre pas). Seule une autre copie de la Bible historiale, également conservée à la British Library[4], propose en page d'ouverture une exégèse visuelle aussi ambitieuse.

La thématique sapientiale se retrouve en ouverture du second volume, où le prédicateur est désormais Salomon (voir fig. 1). L'enseignement de la sagesse apparaît ici plus proche de la vie du lecteur auquel s'adresse le manuscrit. Moins abstrait que celui du premier volume, ce frontispice montre bien Salomon en *exemplum* du roi sage. Plus loin, au début de l'Évangile selon saint Matthieu, se trouve l'image qui ouvrait traditionnellement le premier volume de la Bible historiale : la Trinité, cantonnée par les quatre Évangélistes en scribes laborieux (ill. 40.2).

L'opulence du manuscrit et l'attribution de certaines enluminures au Maître des Heures de Bedford, l'un des artistes les plus marquants de son temps, ont de longue date fait penser à un livre destiné à un membre de la famille royale française ou anglaise. Quoi qu'il en soit de cette vocation initiale, les armes ajoutées sur certains feuillets (ill. 40.1, 40.4) prouvent que le manuscrit passa plus tard entre les mains de Charles de France, frère cadet du roi Louis XI, tandis qu'il était duc de Normandie (1465-1469).

BIBLIOGRAPHIE

Millard Meiss, *French Painting in the Time of Jean de Berry: The Limbourgs and their Contemporaries*, New York, 1974, p. 364, 379.

M. W. Evans, « Boethius and an Illustration to the Bible historiale », *Journal of the Warburg and Courtauld Institutes*, XXX, 1967, p. 394-398 (p. 397).

Pamela Tudor-Craig, « The Iconography of Wisdom and the Frontispiece to the Bible historiale, British Library, Additional Manuscript 18856 », *in* Caroline M. Barron et Jenny Stratford (dir.), *The Church and Learning in Later Medieval Society: Essays in Honour of R.B. Dobson, Proceedings of the 1999 Harlaxton Symposium*, Donnington, 2002, p. 110-127.

NOTES

1 Voir aussi la Bible historiale de Charles V et celle d'Édouard IV, n°s 36 et 42.

2 Selon la Vulgate de Jérôme, Moïse ignorait « que sa face était cornue » (« *cornuta esset facies sua* ») après son entretien avec Dieu – traduction approximative de l'hébreu aujourd'hui rendu par « son visage rayonnait de lumière » (Exode, XXXIV, 29).

3 Sur les livres deutérocanoniques, voir « Mille ans d'art et de beauté », p. 10.

4 Harley MS 4381.

41

UNE BIBLE D'UTRECHT

Un lien direct avec le texte saint

Bible commentée (de la Genèse au Livre d'Esther), en moyen néerlandais.
Utrecht, vers 1440-1445.

- 390 × 285 mm
- 298 f^os^
- Add MS 15410

Le nord des Pays-Bas ne pouvait qu'épouser la Réforme protestante et son insistance sur un engagement direct du fidèle laïc avec le texte biblique. Dès le bas Moyen Âge, ces régions avaient en effet vu se répandre la lecture des Écritures en langue vernaculaire. Des études récentes[1] ont recensé quelque 430 manuscrits incluant tout ou partie de la Bible dans une traduction en moyen néerlandais, pour la plupart destinés à un lectorat laïc.

Les produits les plus somptueux de cette veine sont sans conteste les « bibles d'Utrecht ». On conserve aujourd'hui une vingtaine de ces livres fabriqués à Utrecht entre 1430 et 1480, réputés pour la richesse de leur illustration : certains contiennent plusieurs centaines de miniatures, œuvres d'artistes de métier. Bien que le nombre des livres bibliques qu'ils incluent varie, leur texte puise toujours dans deux traductions en moyen néerlandais, achevées l'une dans le Brabant en 1360-1361, l'autre dans le nord des Pays-Bas au début du xve siècle. La première s'accompagne d'une traduction de l'*Historia scholastica* de Pierre le Mangeur, tandis que la seconde s'en tient au seul texte biblique, en l'absence de tout commentaire. Ainsi qu'il ressort clairement de leur prologue, les bibles d'Utrecht mettent l'accent sur l'interprétation historique et littérale des Écritures, et non sur leurs significations allégoriques ou morales[2]. Elles entendent assister le lecteur laïc dans sa quête du salut en lui présentant un récit lucide et crédible du passé historique[3].

Le présent manuscrit est un fort bel exemple de bible d'Utrecht. Comme c'est parfois le cas dans ce type d'ouvrage, son texte se limite à un choix de livres en prose de l'Ancien Testament. Reproduits dans leur traduction de 1360-1361, ces vingt-deux livres comprennent des écrits canoniques (Octateuque, I et II Samuel, I et II Rois[4], Daniel, Ézéchiel et Habacuc) et d'autres considérés comme apocryphes par les bibles protestantes modernes (Prière de Manassé, Tobie, I, et II Esdras, Judith et Esther). Chaque section s'accompagne du passage correspondant

41.1 | Le roi Salomon sur son trône de justice, au début du Livre des Juges, f° 160 (détail).

CI-CONTRE

41.2 | Elcana entre ses deux épouses, Pennina avec ses enfants et Anne frappée de stérilité, au début de I Samuel, f° 177v (détail).

PAGE DE DROITE

41.3 | Élie faisant s'abattre le feu du ciel sur les officiers du roi Ocozias (à gauche), et annonçant la mort du roi blessé qu'il a fini par visiter après plusieurs injonctions (à droite), au début de II Rois, f° 231v (détail).

du commentaire de Pierre le Mangeur, placé sous la rubrique *scolastica historia* ou cerné d'un filet rouge. À l'exception d'Habacuc et de la Prière de Manassé, inaugurés par de simples lettrines ornées, chaque livre s'ouvre sur une illustration. Pour la Genèse, c'est un empilement, sur la hauteur d'une colonne entière, de sept miniatures évoquant les jours de la Création, ainsi qu'une image d'Abraham et Isaac intégrée au décor marginal qui cerne toute la page. Ailleurs, une seule miniature, occupant la largeur d'une colonne, ouvre chaque livre, et un décor marginal partiel la met en valeur. Avec leurs coloris vibrants et leurs éléments de costume et d'architecture résolument contemporains, ces miniatures corroborent l'approche littérale et directe du texte.

Comme les autres bibles d'Utrecht, ce volume est l'œuvre d'une équipe d'artistes de métier et de négoce. Illustrations, initiales ornées et décors marginaux sont dus à quatre peintres, dont la tâche est répartie selon une planification soigneuse : au premier reviennent les illustrations de la Genèse, au deuxième les quatre miniatures d'ouverture de l'Exode au Deutéronome, au troisième les sept de Josué à II Rois, et au quatrième

Iver En die van amō en̄ die vā moab
en̄ die vā arabien q̄mē ī iuda omtrent
engaddy En̄ doe iosephat bede inde
tempel so versterctene iahel zacha
rias zone die prophete en̄ seide O
iuda en̄ iherusalē en wilt niet
ontsien Ghi selt morgen wt trec
ken en̄ die here sal mit v wesen
En̄ iosephat toech wt en̄ sloech die
viande en̄ veriagedese En̄ doe isra
el der viande ghetelde roefde iij dage
so hiet hi die valeye die stat der be
nedictien · om dat hi vrienscappe
had ghemaect mitten coninc van
israel so wert sijn volc in die zee te
broken daer die text af seyt ·

Mer dandere Text

Van iosephats woerde ende
sine wercke die hi dede ende
sine striden en sijn si niet bescreuē
inden boeke der woerden vande da
ghen der coningen van iuda Mer hi
dede oec af vanden lande die ouer
bliue vander dwaesheden die ouer
bleuen waren in aza sijns vadˢ
dagen En̄ doe en was ne gheen
coninc ghemaect in edom En die
coninc iosephat had ghemaect enē
vloet inder zee die varē soude in
ophir om gout Mer si en mochte
niet gaen Want si worden te bro
ken in asiongaber Doe seide otho
zias achabs zoen tot iosephat mij
knapen sellen gaen mit dinē kna
pen in die scepe en̄ iosephat en wou
de En̄ iosephat sliep mit sinen va
ders en̄ hi is mit hem begrauen
in dauid sijns vaders stede En̄ io
ram sijn zone regneerde ouer hē
In iosephats Heydensche yeesten
dagen was die neghende coninc
vanden latinen siluius carpetus
En̄ die tiende siluius tyberius En̄
na hem wert die riuiere die ty
bere ghenoemt diemen te vorē abul
la hiet Die elfte coninc was siluius
agrippa Text dˀ bibelen

Othozias achabs zone begoste
te regnere bouē israel in sama

Hier begint dat vierde boec dˀ coninghe

Moab brac sijn
gheloefte na die
dat achab doot
was en ghinc is
rael af En̄ o
chosias viel do
re die tralie vā
sijnre cameren
die hi hadde in
samarien En̄
hi quam en hi
zende bode en̄
seide tot hem Gaet en̄
neemt raet aen belzee
bub den god van ackers
of ic sal mogen te liue bliue van deser
ziecheit En̄ ghenen engel sprac tot hē
lyam van thesby en̄ seide Stant op en̄
ganc in scomincs van samarie bodē
ghemoete en̄ seg tot hem segghē En̄ is
ne gheen god in israel dat ghi gaet
om raet te nemē van belsebub dē god
van ackers Om die zake seit die hē
Du en sels vandē bedde niet gaen daer
du op geleghē bis. Mer du sels die doot
steruē En̄ helyas ghinc wech en̄ die
boden keerden weder tot othosiā En̄
hi seide hem waer om si di weder co
men En̄ si antwoerden hem Een
man quā ons te ghemoete En̄ hi sei
de ons Gaet en̄ keert weder toten

Moab plach te sijn onder dē co vā isrl·

soude mogen in duutsche verclaren
elc te sijnre stat. Die ioden en hebben
in dit boec niet die historie van su
sanne noch der kinderen lof noch
die sagen van bel. En vanden drake
daer wi af seggen sellen claerlick
elc te sijnre stede

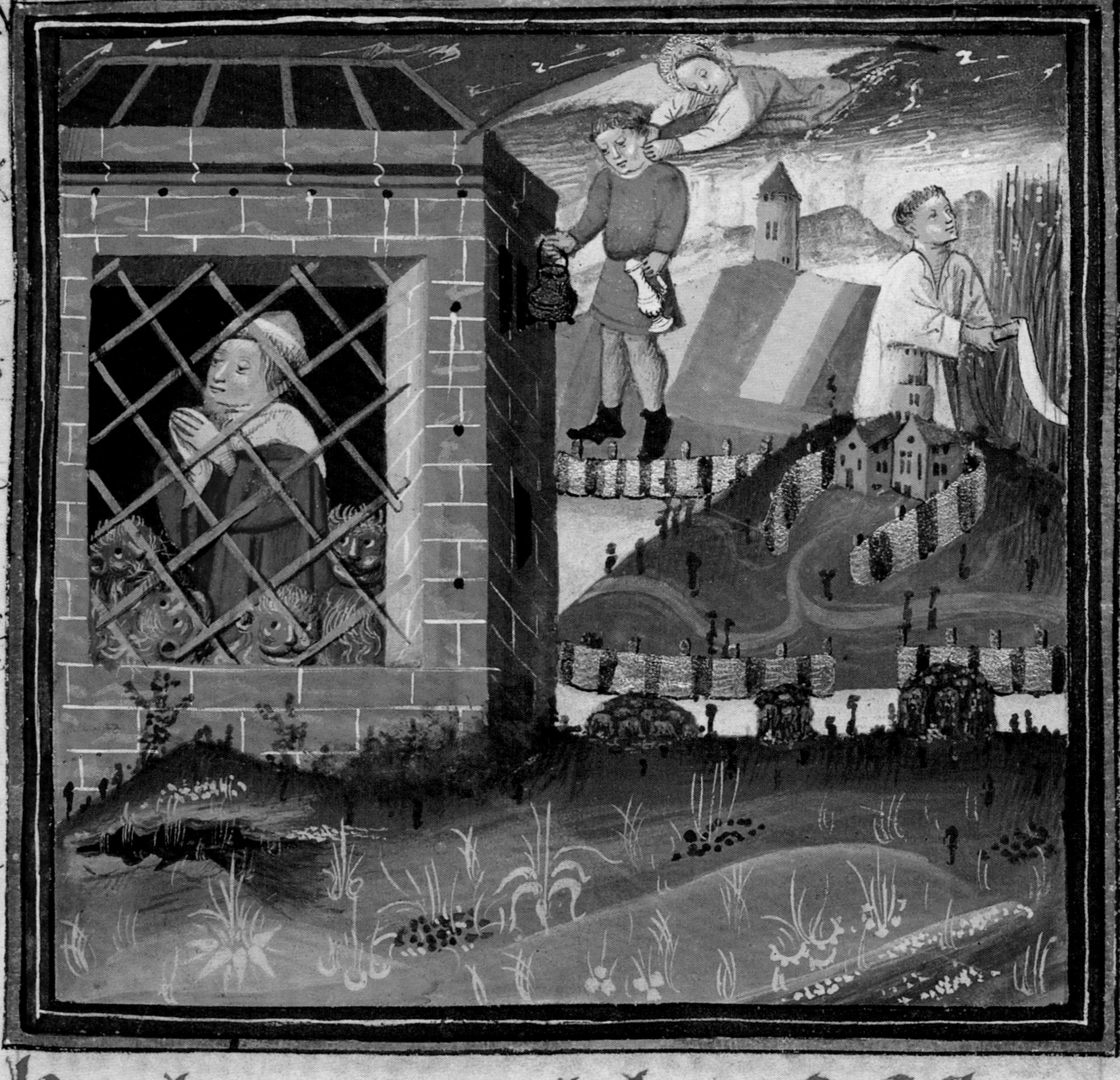

Hier beghint daniels boec Cap. I.

Nabugodonosor de coninc
van babilonien
quam te ieru
salem in ioa
chims sconincs
van iuda der
de iare van si

41.4 | Daniel priant dans la fosse aux lions (à gauche), et Habacuc guidé par un ange pour lui porter la nourriture qu'il destinait aux moissonneurs (Daniel, XIV, 30-38), au début de Daniel, f° 265 (détail).

les sept dernières, de Tobie à Esther. Cette organisation permit aux différents artistes d'intervenir en parallèle sur leurs parties respectives du manuscrit, dans un souci de rapidité propre à la production commerciale. La contribution du troisième enlumineur (ill. 41.1-41.3) est de loin la plus remarquable, bien que les instructions en néerlandais rédigées à son intention dans les marges de ses pages suggèrent qu'il ne fut pas, comme on aurait pu l'imaginer, le coordinateur du projet.

Ce peintre n'est autre que le Maître de Catherine de Clèves, unanimement salué comme l'un des artistes les plus fascinants et novateurs de la fin du Moyen Âge. Son nom d'usage lui vient de son travail tout aussi remarquable sur un livre d'heures aujourd'hui conservé à New York, et produit à Utrecht vers 1440 pour la duchesse de Guise Catherine de Clèves (1417-1476)[5]. Parmi les quinze manuscrits dont l'enluminure dénote son intervention, trois sont des bibles d'Utrecht. Cet anonyme savait comme nul autre insuffler vie et charme naturaliste à ses sujets bibliques. En témoigne ici son frontispice pour le Livre des Juges : une scène de jugement, qui aurait pu être convenue et stéréotypée, s'anime sous son pinceau d'une riche palette chromatique et d'une grande variété dans les postures, gestes et détails anecdotiques (ill. 41.1). En ouverture de I Samuel, on retrouve cette faculté de reformuler l'imagerie traditionnelle, avec le puissant contraste des livrées et des poses de Pennina et d'Anne, les deux épouses d'Elcana (ill. 41.2). L'attitude déférente et absorbée d'Anne – future mère de Samuel – s'oppose avec éloquence à la vive interaction entre Pennina et ses enfants. Quant à la charmante évocation de Daniel parmi les lions (ill. 41.4), elle n'est pas due au maître lui-même mais à l'un de ses collaborateurs sur le livre d'heures de Catherine de Clèves.

BIBLIOGRAPHIE

Sandra Hindman, *Text and Image in Fifteenth-Century Illustrated Dutch Bibles*, Leyde, 1977, p. 3, 10, 13, 67, 85, 137.

James H. Marrow *et al.*, *The Golden Age of Dutch Manuscript Painting*, New York, 1990, n° 42.

Rob Dückers et Ruud Priem, *The Hours of Catherine of Cleves: Devotion, Demons and Daily Life*, New York, 2010, p. 55, 58, n° 20.

NOTES

1 Suzan Folkerts, « Reading the Bible Lessons at Home: Holy Writ and Lay Readers in the Low Countries », *Church History and Religious Culture*, XIIIC, 2013, p. 217-137 (p. 224).

2 Hindman, *op. cit.*, p. 23.

3 Geert Warnar, « Het verlossende woord: De Utrechtse bijbels (ca. 1430-1480) in context », *Ons Geestelijk Erf*, LXXXIII, 2012, p. 264-282.

4 Sur l'Octateuque, voir la Bible historiée de Padoue, n° 37. La Vulgate, contrairement aux bibles modernes, faisait de I et II Samuel les deux premiers des quatre livres des Rois.

5 New York, Morgan Library, MS M.917 et MS M.945.

42

LA BIBLE HISTORIALE D'ÉDOUARD IV

Une Bible à la mesure d'un roi

Bible historiale **(du Livre de Tobie au Livre des Actes des Apôtres), en français. Bruges, 1470 (texte) et vers 1479 (enluminures).**

- 435 × 320 mm
- 239 f[os]
- Royal 15 D. i

Avec deux autres volumes de la même collection[1], le présent manuscrit est souvent considéré comme constituant la plus belle bible jamais réalisée en français[2]. Ses 77 miniatures, qui illustrent un grand nombre de sujets de l'Ancien et du Nouveau Testaments, en font certainement l'une des plus abondamment illustrées. Onze de ses images se distinguent par ailleurs des autres miniatures bibliques de cette fin de Moyen Âge par leur ampleur et leur traitement de l'espace. Cette bible témoigne avec éloquence de la splendeur de la cour d'Édouard IV (1442-1483), décrite par un visiteur de l'époque comme « la plus splendide [...] de toute la chrétienté[3] ».

La plupart des précédents exemplaires de la Bible historiale ont été produits à Paris[4], mais ce volume et ses compagnons viennent de Bruges, l'une des scènes commerciales et artistiques européennes les plus dynamiques de cette seconde moitié du XVe siècle. Bruges fourmillait d'artisans capables de produire des manuscrits de luxe pour des clients fortunés. Dans cet ouvrage, les enluminures sont comme souvent le produit de la collaboration entre plusieurs artistes. Dix des onze grandes miniatures ont été réalisées par un même artiste assisté d'un collaborateur de talent. Dans la représentation du festin de Balthazar (ill. 42.1), les deux enlumineurs ont par exemple créé une composition saisissante dont la simplicité apparente est contrebalancée par un traitement pictural audacieux, une palette chromatique éclatante et des personnages aux poses complexes. Malgré des dimensions impressionnantes, chaque illustration ou presque est entièrement consacrée à un seul épisode, avec quelques scènes mineures reléguées parfois dans les angles et passant de ce fait souvent inaperçues. Les deux miniaturistes se sont inspirés pour leurs personnages principaux ou secondaires d'œuvres antérieures : les deux voleurs de la Crucifixion (ill. 42.5) rappellent par exemple une gravure néerlandaise du même sujet, et le Christ en croix une Crucifixion du célèbre peintre flamand Rogier van der Weyden (1400-1464).

42.1 | Alors qu'il festoie à table, le roi Balthazar est terrifié à la vue d'une main sans corps écrivant sur le mur de la pièce, Livre de Daniel, f° 45 (détail).

Mane thechel phares

CEste hystoire
de iudich trans
lata saint Ihe
rosme de caldieu
en latin A la requeste et
priere des saintes vierges

de grans pierres quar
Laquelle il appella ex
tanis Et en fist les m
de lxx. coutees de haul
Et auoient despesseur
xxx. coutees Et

Au quart iour
apres holo
fernes fist
appareillier
ung grant
souper a ses gens. Et ap
[illegible] chastre ou

Car il me tourneroit a
grant honte entre les
assiriens se elle meschap
point ainsi. Dont
ala vagao a Judich. Et
luy dist. Ha a bonne pu
celle [illegible] aves une honte

DOUBLE PAGE PRÉCÉDENTE (À GAUCHE)

42.2 | Judith tient la tête du général assyrien Holopherne qu'elle a enivré puis décapité dans sa tente devant la ville assiégée de Béthulia ; à l'arrière-plan elle rapporte dans la ville la tête plantée sur le bout de son épée, Livre de Judith, f° 66v (détail).

DOUBLE PAGE PRÉCÉDENTE (À DROITE)

42.3 | Les Assyriens découvrent le corps sans tête d'Holopherne lorsque l'armée juive sort de la ville pour les attaquer ; à l'arrière-plan, on voit la tête d'Holopherne érigée sur une pique au-dessus d'une tour de la ville, Livre de Judith, f° 76v (détail).

À GAUCHE

42.4 | Judas rend les pièces d'argent qui lui ont été données en échange de la trahison du Christ et se suicide, harmonie des Évangiles, f° 346 (détail).

PAGE CI-CONTRE

42.5 | Le Christ meurt sur la Croix entre deux voleurs tandis que la Vierge Marie s'affaisse dans les bras de saint Jean et que deux autres femmes expriment leur chagrin et que le centurion parle avec les soldats, harmonie des Évangiles, f° 353 (détail).

La seule grande miniature a n'être pas l'œuvre des deux artistes représente la mort d'Holopherne (ill. 42.2). Le peintre qui l'a réalisée a utilisé une palette plus sombre et semblait surtout intéressé par la représentation de l'espace et les jeux de lumière. Lorsqu'on compare cette miniature à celle qui suit dans le manuscrit et qui représente la découverte du corps d'Holopherne (ill. 42.3), la différence entre les artistes apparaît clairement. Le talentueux collaborateur qui a travaillé sur les dix grandes images est l'auteur de l'une des 66 miniatures de la largeur d'une colonne (ill. 42.4), délicatement peintes en semi-grisaille – technique qui rehausse la grisaille monochrome de quelques couleurs[5]. Deux autres artistes ont pris en charge toutes les autres petites miniatures, à l'exception de deux, ainsi que les bordures finement enluminées qui ornent toutes les illustrations (ill. 42.6). Le récit visuel se déploie du Livre de Tobie (ill. 42.6) à celui des Actes des Apôtres en passant par les livres de Jérémie, Ézékiel, Daniel (ill. 42.1), Judith (ill. 42.2-42.3), Esther et des Maccabées, ainsi que par une harmonie des Évangiles dans laquelle les récits des quatre Évangélistes sont fusionnés pour n'en former qu'un (ill. 42.4-42.5)[6].

Ainsi que ceste tourbe mauldicte des Juyfz menoit le cyreneem qui leur sambloit fort et robuste pour soustenir et porter ceste croix. Auquel voeur voulsist il ou non ilz la chargerent

Comme beaucoup de ses prédécesseurs, Édouard IV était un collectionneur avide de beaux manuscrits produits sur le continent, et il en constitua une remarquable collection, en provenance du sud des pays flamands, reflétant le goût des aristocrates de l'époque pour les textes éducatifs et historisants en français enrichis d'enluminures. Au début du manuscrit, le copiste, Jan du Ries, a inscrit une date – 1470 – et le nom de son client, Édouard. Mais il semblerait que ce volume n'ait pas été à l'origine destiné au roi anglais. Son nom et son titre ont en effet été écrits au-dessus d'une rature et n'étaient pas présents sur le manuscrit à l'origine. D'autres éléments amènent à penser que le manuscrit a été terminé pour Édouard bien plus tard. Les deux autres volumes qui complètent sa bible historiale datent de 1479, ce qui correspond au moment où le roi a le plus collectionné les manuscrits enluminés néerlandais. Une analyse détaillée des blasons et des décorations en marge (voir ill. 42.6), ainsi que des costumes des personnages, confirme que le manuscrit date également de cette période précise. Les artistes de cet ouvrage ont donc probablement attendu quelques années après avoir copié le texte pour enfin achever leurs enluminures grâce à un mécène assez riche et passionné en la personne du roi d'Angleterre.

42.6 | Tobith est aveuglé par de la fiente d'oiseau alors qu'il dort dans son lit ; dehors, son fils Tobie parle avec l'ange Raphaël déguisé en voyageur, début du Livre de Tobie, f° 18.

BIBLIOGRAPHIE

Samuel Berger, *La Bible française au Moyen Âge : étude sur les plus anciennes versions de la Bible écrites en prose de langue d'Oïl*, Paris, 1884, p. 389-390.

Thomas Kren et Scot McKendrick, *Illuminating the Renaissance: The Triumph of Flemish Manuscript Painting in Europe*, Los Angeles, 2003, n° 82.

John Lowden, « Bible historiale: Tobit to Acts », *in* Scot McKendrick, John Lowden et Kathleen Doyle, *Royal Manuscripts: The Genius of Illumination*, Londres, 2011, n° 53.

Scot McKendrick, « The Manuscripts of Edward IV: The Documentary Evidence », *in* Kathleen Doyle et Scot McKendrick (dir.), *1000 Years of Royal Books and Manuscripts*, Londres, 2013, p. 149-177.

NOTES

[1] Royal 18 D. ix et Royal 18 D. x.

[2] Berger, *op. cit.*, p. 389.

[3] Gabriel Tetzel, février 1466, cité *in* Charles Ross, *Edward IV*, Londres, 1974, p. 259.

[4] Voir les bibles historiales de Charles V, n° 36, et de Charles de France, n° 40.

[5] Pour les grisailles, voir la Bible historiale de Charles V, n° 36.

[6] Pour les harmonies des Évangiles, voir « Mille ans d'art et de beauté », p. 15.

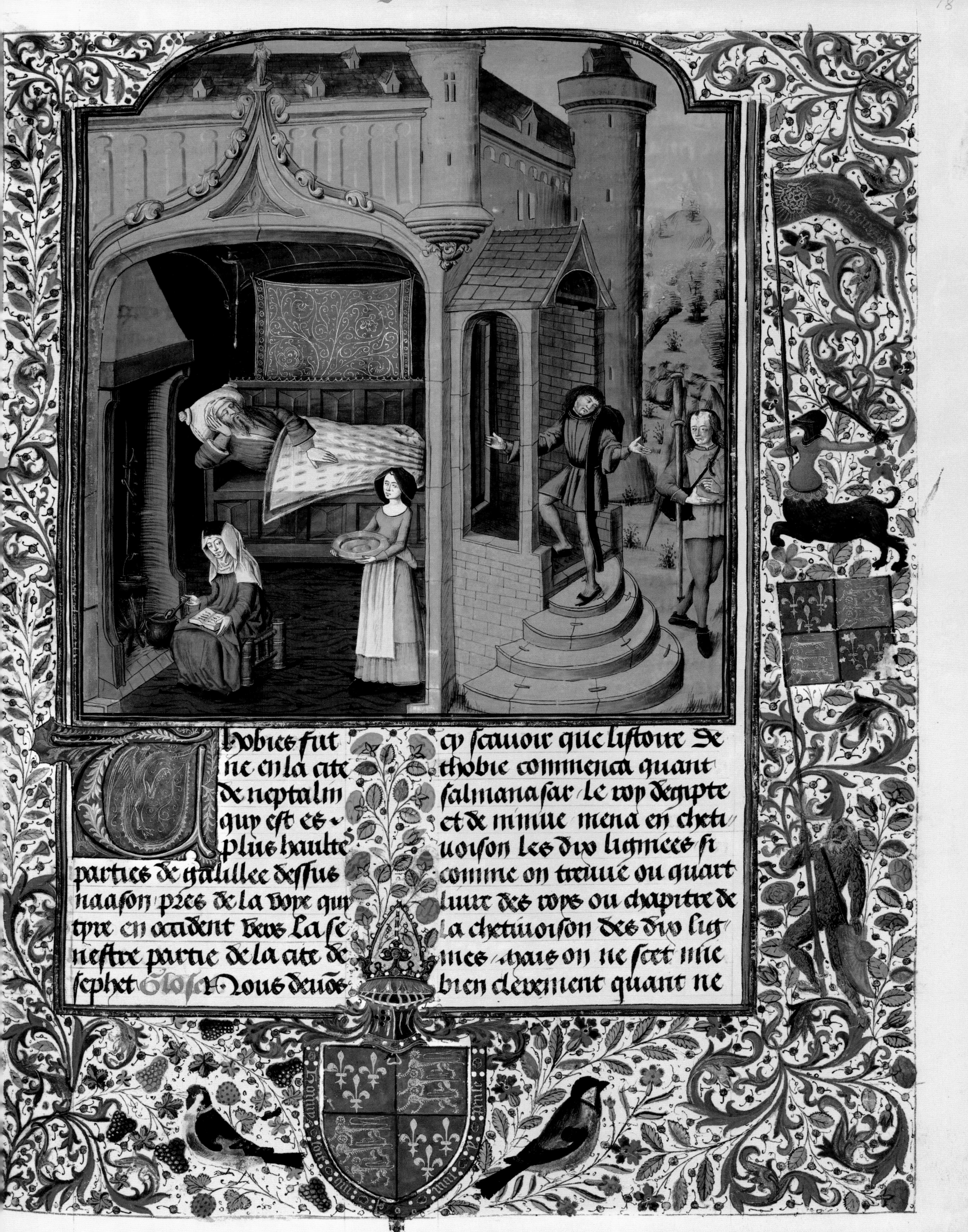

Thobies fut
ne en la cite
de neptalim
quy est es
plus haultes
parties de galillee dessus
naason pres de la voye quy
tyre en occident vers la se
nestre partie de la cite de
sephet Glose. Nous devons
cy scavoir que listoire de
thobie commenca quant
salmanasar le roy degipte
et de ninive mena en cheti
voison les dix lignees si
comme on treuve ou quart
livre des roys ou chapitre de
la chetivoison des dix lig
nees mais on ne scet mie
bien clerement quant ne

43

LES ÉVANGILES DU CARDINAL FRANCESCO GONZAGA

Un livre d'Évangiles pour un cardinal de la Renaissance

À la fin du xve siècle, Rome avait retrouvé une part de sa splendeur d'antan grâce à la papauté. Pendant la plus grande partie du siècle précédent, celle-ci avait été exilée à Avignon avant de subir le Grand Schisme durant lequel les prétendants au titre de vicaire du Christ étaient pléthore[1]. Quand les papes firent leur retour à Rome, ils reprirent leur règne temporel sur la ville et y ravivèrent l'art et l'érudition. Au moment de la production du présent manuscrit, le pape Sixte IV (r. 1471-1484) possédait la plus grande collection de livres d'Europe occidentale et était en train d'ériger ce qui allait devenir l'un des bâtiments les plus célèbres au monde, la chapelle Sixtine.

Produit en cette période de renaissance de la cité papale, ce manuscrit renferme trois magnifiques portraits des Évangélistes Marc, Luc et Jean (celui de Matthieu a disparu sans laisser de traces), ainsi que des pages d'*incipit* enluminées pour les quatre Évangiles. Le traitement des portraits (ill. 43.1-43.2) n'est pas d'inspiration byzantine mais intimement lié au Quattrocento italien[2]. La perspective, le naturalisme, la palette chromatique, les tenues romaines de tous les personnages ainsi que la jeunesse de saint Jean permettent d'attribuer l'œuvre à un enlumineur italien imprégné des derniers développements de la peinture de la Renaissance. D'autres éléments tels que les lutrins drapés de saint Marc et de saint Jean (ill. 43.1-43.2) pourraient indiquer des sources d'inspiration occidentales beaucoup plus anciennes[3]. Jusqu'à ce jour, aucune autre enluminure n'a été attribuée avec certitude au même artiste mais on lui doit également les quatre bandeaux, les principales initiales et trois personnages qui apparaissent dans la marge, en ouverture des Évangiles (ill. 43.3-43.7). Bien que d'inspiration byzantine par leur format et leur iconographie, les bandeaux contiennent non seulement des éléments décoratifs de style Renaissance similaires à ceux utilisés sur les cadres des portraits mais aussi des motifs conformes aux enseignements de l'Église romaine. Le bandeau pour saint Matthieu (ill. 43.4) contient par exemple

Quatre Évangiles, en grec.
Rome, 1478.

- 310 × 215 mm
- 299 f^os^
- Harley 5790

43.1 | Assis dehors à son bureau, saint Marc s'interrompt pendant l'écriture de son Évangile, accompagné de son symbole – un lion –, au début de son Évangile, f° 87v (détail).

DOUBLE PAGE SUIVANTE

43.2-43.3 | Assis dehors à son bureau, saint Jean écrit son Évangile, accompagné de son symbole – un aigle; (en face) le Christ, un livre à la main, fait un signe de bénédiction, flanqué des archanges Michel et Gabriel et de saint Jean Baptiste (dans la marge de droite), au début de l'Évangile de saint Jean, f°s 232v-233.

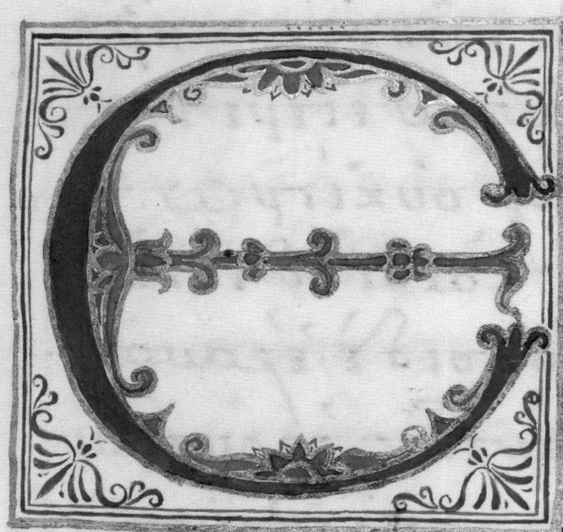

Ἐν ἀρχῇ ἦν ὁ λόγος·
καὶ ὁ λόγος ἦν
πρὸς τὸν θεόν.
καὶ θ̅ς̅ ἦν ὁ λόγος.
οὗτος ἦν ἐν ἀρχῇ
πρὸς τὸν θ̅ν̅·
πάντα δι' αὐτοῦ
ἐγένετο· καὶ χοορὶς αὐτοῦ ἐγένετο
οὐδὲ ἕν, ὃ γέγονεν· ἐν αὐτῷ
ζοοὴ ἦν· καὶ ἡ ζοοὴ ἦν, τὸ φῶς
τῶν ἀν̅ων̅· καὶ τὸ φῶς ἐν τῇ σκο-
τίᾳ φαίνει· καὶ ἡ σκοτία αὐτὸ

ci-contre (en haut)

43.4 | Le Christ debout entre les bustes de la Vierge et de saint Pierre fait un signe de bénédiction, avec – en médaillon – les archanges Michel et Gabriel, page d'ouverture de l'Évangile de saint Matthieu, f° 4 (détail).

ci-contre (en bas)

43.5 | Le Christ, un livre à la main, entre les prophètes Isaïe et Jérémie avec des parchemins, page d'ouverture de l'Évangile de saint Marc, f° 88 (détail).

un *Deesis* byzantin dans lequel saint Pierre remplace néanmoins saint Jean Baptiste[4]. En outre, ici comme en ouverture de l'Évangile de saint Jean, le Christ bénit à la manière latine plutôt que grecque. Parmi les éléments éminemment byzantins, citons les étendards (*labara*[5]) tenus par les archanges (ill. 43.3) et la Vierge *Blachernitissa* (ill. 43.7), qui doit son nom à une célèbre icône conservée à l'époque à l'église des Blachernes à Constantinople. La Mère de Dieu (*Theotokos* en grec) y est représentée en prière, l'Enfant Jésus apparaissant dans un médaillon sur son buste.

Comme beaucoup d'autres manuscrits bibliques, celui-ci est la copie d'un ouvrage byzantin plus ancien. Mais, contrairement à la tradition, le texte n'est pas seul à avoir été copié car les remarquables pages d'*incipit* sont elles aussi inspirées du même modèle. Cet autre manuscrit des Évangiles, désormais conservé au Vatican[6], présente en effet des bandeaux historiés et des personnages marginaux similaires. N'ayant aucune connaissance du grec, l'enlumineur n'a pas repris les légendes du manuscrit byzantin qui nommaient les différents personnages mais nous pouvons nous y référer pour les identifier. Dans les bandeaux des Évangiles de Matthieu, Luc et Jean (ill. 43.3, 43.4, 43.7), on trouve les archanges Michel (à gauche) et Gabriel (à droite). Les deux prophètes en ouverture de l'Évangile de saint Luc sont Isaïe et Jérémie, et les deux personnages dans la marge, en ouverture de celui de saint Luc, sont l'Évangéliste et Théophile auquel l'Évangile est adressé (ill. 43.7). Nous pouvons aussi confirmer que le saint Pierre romain en ouverture du livre de Matthieu (ill. 43.4) remplace le David et non le saint Jean Baptiste du manuscrit du Vatican.

Comme c'est le cas de beaucoup de livres de cette période tardive dans la production de manuscrits, nous en savons beaucoup sur les personnes associées à sa réalisation mais peu sur leurs motivations. À la fin du manuscrit, une inscription courant sur une page entière indique que cette copie d'un texte des Évangiles en grec a été achevée à Rome le 25 avril 1478. La transcription a été accomplie par le copiste crétois Ioannes Rhosos (mort en 1498) et financée par le cardinal Francesco Gonzaga (1444-1483). Arrivé en Italie juste après la chute de Constantinople en 1453, Rhosos était très recherché par les érudits et les collectionneurs qui désiraient obtenir des copies de textes grecs classiques. Un an auparavant il avait achevé pour le même Gonzaga la partie grecque d'un exemplaire bilingue de l'Illiade et l'Odyssée désormais conservé au Vatican[7]. Mais, parmi les ouvrages retranscrits par Rhosos qui nous sont parvenus, cette copie des Évangiles est particulièrement remarquable et n'a que peu d'équivalents[8].

Francesco Gonzaga était quant à lui l'un des fils de Ludovico Gonzaga (1414-1478), puissant marquis de Mantoue et célèbre mécène du peintre Andrea Mantegna. Francesco fut élu cardinal en 1461 et arriva à Rome l'année suivante. Il y établit une maisonnée cultivée et sophistiquée ainsi qu'une importante collection de livres et d'œuvres d'art. Son secrétaire

À GAUCHE

43.6 | Théophile recevant le livre des mains de saint Luc, page d'ouverture de l'Évangile de saint Luc, f° 143 (détail).

PAGE CI-CONTRE

43.7 | La Vierge *Blachernitissa* flanquée des archanges Michel et Gabriel et (dans la marge de droite) Théophile recevant le livre des mains de saint Luc, page d'ouverture de l'Évangile de saint Luc, f° 143.

personnel, Giovanni Pietro Arrivabene (1469-1504), qui entra ensuite en possession du manuscrit, était l'un des élèves de l'humaniste Francesco Filelfo. Mais, contrairement à de tels humanistes, le cardinal Gonzaga ne connaissait pas le grec et n'a semble-t-il acquis une copie des Évangiles dans cette langue que pour des raisons d'apparat et de prestige.

BIBLIOGRAPHIE

David S. Chambers, *A Renaissance Cardinal and his Worldly Goods: The Will and Inventory of Francesco Gonzaga (1444-1483)*, Londres, 1992, p. 61-62.

Jonathan J. G. Alexander (dir.), *The Painted Page: Italian Renaissance Book Illumination, 1450-1550*, Londres, 1994, p. 106.

Robert S. Nelson, « Byzantium and the Rebirth of Art and Learning in Italy and France », *in* Helen C. Evans (dir.), *Byzantium: Faith and Power (1261-1557)*, New York, 2004, p. 523.

NOTES

[1] Voir la Bible de Clément VII, n° 34.

[2] À comparer avec le Nouveau Testament Guest-Coutts et les Évangiles Burney, grecs Harley et du tsar Ivan Alexandre, nos 9, 18, 24, 35.

[3] Fabrizio Crivello, « Motivi altomedievali tra Bisanzio e Rinascimento: nota sugli evangelisti dell'Evangelario Harley 5790 », *in* Federica Toniolo et Gennaro Toscano (dir.), *Miniatura: lo sguardo e la parola*, Milan, 2012, p. 292-295.

[4] Sur le *Deesis*, voir le Psautier de la reine Mélisende, n° 19.

[5] Sur le *labara*, voir le Psautier de Winchester, n° 20.

[6] Cité du Vatican, BAV, mss Rossi 135-138.

[7] Cité du Vatican, BAV, mss Vat. gr. 1626, 1627.

[8] Le psautier qu'il a copié en 1478 (Harley 5737) est l'un des rares ouvrages d'une qualité comparable.

πειδήπερ πολλοὶ
ἐπεχείρησαν ἀνα-
τάξασθαι διήγη-
σιν περὶ τῶν πε-
πληροφορημένων
ἐν ἡμῖν πραγμά-
των· καθὼς παρ-
έδοσαν ἡμῖν οἱ ἀπ' ἀρχῆς αὐτόπται
καὶ ὑπηρέται γενόμενοι τοῦ λόγου.
Ἔδοξε κἀμοὶ παρηκολουθηκότι
ἄνωθεν· πᾶσιν ἀκριβῶς· καθεξῆς
σοι γράψαι κράτιστε Θεόφιλε.

44

DES ÉVANGILES ARMÉNIENS

Illustrer les Évangiles en Perse

Quatre Évangiles, en arménien. Ispahan, 1608.

- 170 × 135 mm
- 309 f[os]
- Oriental 5737

La religion chrétienne fait depuis longtemps partie intégrante de l'identité arménienne. Sous le règne du roi Tiridate III (287-330), les Arméniens devinrent le premier peuple à adopter la chrétienté, et ils traduisirent la Bible dès le ve siècle. Dispersés par la suite en raison de luttes de pouvoir successives entre empires ennemis, ils ne cessèrent de chérir les écritures en tant que « souffle de Dieu » (*Astuadsashuntch* en arménien). Ils veillèrent à la transmission et à l'utilisation des textes bibliques dans leurs communautés à tel point que, des premières traductions (ou « versions ») de la Bible, seule la Vulgate latine nous est parvenue en de plus nombreux exemplaires[1]. Ils ont aussi développé l'une des traditions les plus puissantes et continues de commande et de production de manuscrits finement enluminés des Évangiles.

C'est dans la capitale perse, Ispahan, que l'on assiste aux dernières manifestations de cette tradition. Les riches habitants de la Nouvelle-Djoulfa, un quartier arménien établi par le shah Abbas Ier le Grand (r. 1588-1629), aimaient commander des manuscrits somptueusement enluminés. Dans le présent volume (comme dans beaucoup d'autres du même type), les clients, tout comme les artistes, sont longuement célébrés. Selon une inscription, maître (*khāja*) Vēlījan et sa femme Gayanē ont engagé de « vastes dépenses » pour l'ornementation du livre grâce aux revenus de Vēlījan, issus d'un « honnête labeur ». Ils ne l'ont pas seulement fait « pour la splendeur de l'Église sacrée et l'usage des enfants de Sion » mais aussi en la mémoire de Vēlījan et de sa famille. Sont également remerciés le copiste, Jik' Step'anos de Djoulfa (actif 1608-1637), et l'artiste, Mesrop de Khizan (actif 1603-1652), qui a « enluminé le livre avec de belles couleurs, de l'or, du lapis-lazuli et toutes sortes de pigments ».

Cet Évangile est introduit par 17 images en pleine page, blanches au verso et pour la plupart disposées par paire. Malgré quelques pages perdues ou déplacées dans le livre, la narration visuelle est d'une grande clarté : elle suit les grandes lignes de l'histoire du Salut, depuis la naissance

44.1 | Table 6 des tables de correspondance d'Eusèbe, symbolisant l'autel d'Abraham avec le bélier pris dans un buisson (Genèse, XXII, 13), f° 23 (détail).

DOUBLE PAGE SUIVANTE

44.2-44.3 | La seconde venue du Christ annoncée par quatre anges au centre d'une grande croix au pied de laquelle est agenouillé un homme en prière ; (en face) le Christ assis sur le trône pendant le Jugement, accompagné des quatre créatures vivantes, la Vierge et saint Jean Baptiste pendant que (dans la marge inférieure) un ange et des démons s'affrontent lors de la pesée des âmes ; f°s 14v-15.

du Christ jusqu'au Jugement dernier, culminant avec un diptyque représentant la Vierge intercédant auprès de son Fils. Dans l'avant-dernière paire d'images, la seconde venue de Jésus et le Jugement dernier se font face (ill. 44.2, 44.3). Annoncé par des anges aux quatre coins de la Terre, le Christ apparaît à gauche, assis dans un médaillon au centre d'une grande croix, une référence au khatchk'ar (« croix en pierre »), sur laquelle les Arméniens enjoignaient de prier pour le repos des âmes des morts. Branches et feuilles poussent à sa base comme sur l'Arbre de vie. Le client du manuscrit est agenouillé près de la croix. Sur la page de droite le Christ, avec les quatre créatures vivantes de l'Apocalypse (IV, 6-10) et flanqué des intercesseurs que sont la Vierge et saint Jean Baptiste, surveille la pesée des âmes sur une balance. Saint Michel transperce d'une flèche les démons qui tentent d'empêcher l'opération.

D'autres enluminures illustrent les tables de correspondance et le début de chaque Évangile, et 26 petites miniatures sont disposées dans les marges du texte évangélique. Dans les tables de correspondance, l'enlumineur s'est inspiré des commentaires de Step'anos, évêque de Siwnik' (mort en 735). À la sixième table, il a représenté non seulement les traditionnelles arches et colonnes mais aussi un bélier pendu à un arbre par ses cornes (ill. 44.1)[2]. Si l'on en croit une note de la main du copiste Jik' Step'anos dans la marge inférieure (non illustrée), cette table « symbolise l'autel d'Abraham, et voici l'arbre de Sabec auquel est pendu le bélier à la place d'Isaac, symbolisant Jésus-Christ qui s'offrit sur la Croix ». On trouve au début de chaque Évangile un portrait de l'Évangéliste et une magnifique page de texte enluminée. La miniature qui précède le texte de Jean reprend une tradition byzantine ancienne qui voit Jean dicter son texte à son disciple Prochore[3]. Sur la page de texte qui lui fait face (ill. 44.4), se trouve une porte traditionnelle en forme de π surmontée de deux oiseaux[4]. Dans la marge extérieure de droite sont empilées des paires de figures en miroir et, dans la marge intérieure à gauche, des symboles des quatre Évangélistes, l'aigle de saint Jean tenant un livre dans son bec et formant la boucle de l'initiale du texte.

De toutes les personnes impliquées dans la fabrication de ce manuscrit, l'enlumineur Mesrop est aujourd'hui de loin le plus connu. Formé dans les célèbres ateliers de la ville arménienne de Khizan, au sud du lac Van, Mesrop s'installa à la Nouvelle-Djoulfa vers 1607, après la conquête par Abbas Ier de larges parties du territoire arménien dont Khizan. Des 45 manuscrits que l'on attribue à Mesrop, celui-ci est le premier qu'il commença et acheva dans sa nouvelle ville.

44.4 | Ouverture de l'Évangile de saint Jean avec les symboles des quatre Évangélistes formant la première lettre du texte, f° 241 (détail).

BIBLIOGRAPHIE

Vrej Nersessian, *Armenian Illuminated Gospel-Books*, Londres, 1987, p. 31-35, 92-93.

Vrej Nersessian, *Treasures from the Art: 1700 Years of Armenian Christian Art*, Londres, 2001, n° 149.

Mikayel Arakelyan, *Mesrop of Xizan: An Armenian Master of the Seventeenth Century*, Londres, 2012, p. 141-142.

NOTES

1 Sur les versions, voir « Mille ans d'art et de beauté », p. 12.

2 Sur les tables de correspondance, voir les Tables canoniques dorées, n° 1.

3 Sur Prochore, voir les Évangiles Burney , n° 18.

4 Voir aussi le Nouveau Testament Guest-Coutts, n° 9.

45

UN OCTATEUQUE ET DES ÉVANGILES ÉTHIOPIENS

Raviver la splendeur éthiopienne d'antan

Octateuque, quatre Évangiles et Canons apostoliques, en éthiopien classique (guèze). Gondar ?, fin du XVIIe siècle.

370 × 355 mm
209 f^{os}
Oriental 481

À l'époque où ce manuscrit a été conçu, la fabrication de livres chrétiens jouait un rôle important dans la vie des Éthiopiens depuis plus de 1 300 ans. Au cours des IVe et Ve siècles, des missionnaires chrétiens avaient obtenu le soutien de l'élite régnante et avaient fait traduire la Bible en guèze, une langue sémitique toujours utilisée dans la liturgie par l'Église éthiopienne. À peu près à la même période, des artistes de talent commencèrent à produire des manuscrits enluminés des Évangiles en guèze, et les Éthiopiens maintiennent cette tradition depuis le XIIIe siècle.

Ce manuscrit rassemble trois textes fondamentaux pour l'Église éthiopienne : l'Octateuque – les huit premiers livres de l'Ancien Testament, du Livre de la Genèse à celui de Ruth –, les Évangiles et une série de décrets attribués aux Apôtres et relatifs principalement à l'ordination, aux devoirs et à la conduite convenable du clergé. Décoré sur chaque page de *harags*, des bandes entrecroisées de différentes couleurs employées par les enlumineurs éthiopiens à partir du XIVe siècle, ce volume renferme également des illustrations très colorées en ouverture de chaque texte biblique et des Canons apostoliques. Une enluminure figurative encadrée et en pleine page se présente généralement sur la page de gauche tandis que le texte, également encadré, lui fait face à droite. Dans chaque enluminure, une à trois grandes figures auréolées représentent l'auteur ou les principaux personnages du texte, identifiés par des légendes en rouge. Dans la Genèse, Moïse se lève pour recevoir de la main de Dieu les Tables de la Loi ; dans chacun des Évangiles, deux Évangélistes assis face à face dialoguent au sujet de leurs écrits. Chaque enluminure est décorée de couleurs éclatantes, les formes humaines corpulentes et stylisées étant rehaussées de motifs géométriques et se détachant sur des fonds unis.

Les enluminures les plus impressionnantes sont celles qui précèdent les Évangiles. Les tables de correspondance d'Eusèbe sont par exemple introduites par une miniature qui représente non seulement l'auteur mais aussi la personne pour laquelle Eusèbe a écrit l'explication des tables,

45.1 | La Vierge est étendue auprès de l'Enfant, accompagnée de trois anges, d'un bœuf et d'un âne (en haut) ; elle est assise (en bas) avec l'Enfant sur ses genoux, aux côtés de Joseph et de la sage-femme Salomé ; un berger arrive avec deux brebis, f° 100v.

DOUBLE PAGE SUIVANTE

45.2-45.3 | Joseph d'Arimathie et Nicodème descendent le Christ de la Croix pendant que la Vierge touche sa main droite ; (en face) la Vierge, saint Jean, quatre femmes et deux anges se lamentent au-dessus du corps du Christ au pied de la croix pendant que (à droite) Joseph d'Arimathie et Nicodème apportent des épices pour l'enterrement du Christ, f°s 106v-107.

ኀበ፡መጽኡ፡ሐራ፡ሰማይ፡ወተወልደ፡እግዚእነ፡ክርስቶስ፡

ዮሴፍ፡ኀበ፡አንክረ። ወሰሎሜ፡እንዘ፡ተሐፅብ፡ሕፃነ፡

ኀበ፡አውረድዎ፡ዮሴፍ፡ወኒቆዲሞስ፡ለእግዚእነ፡አመስቀሉ።

ኀቡ፡በከያሁ፡አንስት፡ለኢየሱስ፡ሚካኤል፡ወገብርኤል፡እንዘ፡ይኔጽሩ፡ኀበ፡እግዚእነ፡ክርስቶስ፡

qui a fini par leur servir de préface dans les manuscrits bibliques. La présentation même des tables est une réinterprétation de la formule depuis longtemps établie[1] : le décor architectural est décomposé par le biais de couleurs, de motifs et de détails locaux, et les arches sont transformées en arcs-en-ciel qui apparaissent entre des arbres fourmillant d'oiseaux colorés. Suit une séquence de 24 images en pleine page particulièrement spectaculaires qui commence par l'annonciation à Zacharie de la naissance de saint Jean Baptiste et se termine par le Christ ressuscité adoré par les anges, le tout décrit par des légendes en guèze (ill. 45.1-45.4). Ces enluminures forment le cœur spirituel du volume, destiné à être présenté dans le cadre de la liturgie lors des grandes fêtes. Plusieurs sont inspirées de la tradition byzantine mais sont agrémentées d'éléments occidentaux, ainsi que de détails et de couleurs tirés de la vie quotidienne éthiopienne. Dans la Nativité (ill. 45.1), cette approche aboutit à une représentation dramatique et quelque peu mystique de la Vierge : celle-ci est étendue sur un lit oriental à côté de l'Enfant et en compagnie de trois anges, tous semblant flotter comme dans un rêve au-dessus d'une représentation plus occidentale de la Vierge à l'Enfant assise et accompagnée d'un Joseph pensif et de la sage-femme Salomé tenant un bassin pour baigner Jésus. La couleur locale est apportée par le traitement des animaux – l'âne, le bœuf et les brebis aux cornes dentelées offertes à Jésus par le berger. L'usage généreux du rouge semble préfigurer le sacrifice du Christ.

Les jumelages d'images revêtent aussi un aspect dramatique. Le diptyque de la déposition et de la lamentation (ill. 45.2-45.3) est particulièrement émouvant. Les sentiments ressentis par la mère et les disciples du Christ transparaissent dans la tendresse avec laquelle Marie touche la main percée et ensanglantée de son Fils et la douceur dont Joseph d'Arimathie fait preuve en tenant le corps crucifié du Christ, ainsi que dans les poses et gestes éloquents des personnages endeuillés. Le cycle se conclut par une représentation de la vision de saint Jean du Paradis (ill. 45.4), avec le Christ sur le trône dans une mandorle soulevée par les quatre créatures vivantes et adorée des anges (Apocalypse, IV, 1-11).

Daté de la fin du XVIIe siècle, ce manuscrit est une copie d'un volume beaucoup plus ancien attribué à un atelier employé par l'empereur Dawit Ier (r. 1380/2-1412) ; cet exemplaire est conservé dans l'église de Marie à Amba Geshen dans le nord de l'Éthiopie. Il se peut que la copie ait été exécutée dans la capitale royale de Gondar pour l'empereur Iyasu Ier (r. 1682-1706) à l'occasion de la consécration de l'église Debre Berhan Selassie en 1694 : la création à la fois du manuscrit et de l'église aurait alors correspondu à une volonté de raviver une tradition ancestrale de patronage impérial des arts et de l'Église.

45.4 | Christ en Majesté, entouré des quatre créatures vivantes et adoré des anges, f° 110v.

BIBLIOGRAPHIE

Roderick Grierson (dir.), *African Zion: The Sacred Art of Ethiopia*, New Haven, 1996, p. 178, 246-247, n° 107.

NOTE

[1] Sur les tables de correspondance, voir les Tables canoniques dorées, n° 1.

እግዚአብሔር፡አብ።

LES ORIGINES DES COLLECTIONS DE LA BRITISH LIBRARY

Tous les manuscrits présentés dans ce livre sont conservés à la British Library, la bibliothèque nationale du Royaume-Uni créée en 1973, et appartiennent à des collections constituées au cours des quatre siècles derniers. Ils se répartissent entre les collections « fermées », ou historiques – soit d'anciennes collections entrées à la British Library dans leur intégralité –, et les collections « ouvertes » – des fonds qui continuent de s'enrichir au gré de nouvelles acquisitions. La bibliothèque doit la richesse de sa collection de manuscrits bibliques à quelques collectionneurs privés. Afin de leur rendre hommage et de souligner leur rôle déterminant, chaque volume des collections historiques contient dans sa cote ou son appellation le nom du collectionneur d'origine. Avant la création de la bibliothèque, tous les manuscrits de ce volume, à l'exception des Évangiles de saint Cuthbert (voir fig. 5), étaient conservés à la British Museum Library. La présence à la British Library de tant de trésors remarquables doit donc également beaucoup à l'expertise et au dévouement des conservateurs successifs du département des manuscrits de ce musée.

LES MANUSCRITS COTTON

La collection Cotton a été créée par l'antiquaire et homme politique Sir Robert Bruce Cotton (1571-1631) et enrichie par son fils, Sir Thomas Cotton (1594-1662), et son petit-fils, Sir John Cotton (1621-1702). Ce dernier a fait don à la nation de l'ensemble des livres et manuscrits, pour « l'usage et le bénéfice publics[1] », et la collection est entrée au British Museum dès la création du musée en 1753. Elle comprend quelque 1 400 manuscrits et plus de 1 500 chartes, parchemins et sceaux. Elle reflète l'intérêt de Sir Robert pour l'histoire anglaise. La majorité des manuscrits anglo-saxons présentés dans ce livre, dont les célèbres Évangiles de Lindisfarne (n° 2), proviennent de cette collection, ce qui témoigne de son importance. La cote de chacun de ses manuscrits inclut le nom de l'empereur ou personnage historique romain dont le buste surmontait l'étagère qui lui était assignée dans la bibliothèque d'origine.

LES MANUSCRITS HARLEY

La collection Harley a été constituée au cours de deux générations par les deux premiers comtes d'Oxford, Robert Harley (1661-1724) et son fils Edward Harley (1689-1741). La veuve et la fille d'Edward vendirent les manuscrits à la nation pour 10 000 £ (une fraction de leur valeur à l'époque) dans le cadre de la loi qui établissait le British Museum. La collection comprend plus de 7 000 manuscrits, 14 000 chartes et 500 parchemins. Elle est particulièrement riche en manuscrits bibliques : huit d'entre eux figurent dans ce livre, leur dénomination rappelant pour la plupart leurs propriétaires d'origine : les Évangiles dorés Harley, le Psautier Harley, les Évangiles d'Echternach Harley, les Évangiles grecs Harley, la Bible moralisée Harley (n°s 4, 10, 12, 24 et 26). Avec la collection Cotton et celle de Sir Hans Sloane (1660-1753), cette collection est l'une des trois fondatrices de la British Library.

LES MANUSCRITS ROYAUX

La Old Royal Library – à distinguer de la Royal Library contemporaine abritée principalement au château de Windsor – renferme presque 2 000 manuscrits, la plupart enluminés, dont six figurent dans cet ouvrage. Citons par exemple la Bible historiale du souverain de la maison d'York Édouard IV (n° 42), mais aussi l'imposante

Initiale « B » de *Beatus* (Béni), au début du psaume I dans le Psautier de Tibère, n° 13, Cotton Tiberius C. vi, f° 31.

Grande Bible de ses opposants de la maison de Lancastre, qu'Henri V avait formellement léguée par testament à son fils Henri VI (n° 39). Cet ensemble était conservé au XVIIIe siècle avec la collection Cotton et fut offert à la nation en 1757 par George II[2].

LES AUTRES COLLECTIONS NOMINATIVES

Certains manuscrits dans ce volume proviennent d'autres collections spécifiques. La *Biblia pauperum* (n° 38) est par exemple l'un des 446 manuscrits de la bibliothèque créée par George III et offerte à la nation en 1823. Ces manuscrits sont aujourd'hui appelés « King's manuscripts » pour les distinguer de ceux de la Old Royal Library. Les Évangiles Burney (n° 18) proviennent quant à eux de la bibliothèque du spécialiste de l'Antiquité Charles Burney (1757-1817) qui a été acquise dans son intégralité auprès de son fils Charles Parr Burney en 1818. Le Psautier de Saint-Omer (n° 33) faisait partie de la célèbre « One Hundred », la collection de manuscrits de Henry Yates Thompson (1838-1928) qui, à chaque fois qu'il faisait l'acquisition d'un nouvel ouvrage, « se débarrassait sans pitié du moins fascinant des cent déjà en sa possession[3] ». Cinquante-deux d'entre eux forment dorénavant la collection Yates Thompson de la British Library, la majeure partie ayant été léguée par sa veuve en 1941.

LA « ADDITIONAL COLLECTION »

Plus d'un tiers des volumes présentés dans ce livre appartient à l'importante collection de manuscrits baptisée « Additional collection ». Contenant à ce jour plus de 90 000 livres et documents, elle est constituée de tous les manuscrits offerts, achetés ou légués depuis 1756, à l'exception des grandes collections qui gardent le nom de leur propriétaire ou bibliothèque d'origine ou qui ont été acquises grâce au fonds Egerton décrit plus bas. La numérotation de ces manuscrits commence à 4101, juste après celle des manuscrits Sloane qui va de 1 à 4100. Chaque nouvelle acquisition dans le domaine des manuscrits occidentaux se voit attribuer un numéro dans cette collection. L'Évangile de saint Cuthbert (voir fig. 5), acquis en 2012, porte par exemple la cote Additional 89 000.

Beaucoup de manuscrits de cette collection présentés dans le livre ont été acquis grâce à Sir Frederic Madden, conservateur au British Museum de 1837 à 1866, « un colosse de l'érudition victorienne[4] ». Son remarquable discernement vaut à la bibliothèque de conserver aujourd'hui des trésors tels que l'Apocalypse de Silos (nº 15), la Bible de Floreffe (nº 22) et le Psautier de Théodore (nº 14).

D'autres manuscrits de cette collection ont intégré la British Library avec de grands fonds : l'évangéliaire syriaque (nº 25) fait partie de la collection de quelque 800 manuscrits du voyageur Claudius Rich (1787-1820) acquise en 1825. Les Évangiles du tsar Ivan Alexandre (nº 35) appartenaient à Robert Curzon, 14e baron Zouche (1810-1873), dont la collection, constituée au gré de ses nombreux voyages dans les pays du Levant, a été léguée en 1917. Parmi les manuscrits acquis plus tard dans le courant du siècle dernier, la Bible en images de Holkham (nº 32) et la bible de Clément VII (nº 34) figuraient parmi les douze manuscrits qui arrivèrent en 1952 en provenance de la bibliothèque des comtes de Leicester à Holkham Hall, dans le Norfolk.

Quatre autres manuscrits présentés dans ce livre appartiennent aux deux autres collections évolutives. Les Évangiles arméniens (nº 44) ainsi que l'Octateuque et les Évangiles éthiopiens (nº 45) font partie de l'Oriental collection, équivalent de l'Additional collection pour les manuscrits orientaux ; son système de cotation a été mis en place à la création du département des manuscrits orientaux en 1867. La dernière collection « ouverte » doit son nom à Francis Henry Egerton, 8e comte de Bridgewater (1756-1829). En plus de 67 manuscrits, Egerton légua un fonds d'acquisition (le Bridgewater Fund) qui fut renfloué en 1838 (sous le nom de Farnborough Fund) par un cousin d'Egerton, Charles Long, baron Farnborough (1761-1838). Les revenus de ces fonds furent utilisés par Frederic Madden pour acquérir l'Évangéliaire Egerton (nº 17) pour la somme de 23 £ et 2 cents en 1840, et le Psautier de Mélisende (nº 19) pour 350 £ en 1845.

BIBLIOGRAPHIE

Colin G. C. Tite, *The Manuscript Library of Sir Robert Cotton*, Panizzi Lectures, 1993, Londres, 1994.

P. R. Harris, *A History of the British Museum Library, 1753-1973*, Londres, 1998.

Nicolas Barker *et al.* (dir.), *Treasures of the British Library*, Londres, 2005.

Kathleen Doyle, « The Old Royal Library: "A greate many noble manuscripts yet remaining" », *in* Scot McKendrick, John Lowden et Kathleen Doyle, *Royal Manuscripts: The Genius of Illumination*, Londres, 2011, p. 66-93.

Scot McKendrick, John Lowden et Kathleen Doyle, *Royal Manuscripts: The Genius of Illumination*, Londres, 2011.

Kathleen Doyle et Scot McKendrick (dir.), 1000 *Years of Royal Books and Manuscripts*, Londres, 2013.

Catalogue of Illuminated Manuscripts Virtual Exhibitions, comprenant Scot McKendrick, « The Burney Collection of Manuscripts in the British Library », <https://www.bl.uk/catalogues/illuminatedmanuscripts/TourBurney.asp>, et Alixe Bovey, « Henry Yates Thompson's Illuminated Manuscripts », *Catalogue of Illuminated Manuscripts*, <http://molcat1.bl.uk/illcat/TourYT100.asp>, consultés le 22 mars 2016.

NOTES

1 Tite, *op. cit.*, p. 33.

2 Doyle, « The Old Royal Library… »

3 Bovey, « Henry Yates Thompson's Illuminated Manuscripts ».

4 Michael Borrie, « Madden, Sir Frederic (1801-1873) », *Oxford Dictionary of National Biography* (Oxford, 2004), <http://www.oxforddnb.com/view/article/17751>, consulté le 14 juin 2015.

BIBLIOGRAPHIE

Jonathan J. G. Alexander, *Medieval Illuminators and their Methods of Work*, New Haven, Yale University Press, 1992.

Franciscus Anastasius van Liere, *An Introduction to the Medieval Bible*, New York, Cambridge University Press, 2014.

Janet Backhouse, *The Illuminated Page: Ten Centuries of Manuscript Painting in the British Library*, Toronto, University of Toronto Press, 1997.

Pierre-Maurice Bogaert, *Les Bibles en français. Histoire illustrée du Moyen Âge à nos jours*, Turnhout, Brepols, 1991.

Susan Boynton et Diane J. Reilly (dir.), *The Practice of the Bible in the Middle Ages. Production, Reception, and Performance in Western Christianity*, New York, Columbia University Press, 2011.

Walter Cahn, *Romanesque Bible Illumination*, Ithaca, Cornell University Press, 1982.

Euan Cameron (dir.), *The New Cambridge History of the Bible*, vol. 3, *From 1450 to 1750*, Cambridge, Cambridge University Press, 2015.

James Carleton Paget et Joachim Schaper (dir.), *The New Cambridge History of the Bible*, vol. 1, *From the Beginnings to 600*, Cambridge, Cambridge University Press, 2013.

Richard Gameson (dir.), *The Early Medieval Bible: Its Production, Decoration and Use*, Cambridge, Cambridge University Press, 1994.

Christian Gastgeber, Stephan Füssel et Andreas Fingernagel, *Le Livre des bibles : les plus belles bibles enluminées du Moyen Âge*, traduit de l'allemand par Wolf Fruhtrunk, 2e éd., Cologne, Taschen, 2016.

Margaret J. Gibson, *The Bible in the Latin West*, Notre Dame, University of Notre Dame Press, 1993.

André Grabar, *Les Voies de la création en iconographie chrétienne : Antiquité et Moyen Âge*, Paris, Flammarion, 2008.

Christopher de Hamel, *Scribes and Illuminators*, Toronto, University of Toronto Press, 1992.

Christopher de Hamel, *A History of Illuminated Manuscripts*, Londres, Phaidon, 1997.

Christopher de Hamel, *La Bible : histoire du livre*, traduit de l'anglais par N. Hassad, Londres, Phaidon, 2002.

Christopher de Hamel, *Bibles: An Illustrated History from Papyrus to Print*, Oxford, Bodleian Library, University of Oxford, 2011.

Christian Heck (dir.), *Thèmes religieux et thèmes profanes dans l'image médiévale : transferts, emprunts, oppositions*, Turnhout, Brepols, 2014.

Ena Heller et Patricia C. Pongracz (dir.), *Perspectives on Medieval Art: Learning Through Looking* (colloque, Fordham Center on Religion and Culture and the Museum of Biblical Art, 30-31 mai 2008), New York, Museum of Biblical Art, 2010.

Colum Hourihane (dir.), *Between the Picture and the Word: Essays in Commemoration of John Plummer*, Princeton, The Index of Christian Art, Princeton University, 2005.

Claus Michael Kauffmann, *Biblical Imagery in Medieval England, 700-1500*, Londres, Harvey Miller Publishers, 2003.

Guy Lobrichon, *La Bible au Moyen Âge*, Paris, Picard, 2003.

Scot McKendrick et Kathleen Doyle, *Bible Manuscripts: 1400 Years of Scribes and Scripture*, Londres, British Library, 2007.

Richard Marsden et E. Ann Matter (dir.), *The New Cambridge History of the Bible*, vol. 2, *From 600 to 1450*, Cambridge, Cambridge University Press, 2012.

Bruce M. Metzger, *Manuscripts of the Greek Bible: An Introduction to Paleography*, New York et Oxford, Oxford University Press, 1981.

Bruce M. Metzger et Michael David Coogan (dir.), *The Oxford Companion to the Bible*, Oxford, Oxford University Press, 1993.

Carl Nordenfalk, *L'Enluminure au Moyen Âge*, Paris, Skira, 1988.

Otto Pächt, *L'Enluminure médiévale. Une introduction*, Paris, Macula, 1997.

David C. Parker, *An Introduction to the New Testament Manuscripts and their Texts*, Cambridge, Cambridge University Press, 2008.

Eyal Poleg et Laura Light (dir.), *Form and Function in the Late Medieval Bible*, Library of the Written Word, vol. 27, the Manuscript World 4, Leiden, Brill, 2013.

Jean Porcher, *L'Enluminure française*, Paris, Arts et métiers graphiques, 1959.

Roland Recht, *L'Image médiévale. Le Livre enluminé*, Paris, Réunion des musées nationaux, 2010.

Pierre Riché et Guy Lobrichon (dir.), *Le Moyen Âge et la Bible*, Paris, Beauchesne, coll. « Bible de tous les temps », 1984.

John Riches (dir.), *The New Cambridge History of the Bible*, vol. 4, *From 1750 to the Present*, Cambridge, Cambridge University Press, 2015.

Chiara Ruzzier et Xavier Hermand (dir.), *Comment le Livre s'est fait livre. La fabrication des manuscrits bibliques (IVe-XVe siècle). Bilan, résultats, perspectives de recherche*, Turnhout, Brepols, 2015.

Beryl Smalley, *The Study of the Bible in the Middle Ages*, 2e éd., Notre Dame, University of Notre Dame Press, 1952.

Jeffrey Spier, *Picturing the Bible: the Earliest Christian Art*, cat. expo. (Kimbell Art Museum, Fort Worth), New Haven, Yale University Press, 2007.

Francesca Taddeï, *La Bible dans l'art*, Paris, Eyrolles, 2010.

Krystyna Weinstein, *L'Art des manuscrits médiévaux*, Paris, Solar, 1998.

John Williams (dir.), *Imaging the Early Medieval Bible*, University Park, Pennsylvania State University Press, 1999.

INDEX DES MANUSCRITS

INDEX GÉNÉRAL

Les numéros de page en **gras** indiquent les manuscrits étudiés dans l'ouvrage. Les numéros en *italique* renvoient aux autres illustrations.

REMERCIEMENTS

Nous voudrions remercier nos collègues et amis qui nous ont apporté leurs points de vue précieux sur divers aspects de ce livre : Colin Baker, Nicolas Bell, Alixe Bovey, Claire Breay, Elisabetta Caldelli, Andrea Clarke, Christina Duffy, Sam Fogg, James Freeman, Michael Gullick, Christine Haney, Julian Luxford, Patricia Lovett, John Lowden, Francesca Manzari, Sally Nicholls, Laura Nuvoloni, Stella Panayotova, Ioanna Rapti, Paola Ricciardi, Janet Robson, Ilana Tahan, Chantry Westwell et Joe Whitlock Blundell. Sarah Biggs, Richard Gameson, David Ganz, Michael Kauffmann, Hannah Morcos, Cillian O'Hogan, Lucy Freeman Sandler et Rose Walker ont relu les premières versions de certaines notices et nous ont généreusement offert commentaires et critiques. Nous sommes particulièrement reconnaissants à Peter Dawson de Grade Design pour sa patience et sa très belle maquette, à Rosemary Roberts pour son travail éditorial méticuleux, à Susanna Ingram de Thames & Hudson pour son attention scrupuleuse et exigeante à la balance des couleurs et à la qualité des images ainsi qu'à David Way, Lara Speicher et Rob Davies du pôle éditorial passé et présent de la British Library et Julian Honer de Thames & Hudson pour avoir cru en ce projet et avoir œuvré sans failles à sa réalisation.

COUVERTURE :

Portrait de saint Jean en Évangéliste, avec les premiers mots de son texte, son symbole – l'aigle –, et le Christ faisant un signe de bénédiction et portant un livre doré, au début de l'Évangile de saint Jean, Bible d'Arnstein, vers 1172, f° 185v (détail).

QUATRIÈME DE COUVERTURE :

Un ange fermant la porte de l'Enfer, Psautier de Winchester, milieu du XIIe siècle, f° 39 (détail).

Traduit de l'anglais par Anne Levine (p. 126-223, 300-330), Annie Pérez (p. 224-271) et Christian Vair (p. 4-125, 272-299).

Titre original : *The Art of the Bible. Illuminated Manuscripts from the Medieval World*
Publié avec l'accord de Thames & Hudson, Londres, en collaboration avec The British Library

Conception graphique : Peter Dawson, gradedesign.com

8, rue Gaston-de-Saint-Paul - 75116 Paris
www.citadelles-mazenod.com

Coordination de la traduction, relecture et adaptation française : Stéphanie Grégoire
Adaptation de l'index : Anne Lévine, Annie Pérez et Christian Vair
Adaptation de la bibliographie : Christian Vair et Gwenaël Ben Aissa
Conception graphique de la jaquette : Ursula Held
Papier Arctic Volume White, 150 grammes

ARCTIC PAPER

ISBN : 978 2 85088 722 2
Dépôt légal : septembre 2017
Impression et reliure : Artron, Chine